MÄNNER

Dietrich Schwanitz

MÄNNER

Eine Spezies wird besichtigt

Eichborn.

2 3 4   02 01

© Eichborn AG, Frankfurt am Main, April 2001
Umschlaggestaltung: Dietrich Schwanitz und Christina Hucke
unter Verwendung eines Fotos von Uwe Ommer ©
Satz: Fuldaer Verlagsagentur, Fulda
Druck und Bindung: Bercker Graph. Betrieb GmbH & Co. KG
ISBN 3-8218-0858-6

Verlagsverzeichnis schickt gern:
Eichborn Verlag, Kaiserstraße 66, 60329 Frankfurt am Main
www.eichborn.de

Der Mann ist niemals gockelhafter, als wenn er von sich selber spricht. Das Thema scheint seine natürliche Eitelkeit hervorzulocken. Es gibt deshalb kein Buch über die Männer, das nicht ein Dokument des Schwachsinns und ein Kompendium der Albernheiten wäre. Es gibt nur zwei, die wenigstens einen Ansatz zur ernsthaften Selbsterkenntnis erahnen lassen. Das eine ist »Der Mann in seinem Verhältnis zum Weibe«, Leipzig 1878, von Gustav Württemberger. Und das andere ist dieses hier.

L. H. Mankin, In Defence of Man, 1929

Inhalt

An die Leserinnen und Leser

Warum werden Mann und Frau immer mit Hund und Katze verglichen? Ist es, weil die Frau elegant und reinlich ist wie eine Katze, die auf leisen Sohlen dezent einherschreitet, im Vollgefühl ihrer Anmut und Würde, während der Hund ein lärmender Rabauke ist wie ein Mann, ein Meutenmitglied ohne Feingefühl, ausgestattet mit dem Hang zum Radau, aber Vorgesetzten gegenüber von schwanzwedelnder Unterwürfigkeit?

Sicher. Aber der eigentliche Grund für die Ähnlichkeit liegt tiefer. Worin er besteht, wurde mir bei einem denkwürdigen Anlaß klar.

Es war auf dem ersten Klassentreffen, Jahrzehnte nach dem Abitur. Als sich, nach der ersten Befangenheit, der Abend in die Nacht zog und die Worte hin- und herflogen, fiel mir plötzlich auf: Aus Frauen und Männern hatten sich zwei verschiedene Gesprächsgruppen gebildet. Was war geschehen? Die Männer rutschten im Nu in ihre alten Rollen zurück und wurden wieder die Knaben, die sie früher gewesen waren. Sie rissen Witze und lachten über die Heldentaten von einst. Von dem Leben, das sie seitdem geführt hatten, erfuhr man nichts. Wenn man nachfragte, wurde man mit Sprüchen abgespeist. Niemand erzählte, wie es ihm inzwischen ergangen war. Die Sprüche und Witze, die Anekdoten über alte Lehrer und die Reminiszenzen an alte Heldentaten dienten nur dem Zweck, nichts Persönliches erzählen zu müssen.

Wie anders bei den Frauen! Sie alle hatten eine Geschichte, die die Zeit von damals mit dem Heute verband. Es waren keine jungen Mädchen mehr, denn sie hatten in der Zwischenzeit etwas erlebt. Und sie wußten es und konnten es erzählen. Aus ihnen sprach die lebendige Erfahrung, und jede der Frauen wurde zu einer Figur in einem interessanten Lebensroman.

Häufig waren es Geschichten über verlorene Illusionen, die sie erzählten. Und in der Regel betrafen ihre Enttäuschungen ihre Männer. Und während ich zuhörte, wurde mir klar: Diese Männer sind von derselben Sorte wie ihre Klassenkameraden von einst, die da wie spätpubertierende Teenager ihre Sprüche klopfen. Sie sind ihren Frauen fremd geblieben. Sie wirken auf sie wie erfahrungslose Figuren, steril und ohne die Fähigkeit, zu ihnen zu sprechen. Und zugleich ging mir auf: Diese Frauen haben keinen Schimmer, daß alle diese Kerle eine Maske tragen. Daß sie ihre puerilen Scherze machen, um nichts Persönliches berichten zu müssen. Und daß sie auf diese Weise ihre Trauer verbergen – Trauer über die verpaßten Chancen und die eigenen Fehler, Trauer darüber, daß das Leben im Vergleich zu den damaligen Hoffnungen kläglich verlaufen ist, und auch Trauer darüber, daß sie all das hinter der idiotischen Maske der Unreife verbergen müssen, die sie einsam und sprachlos macht. Und mit der Plötzlichkeit einer Eingebung wurde mir klar, daß die Ähnlichkeit mit Hund und Katze auf einem Fluch beruht, der die Beziehung zwischen ihnen verhext.

Dieser Fluch besteht darin, daß die Annäherung der Geschlechter in Männern und Frauen entgegengesetzte Reaktionen auslöst. Die Männer setzen eine Maske auf, werfen sich in die Pose des Siegers und verwandeln sich in Angeber. Damit betonen sie die Abgrenzung gegenüber den Frauen, um den Eindruck ihrer Männlichkeit zu verstärken. Die Frauen aber erwarten von Nähe größere Aufrichtigkeit und wechselseitige Selbstauslieferung. Die Männer dagegen verstärken die Theatralik, um cool zu wirken, und verschließen dabei ihr Inneres in dem Moment, in dem die Frauen ihre Gefühle offenbaren.

Der Effekt ist derselbe wie in der Kommunikation zwischen Hund und Katze: Wenn der Hund freundlicher Stimmung ist, wedelt er mit dem Schwanz. Ist er dagegen böse, dann knurrt er. Bei der Katze ist es umgekehrt. Ist sie gereizt, dann zuckt die Schwanzspitze. Fühlt sie sich anschmiegsam und liebebedürftig, beginnt sie zu schnurren. Nähert sich also eine Katze mit vertrauensseligem Schnurren einem Hund, fühlt dieser sich bedroht und beginnt zurückzuknurren. Das mißversteht die Katze als Einladung zu Vertraulichkeiten, die der Hund wiederum als Angriff auf seine Unabhängigkeit mißversteht und mit Bellen und Bissen beantwortet. Da nimmt es nicht wunder, daß die Katze dieses Verhalten als empörend empfindet.

Doch auch der Hund findet das Verhalten der Katze entsetzlich. Er hat die freundlichsten Absichten und wedelt eifrig und frohgemut mit dem

Schwanz. Zu seiner Beruhigung beantwortet sie das mit einem zwar zurückhaltenden, aber deutlich sichtbaren Zucken ihrer Schwanzspitze. Als er, auf diese Weise ermutigt und uneingedenk seines betäubenden Mundgeruchs, sich ihr nähert, liest er an der Frequenzerhöhung beim Peitschen des Katzenschwanzes einen Willkommensgruß ab. Gerade will er zu einem schlabbernden Begrüßungskuß ansetzen, da springt sie ihm spukkend und fauchend ins Gesicht.

Dieser Fluch wird von Generation zu Generation weitervererbt. Dem Clan der Hunde und der Dynastie der Katzen ist es bisher ebensowenig gelungen, ihn zu bannen, wie es Männern und Frauen gelingt, sich von der Wirkung dieses Fluchs zu befreien. Statt dessen hat er – auf seiten der Frauen – die Entstehung zweier gegensätzlicher Mythen bewirkt.

Der eine Mythos besagt, daß die Männer weithin überschätzte Wesen sind, eigentlich eher Irrläufer der Evolution, im Grunde Versager und Fehlschläge; und daß der alte Glaube an ihre Überlegenheit ein von ihnen selbst in Umlauf gesetztes Gerücht sei, dessen Ausbreitung sich teils der Zwangsmission, teils der Leichtgläubigkeit der Frauen verdanke.

Der andere Mythos ist der Traum von der Liebe. Da wird der Partner im Paradies zur Quelle des Glücks. Und so sieht die Standardphantasie aus:

Die Welt ist voller fremder Körper. Viele davon sind attraktiv und von entgegengesetztem Geschlecht. Sollte unter ihnen nicht einer sein, der uns aus der Fremdheit erlöst? Ein Körper, der uns aus der Menge entgegentritt und vertraut wird, weil die Person in ihm uns liebt?

Geschähe das, wären wir von dieser Sekunde ab nicht mehr allein. Die Welt hätte uns ihr freundliches Gesicht zugewandt. Ein Fremder wäre durch uns verzaubert, und an Stelle der kalten Welt begegnete uns ein warmer Körper. Wo sonst rituelle Verbote den Fremden fernhalten – im Hoheitsbereich und Sakralraum der eigenen Körpernähe – begegnet uns jetzt ein zweites Ich. Die Schutzzone des eigenen Selbst wird mit Wonne preisgegeben. Die Kraft, die sonst zur Sicherung der eigenen Schamgrenzen aufgewendet wird, zerfließt im Luxus der Hingabe. Wir können die Verteidigungsanlagen der Person schleifen. Uns erwartet nur noch

Freundlichkeit und Bejahung. Wir werden gepriesen und gefeiert, und das Dasein verwandelt sich in ein dauerndes Fest.

Zugleich Fehlschlag der Evolution und Partner des Glücks? Dieser Widerspruch bleibt so lange ungeklärt, wie man selber ein Opfer von Mißverständnissen wird und es nicht bemerkt. Wie schnell das geht, kann man am Beispiel einer berühmt gewordenen Untersuchung zum Knutschverhalten englischer Mädchen und amerikanischer Soldaten studieren, die während des Weltkrieges in England stationiert waren.

Bei einer Befragung beider Gruppen war herausgekommen, daß die englischen Mädchen die GIs für besonders stürmisch, sich selbst aber für zurückhaltend hielten; daß aber umgekehrt die GIs sie als forsch und sich selbst als schüchtern einstuften.

Als man die Sache untersuchte, fand man heraus, daß das Knutschprogramm für beide Gruppen aus circa zwanzig Phasen bestand. Aber im amerikanischen Programm kam der Zungenkuß schon in Phase fünf, bei den Engländerinnen aber erst in Phase zehn. Dafür kam bei ihnen das Befummeln der Intimzonen schon in Phase elf, während das bei den GIs erst in Phase neunzehn kam. Applizierten also die GIs den Zungenkuß – in ihrer Skala in Phase fünf, also recht früh –, hieß das für die englischen Mädchen, daß sie auf ihrer Skala schon in Phase zehn angekommen waren. Sie erlebten also die GIs als besonders forsch. Das stellte sie vor die Alternative, entweder abzubrechen oder die nächste Phase, elf auf ihrer Skala, also heavy petting, einzuleiten. Das kam aber auf der amerikanischen Skala erst in Stadium neunzehn. Also hatten die GIs den Eindruck, daß die englischen Mädchen schon in Phase sechs den Übergang zum Vollzug einleiteten. Das Ergebnis war, daß die ganze Skala von zwanzig auf sieben Phasen verkürzt wurde und jeder der beiden geschworen hätte, der jeweils andere habe die Sache beschleunigt.

Ich werde in diesem Buch zu zeigen versuchen, daß Männer und Frauen allenthalben in solche Fallen der Kommunikation taumeln; daß Männer anders kommunizieren als Frauen, ja, daß sie im Grunde ganz andere Wesen sind; und daß frau ihre Glückserwartungen nur dann realisieren kann, wenn sie von der grundsätzlichen Fremdheit der Männer ausgeht, um dann ihre Überwindung zu feiern. Nur wenn sie Zugang zum Land

Maskulinia findet – jenem einst mächtigen, jetzt aber heruntergekommenen Reich –, kann sie ihre Hoffnungen auf eine realistische Basis stellen und einen Mann kennen und ihn trotzdem lieben.

Von diesem Land Maskulinia handelt dieses Buch. Wir schildern seine volkreiche Metropole Testosteron. Wir beschreiben die reichen Bodenschätze, unter ihnen die wertvollen Y-Chromosomen-Vorkommen, die die Grundlage für die Industrie und den Reichtum des Landes bilden. Wir erzählen die ruhmreiche Geschichte dieses einst machtvollen Reiches und gehen auf die Gründe für den heutigen Niedergang ein. Wir bieten ein schonungsloses Bild von den Hungersnöten in den Provinzen, den langen Warteschlangen vor den Verkaufsstellen und vom Sumpf der Korruption, in dem die Regierung unter Präsident Priapos Phallokratos versunken ist. Und wir zeigen, daß gerade diese Notlage den Patriotismus der Maskulinier dazu aufstachelt, die Politik der Propagandalügen und der Beschönigung des Präsidenten zu unterstützen. Und schließlich versuchen wir, in der Leserin ein Verständnis für dieses abstruse Verhalten zu wecken, indem wir auf die Sitten, die Gebräuche und die Institutionen in Maskulinia eingehen, die, aus ältester Zeit überliefert, uns heute so befremdlich erscheinen: Gemeint sind solche Bräuche wie die Nagelprobe und der Brüllwettbewerb bei der Initiation der Knaben; oder die Kugeljagd, bei der ein Lederball das gejagte Tier vertritt. Oder die Trinkreise, bei der ein Trupp von Bewohnern bei wachsender Trunkenheit und steigender Sangeslust von Tränkstelle zu Tränkstelle zieht. Gemeint ist auch das rigorose Strafrecht bei Verletzung des Schamgefühls: Mit dem Tode oder Pranger muß rechnen, wer in der Öffentlichkeit seine Gefühle entblößt. Oder wer einen Mißerfolg zugibt. Weiterhin werden wir das Schulsystem und die Bildungseinrichtungen darstellen, wo die nach dem Philosophen Alphonso Macho genannte Lehre des Machismo den Kleinen als Staatsideologie eingetrichtert wird. Von der Politik wird die Rede sein, die in Maskulinia nicht nur einen Teil, sondern fast alle Bewohner interessiert, so daß man sagen kann, sie sei neben der Kugeljagd der eigentliche Volkssport des Landes. Und wir werden auch auf den sprichwörtlichen Stolz des Maskuliniers zu sprechen kommen, der ihn zu einem solchen Patrioten – Kritiker sagen: Chauvinisten – macht. Und hier wird der Schlüssel zum Verständnis jenes so merkwürdigen Volkscharakters liegen, von dem so viele kulturelle Erfindungen und so viele Menschheitskatastrophen ihren Ausgang genommen haben. All das wird der Leserin zunächst so fremd und abwegig erscheinen, daß sie Mühe haben wird, es zu glauben. Aber das Buch versteht sich durchaus als praktischer Reiseführer. Es enthält beinah alles, was man über Männer wissen muß – jenes noch immer merkwürdige und rätselhafte Volk, das von Anfang an die Frauen der Welt begleitet, beglückt und gepeinigt hat.

★

Zum Schluß noch eine Bemerkung zur Architektur dieses Buches: Den Haupttext habe ich in acht Kapiteln angeordnet. Er handelt von den Männern. Aber wie in einem Schlößchen in den acht Repräsentationsräumen jeweils das Bild eines Ahnen hängt, so habe ich in jedes der acht Kapitel das dazu passende Bild aus der Galerie der Männertypen eingefügt. Man kann die Bilder auch unabhängig von den Kapiteln betrachten und wandert dann durch eine Sammlung von Männerporträts.

Und so wie am Ende von jedem Repräsentationsraum eine Tapetentür zu einer der Logen des Schloßtheaters führt, habe ich am Ende jedes Kapitels eine dramatische Szene eingefügt, die Motive des Haupttextes aus der Sicht der Frauen variiert. Wer sie hintereinander liest, wird feststellen, daß sie zusammen eine richtige Komödie bilden: die Komödie der Frauen als Gegenentwurf zum sonoren Text über die Männer.

★

Dieses Buch ist allen Frauen in Dankbarkeit gewidmet. Sie allein haben mich gelehrt, was emotionale Großzügigkeit ist.

I. Des Widerspenstigen Zähmung

Die Liebe und der Schrecken

Unerschöpflich ist die Sehnsucht der Frauen nach der Utopie der Gesellschaft zu zweit. Das ist verständlich, denn sie scheint leichter zu verwirklichen als die politische Utopie. Nicht eine ganze Gesellschaft und ihr guter Wille sind dazu nötig, sondern nur zwei Liebende. Entsprechend schließt sich das Paar selbst aus der Gesellschaft aus und bildet eine Sonderwelt, in der andere Gesetze gelten als außerhalb. Ist draußen die Wildnis der Fremden mit ihrer Kälte und Unpersönlichkeit, herrscht drinnen die Wärme der Intimität. Sind die Menschen draußen einander weitgehend gleichgültig, bedeuten die beiden Liebenden einander alles.

Zugleich wird das Scheitern der Liebe nicht als Widerlegung des ganzen Projektes erlebt. Es war halt der falsche Partner. Man paßte nicht zusammen. Und so begibt man sich auf die Suche nach einem neuen Partner, mit dem man die Sache noch einmal versucht. Es gibt Frauen, die schon unzählige Male gescheitert sind und doch immer wieder einen neuen Anlauf nehmen. Dabei laufen ihre Liebesgeschichten ab wie politische Revolutionen. Denn beide folgen dem gleichen Muster.

Das Drama der Revolution wird immer ausgelöst von einer Sehnsucht nach Vereinigung. Plötzlich erträgt man es nicht mehr, daß die Gesellschaft geteilt ist. Geteilt in Herrscher und Beherrschte, Reiche und Arme, Aristokraten und Bürger, Kapitalisten und Proletarier. Darauf werden alle Mißstände zurückgeführt: die Unfreiheit, die schlechte Versorgung, die Korruption und der allgemeine Sittenverfall. Es sind die Barrieren zwischen den Menschen, auf die sich die Wut des Volkes richtet. Und so wächst die Unzufriedenheit, und die Spannung steigt, und eines Tages – ein Zufall kann alles auslösen – bricht die Revolution aus. Ja, die Revolution. Sie ist fast so etwas Rauschhaftes wie die Liebe.

Nach dem Fall der Bastille wird sie zum Freudentaumel und verwandelt sich in ein Fest. Fremde umarmen sich; zerstrittene Nachbarn versöhnen und küssen sich. Eine ungeheure Euphorie ergreift das Volk. Im

Rausch des Festes wird die Nation eins und unteilbar – une et indivisible – wie es in der Französischen Revolution heißt. Nie haben die Beteiligten etwas Schöneres und Erhabeneres erlebt. Die Welt hat sich plötzlich verwandelt. Es lohnt sich, in ihr zu leben. Alle verbrüdern sich, es gibt keine Unterschiede mehr. Die Menschen sind liebenswert. Die Erde verjüngt sich. Man möchte die Zeit von jedem Tag an neu beginnen lassen. Die Welt wird neu erfunden. Schiller hat in der »Ode an die Freude« den Taumel der Revolution genau getroffen: »Deine Zauber binden wieder, was die Mode streng geteilt. Alle Menschen werden Brüder, wo dein sanfter Flügel weilt. Seid umschlungen, Millionen, diesen Kuß der ganzen Welt ...«

Das ist ganz ähnlich wie der erotische Liebesrausch. Auch da ist die Spannung unerträglich geworden. Alles, was die Liebenden trennt, wird als lästig und hassenswert erlebt. Bis sich die beiden wütend gegen die elterlichen Autoritäten auflehnen, alle Konventionen, Verbote und Hindernisse überrennen und sich in die Arme fallen, um in der Ekstase der Liebe miteinander zu verschmelzen. Am Morgen danach sieht die Welt wie neugeboren aus. Ab dann zählt eine neue Zeitrechnung, und die beiden sind wie verwandelt.

Was aber passiert mit der Revolution? Wie die Liebenden machen die Revolutionäre sich daran, die neue Ordnung zu festigen. Sie geraten in einen Rausch der Kreativität. Eine neue Verfassung wird entworfen. Das Land wird neu verteilt, die Provinzen neu benannt, die wichtigen Orte der Hauptstadt werden neu getauft, die Zeit wird neu eingeteilt, die Maße und Gewichte neu geschaffen, und die Mode, die Religion, die Feste, ja, die gesamte reale und symbolische Ordnung wird neu entworfen. Das ist die Fortsetzung des Glücks.

Dann aber erscheinen die ersten Wolken. Unter den Revolutionären gibt es die erste Uneinigkeit. Soll man die Kirchen in Volksbildungshallen verwandeln, oder ist das zu radikal? Soll man den Gottesdienst verbieten und statt dessen dem Volke Vorträge über Volkswirtschaft anbieten? Soll man die Theaterbesuche durch obligatorische Gymnastik-Kurse im Dienste der Volksgesundheit ersetzen? Es kommt zu einer Spaltung zwischen zwei Gruppen: den Gemäßigten und den Radikalen. Die Radikalen beschuldigen die Gemäßigten, sie würden die Errungenschaften der Revolution verraten. Diese Sünde erscheint um so teuflischer, als das Glück der Revolution so berauschend war. Wenn wir diese Verräter beseitigen, sagen die Radikalen, gewinnen wir das ungetrübte Glück zurück. Und da meldet jemand die Nachricht, einige der Gemäßigten seien geflohen und hätten sich mit den gestürzten Herrschern verbündet. Das überführt sie als Verräter. Jetzt gibt es kein Pardon mehr. Der Wohlfahrtsausschuß läßt die Guillotine aufstellen. Die Revolution vergießt das erste Blut. Das Geschehen wendet sich zur Tragödie. Die Utopie landet im Terror.

Genauso geht es dem Paar: Nach dem rauschenden Fest der Liebe wird die Welt neu gegründet. Im gemeinsamen Hausstand entsteht die eigene Existenz als verjüngt. Hier tritt die Frau als die wahre Wächterin der Revolution in Erscheinung. Auf diesen Zeitpunkt der Neuschöpfung hin hat sie gelebt. Darauf hat sie sich unbewußt vorbereitet. Jetzt geht sie in einer Orgie des Einrichtens auf. Alles wird neu: die Möbel, die Betten, die Wäsche, die Gewohnheiten, der Tageslauf, die Bekanntschaften, die Freundeskreise, das ganze Leben wird als gemeinsames neu geschaffen. Eine kreative Euphorie erfaßt das Paar. Und sie erleben die Welt als wiedergeboren. Auf ihren Gesichtern liegt ein seliger Glanz, der von innen kommt. Und sie genießen ihr Glück. Es sieht so aus, als ob es ewig währen könnte.

Doch da erscheint eine kleine Wolke der Uneinigkeit, ein Wölkchen, nichts weiter. Soll er ihr zuliebe seine montägliche Pokerrunde aufgeben und durch einen Theaterabend ersetzen? Oder ist das zu radikal? Kein Problem! Für seine Liebe opfert er alles. Die Frage hinterläßt nur ein Kräuseln auf der glatten Oberfläche ihrer Innigkeit. Die Pokerrunde fällt aus. Doch dann stellt sich ein neues Problem ein. Die beiden haben sich die Hausarbeit geteilt. Ist doch klar in der Nation une et indivisible! Aber ihre Vorstellung von Sauberkeit ist radikal und seine gemäßigt. Er ist immer früher mit dem Putzen fertig als sie. Sie stellt fest, daß er nicht gründlich genug saugt. Sie muß ständig hinter ihm hersaugen. Die Gläser müssen noch mal abgetrocknet werden. Und schließlich entdeckt sie sich dabei, wie sie auch in der Küche und im Bad hinter ihm herwischt.

Das endet damit, daß sie doppelt soviel arbeitet wie er. Da er es nicht zu bemerken scheint, setzt sie sich die Jakobinermütze auf und erhebt im

Konvent ihre Stimme: »Bürger Lebensabschnittspartner!« sagt sie, »deine Putzerei genügt nicht den revolutionären Standards!« »Bürgerin, Geliebte und Partnerin«, antwortet er, »du bist im Irrtum. Schau selbst diesen Glanz in der Küche! Diese blitzende Sauberkeit im Bad! Und das Schönste ist, ich werde immer schneller damit fertig. Ich arbeite mit der Methode revolutionärer Rationalität.« »Ah, daß ich nicht lache, Bürger! Daß es so sauber ist, liegt daran, daß ich hinter dir herputze, und deswegen strengst du dich auch immer weniger an.« »Was, Bürgerin! Du kontrollierst heimlich meine Arbeit? Nennst du das revolutionäres Vertrauen? Ist das die revolutionäre Offenheit, die wir uns versprochen haben?« »Und ist das die revolutionäre Sauberkeit, die die Voraussetzung jeder echten Revolution ist?«

In der Folge kommt es zur Bildung zweier Parteien mit je einer Person als Mitglied, die sich gegenseitig beschuldigen, ihre private Utopie, die revolutionäre Liebe, verraten zu haben. In den Augen jeder der beiden Parteien ist diese Sünde um so größer, als die Liebe vorher so rauschhaft und beglückend war. Die Partei der radikalen Sauberkeit erhöht deshalb die Oktanzahl ihrer Anklagen. Da ergreift die Partei der Gemäßigten die Flucht und verbündet sich mit den Vertretern der alten Ordnung aus seiner Kumpelhorde. Das überführt ihn als Verräter der Utopie zu zweit. Die Partei der revolutionären Wächterin hat unwiderlegbare Beweise, daß sich der Verräter mit seinen Kumpeln in der Kneipe besoffen und Hetzreden gegen die Revolution gehalten hat. Jetzt ist der Punkt erreicht, wo in der politischen Revolution die Guillotine aus dem Schuppen geholt würde. Das ist in der Paarbeziehung nicht möglich, ohne daß das Projekt der Utopie gleich mit enthauptet wird.

Gleichwohl vollzieht sich auch hier das perverse Gesetz der Utopie. Beide klagen sich an, die gemeinsame schöne neue Welt der Liebe verraten zu haben. Gerade weil sie so rauschhaft schön war, wiegt die Sünde, sie um eines untergeordneten Problems willen aufs Spiel gesetzt und zerstört zu haben, so besonders schwer. Die Auseinandersetzung darüber, wer schuld ist und wer den Verrat begonnen hat, vertieft die Kluft zwischen den Liebenden. Und was als Verschmelzung und wechselseitige Bestätigung begann, endet in Zwietracht und Terror.

Am Schluß ist, was Liebe war, zum blutigen Bürgerkrieg der Ehe geworden. Muß das so sein? Liegt der gleiche Fluch über der Liebe wie über der Revolution? Ist das Glück dazu verdammt, sich gegen sich selbst zu wenden? Oder liegt es, wie immer, an den Männern? Welchem Gesetz gehorcht diese Tragödie?

Der weibliche Blick und die Fremdheit der Männer

Die Liebe verwandelt den Mann für eine kurze Zeit in eine Frau. Er wird aufmerksam, liebevoll, achtet auf die Befindlichkeit der Geliebten, richtet sich völlig an ihren Erwartungen aus, gibt das Konkurrenzgehabe auf, redet nur über Gefühle, öffnet sein Inneres, bestätigt alle ihre Äußerungen und sucht jede Meinungsverschiedenheit zu vermeiden. Das ist um so reizvoller, als es vor der Folie der männlichen Rolle geschieht.

Das verführt Frauen dazu, die Männer ganz generell an den Normen zu messen, die in der Liebe gelten. Wenn Männer in der Liebe zu solch wunderbarem Verhalten fähig sind – denken sie – warum sollten sie es nicht immer sein? Und so vergessen sie im Blick auf das andere Geschlecht die grundsätzliche Fremdheit, die in der Liebe überwunden wird. Sie konfrontieren die Männer mit den hier erworbenen Erwartungen und sind dann um so befremdeter, wenn diese sie nicht mehr erfüllen. Daß sie vielleicht besser gewappnet wären, wenn sie die Fremdheit der Männer als normal unterstellten und die Vertrautheit für unwahrscheinlich hielten, tritt dabei nicht in den Blick.

Statt dessen rechnet jede Frau die nach der Verliebtheit eintretende Entfremdung ihrem Lebensgefährten als persönliches Versagen zu. Und sich selbst macht sie Vorwürfe, sich ein Exemplar ausgesucht zu haben, das als Partner für die Intimität ungeeignet zu sein scheint. Und dann sucht sie einen neuen.

Der Philosoph Wittgenstein hielt einmal auf einem Gang der Universität einen Kollegen an und fragte ihn: »Sagen Sie, warum haben die Menschen so lange geglaubt, daß sich die Sonne um die Erde dreht?«

»Nun, weil es so aussieht, als ob sie das täte«, war die prompte Antwort.

»Und wie hätte es aussehen müssen, wenn man geglaubt hätte, daß sich die Erde um die Sonne und um sich selber dreht?« fragte Wittgenstein zurück und versetzte den Kollegen in tiefe Nachdenklichkeit. Die Antwort wäre natürlich gewesen: »Genauso.«

Ähnlich ist es auch mit dem weiblichen Blick auf die Männer. Für die Frauen sieht es so aus, als ob – gemessen an den Erwartungen der Vertrautheit und Liebe – die Männer sich äußerst befremdlich benehmen.

Wie aber müßte es aussehen, wenn man die Fremdheit der Männer als normal unterstellte, die Vertrautheit der Liebenden aber als ganz und gar unwahrscheinliches Ereignis verstünde? Genauso. Nur daß man die Wirklichkeit dann anders interpretiert.

Wer das tut, dem drängt sich der Eindruck auf, daß das andere Geschlecht in einem anderen Universum lebt; daß da etwas Unerklärliches und Unzugängliches sein muß, so als ob es sich um eine andere Spezies handelte. Bis zur Emanzipation der Frau wurde das auf seiten der Männer als »Rätsel Weib« gefaßt. Ihr Urbild war die Sphinx. Und zur Ikone wurde die rätselhaft lächelnde Mona Lisa, vor der sich männliche Hysteriker dutzendweise erschossen. Es waren die Frauen, die erklärungsbedürftig erschienen.

Mittlerweile hat sich das Blatt gewendet. In einer befriedeten Gesellschaft, in der die grobe Arbeit von Maschinen erledigt wird und die weiblichen Tugenden der Kommunikationsfähigkeit gefragt sind, ist Männlichkeit unplausibel geworden. Wo der Sozialstaat den Versorger ersetzen kann, fragt sich frau mit Bezug auf den Mann, den sie zu Hause hat: Warum tut sie sich das an? Er schafft mehr Probleme, als er löst. Sein Benehmen ist oft mehr als befremdlich. Seine Motive liegen im dunkeln. Sein Inneres ist verschlossen. Seine Gesellschaft ist oft bedrückend, der Lärm, den er macht, gewaltig. Und – so fragt sie sich, wenn er mal wieder die Wohnung verwüstet und sie in besonders radikale Stimmung versetzt hat: Ist er überhaupt ein Mensch?

Vielen Frauen geht es irgendwann wie der Feenkönigin im »Sommernachtstraum«, und ihr Mann erscheint ihnen so fremd, als ob es sich um einen Esel handelte. Sie finden seine Haarigkeit abstoßend, seine Eßgewohnheiten hemmungslos, seine Ausdünstungen überwältigend, sein

Hufgepolter grob, seine Kommunikationsfähigkeit kläglich, seine Sturheit zum Verzweifeln, sein Geschrei ekelhaft, sein Geschlechtsteil monströs und seinen Mundgeruch geradezu gesundheitsschädlich. Und so entdekken die Frauen die Fremdheit des Mannes immer wieder neu. Und seit der Zeitgeist die Überzeugung verbreitet hat, Männlichkeit sei nach Belieben sozial modellierbar, sind die Frauen um so erstaunter, wenn die Männer keine Anstalten machen, sich zu bessern. Die Illusion, die Männer seien im Grunde wie Frauen mit einer anderen Anatomie, steigert das Gefühl der Fremdheit, wenn sie platzt.

Das zeigt sich besonders dann, wenn es darum geht, Väter zu Müttern zu machen. Sie können Kinder pflegen und füttern und wickeln, aber gebären oder stillen können sie sie nicht. Wenn sie sich bei der Kinderkriegerei überhaupt beteiligen wollen, müssen sie das schon als Väter tun.

Soziale Rollen kann man wechseln. Mal agiert man als Ingenieur, mal als Wähler, mal als Kunde, mal als Vereinsmitglied. Die Rollen sind wie Gewänder, man schlüpft hinein und hinaus. Doch für eine Rolle gilt das nicht: die Rolle des Mannes oder der Frau. Sie kann man nicht an- und ausziehen wie ein Kostüm. Eine Frau oder ein Mann ist man mit Haut und Haaren. Geschlechterrollen gehören zur Identität eines Menschen. Und der zugehörige Stil färbt die Art ein, in der man alle anderen Rollen spielt. Der Geschlechtsunterschied bleibt die Stelle, an der Natur und Kultur sich verbinden. Hier wird der Sex in die symbolische Ordnung der Kultur integriert und in eine soziale Form gebracht. Hier werden die beiden Familienrollen angekoppelt – Vater und Mutter –, und diese sind eben nicht vertauschbar. Und hier werden die zwei Grundmodelle des menschlichen Körpers angeschlossen, von denen die Mode, die Textil- und die Kosmetikindustrie ebenso leben wie ganze Zeitschriftenbranchen.

Früher, in der alten Gesellschaft, war man an den Unterschied der Gruppen gewöhnt. Ein Herzog stand einem Bauern ziemlich fremd gegenüber und ein Mönch einem Landsknecht auch. Und ein Köhler und ein Kardinal dürften einander fremder gewesen sein als ein Mann und eine Frau desselben Standes. In diesem System der verschiedenen Sphären wirkten auch die beiden Geschlechter wie zwei Stände. Sie hatten beide ihre Lebensräume. Das Innere des Hauses gehörte den Frauen, alles andere den Männern. Da in einer ständischen Gesellschaft der Status durch das Kostüm bezeichnet wurde, paßte der Geschlechtsunterschied in eine Welt mannigfacher sozialer Unterschiede. Wer ein Kleid trug und im Haus Krüge und Bottiche bewegte, war eine Frau. Man brauchte ihren Körper gar nicht erst zu sehen. Jetzt aber ist der Geschlechtsunterschied als einziger übriggeblieben. Man wünscht ihn sich weg so wie andere soziale Unterschiede auch. Er soll gefälligst verschwinden. Aber er tut es nicht. Er verweigert sich beharrlich der Zauberkunst aller Beschwörungskünstler, Ideologen und Virtuosen des Wunschdenkens. Und so stehen wir vor ihm wie vor einem archaischen Rätsel.

Deshalb wischen wir alle Bedenken der politischen Korrektheit beiseite und fragen: Was ist Männlichkeit? Wo steht sie auf dem Terrain der Zivilisation?

Das Tier und die Schöne

Stellen wir uns vor, die Zivilisation sei ein hübsch eingerichtetes Zimmer: Die Möbel sind geschmackvoll und durchdacht arrangiert, der Teppich paßt farblich perfekt, die Tapete ist ein Traum, und die dekorativen Blumensträuße verleihen dem Ganzen eine heitere und frische Note. Steht uns das Bild deutlich vor Augen? Ja? Dann wird uns sofort klar: Der Mann paßt nicht in die Zivilisation. Sie ist einfach nicht sein Biotop. Sich schlicht in ihm aufzuhalten und seine Harmonie zu genießen, ist ihm unmöglich. Das würde ihn nervös machen. Sucht er seine Zeitung, um sich vor der Wirkung der Schönheit zu schützen, wird er rücksichtslos das Zimmer durchpflügen, Möbel beiseite schleudern und Blumensträuße in die Ecke rücken, nicht ohne dabei einen umzukippen, sich in starken Ausdrücken darüber zu klagen, »daß das verdammte Gemüse überall im Weg steht«, und generell eine Schneise der Verwüstung in die Zivilisation schlagen. Fällt er gar in Form einer Horde von Kumpanen in das Zimmer ein, um sich dort einem Gelage, einer Skatrunde oder der Besichtigung eines Fußballspiels im Fernsehen zu widmen, so wird man nachher die

Zivilisation nicht mehr wiedererkennen. Sie blutet aus vielen Wunden. In ihr sieht es aus wie auf einem verlassenen Schlachtfeld: Die Blumen sind tot, vergiftet von den Kippen, die in die Vasen versenkt wurden. Der Versuch, das Rauchen durch eine spärliche Verteilung von Aschenbechern zu beschränken, damit das Haus nicht noch Monate später nach einer Brandkatastrophe riecht, hat sich als Rohrkrepierer erwiesen. Die Untersätze für die Gläser sind als Deckel für Strichlisten mißbraucht worden. Dafür haben die nassen Gläser und Flaschen Ringe auf dem ungeschützten Holz der Möbel hinterlassen. Im Teppich verbreiten etliche Brandlöcher und zahlreiche Flecken mit unregelmäßigen Konturen den Eindruck einer gewissen Verelendung. Der Fernseher ist von seinem natürlichen Platz entfernt und auf ein Fundament aus Büchern auf den Tisch gestellt worden. Die Lücken, die das in die Bestände des Bücherschranks gerissen hat, wirken wie die leeren Fensterhöhlen einer ausgebrannten Ruine.

Diese Verwüstung ist keineswegs das Ergebnis böser Absichten oder mutwilligen Zerstörungsdrangs. Der Mann fühlt sich in der Zivilisation einfach nicht heimisch. Ihm das vorzuwerfen hieße, einem Büffel darüber Vorhaltungen zu machen, daß ein Antiquitätenladen nicht seine natürliche Umwelt darstellt. Und so wie der Büffel große Flächen von Steppe mit Tümpeln, Suhlen und Schlammlöchern braucht, so braucht der Mann Hobbykeller, Garagen, Sportplätze und Kneipen, wo er sich in der Gesellschaft anderer Männer suhlen kann. Für den Aufenthalt in der Zivilisation muß er erzogen werden.

Die Zivilisation wurde also von den Frauen erfunden. Ihr eigentliches Ziel war die Zähmung der Männer. Dadurch wurde in der Gesellschaft eine befriedete Zone geschaffen. Das Mittel dazu war der Sex. Er spaltete den Mann in zwei Hälften und verlieh ihm ein Doppelgesicht: Nach außen, gegenüber seinen Rivalen, hatte er weiterhin kampfstark und barbarisch zu sein; nach innen, in Richtung der begehrten Frau, mußte er zärtlich und liebevoll sein. Da mußte er sich beherrschen und seine barbarische Natur im Zaum halten. Kurzum, er mußte sich zivilisiert benehmen.

Dieses Verhältnis hat sich zu einer weiblichen Standardphantasie ausgewachsen. Kaum sieht eine Frau einen besonders barbarischen und unzivi-

lisierten Mann – sagen wir, einen Alkoholiker, einen Künstler, einen Neurotiker oder ein anderes Exemplar aus der Gattung der rücksichtslosen
Egoisten –, so bildet sie sich ein, sie allein könne ihn zähmen. Nur bei ihr
würde er sanft und friedlich wie ein Schoßhündchen, und in ihrer Phantasie sieht sie an dieser Verwandlung ihre eigene Magie. Sie erlebt sich
dann als Zauberin, als Circe und als unwiderstehliche Verführerin. Da sie
damit ihrer Tochter einen barbarischen Vater verschafft, vererbt sie ihr
auch diese Phantasie.

   Diese Zähmungsphantasie ist als Ikone der Zivilisation in die Kunstge-
schichte eingegangen. Sie besteht aus einem Bildmotiv, bei dem eine
meist leichtbekleidete (in seltenen Fällen auch völlig nackte) Frau einen
Löwen dazu gebracht hat, sich wie ein Lamm aufzuführen, was diesem
immer ein dämliches Aussehen verleiht. Das Motiv ist als »La Belle et la
Bête«, die Schöne und das Tier, bekannt geworden. Typisch dafür ist z. B.
das Gemälde »Liebe und Stärke« von Angelo Graf von Courten, von
1894. Dort liegt ein mächtiger Mähnenlöwe auf einer Art Werktisch und
scheint einer Ohnmacht nahe. Die Pranken hat er wie zum Gebet zu-
sammengelegt und die Augen fest geschlossen. Halb scheint er zur Seite
zu sinken, halb zieht ihn eine junge Frau an sich, die, nur mit einem um
die Hüften geschlungenen Tuch bekleidet, neben der Werkbank steht. Sie
hat besitzergreifend ihren rechten Arm um seine Mähne gelegt und
drückt ihr Gesicht auf seinen Nacken. In ihrer erhobenen Rechten hält
sie einen Pfeil, den sie aus einem vor ihrem Schoß hängenden Köcher genommen hat, und zielt damit auf das Gesicht des Löwen. Dabei schaut sie
dem Betrachter herausfordernd und direkt in die Augen und lächelt: Ihr
Magnetismus hat die barbarische Kraft besiegt. Der Kontrast zwischen der
glatten, hellen Haut des Mädchens und der dunklen, haarigen Gestalt des
großen Mähnenlöwen mit seinen gewaltigen Kiefern und Pranken illu-
miniert den Sieg der Zivilisation über die Barbarei. Mit der Verbreitung
dieses Motivs wurde das Löwenfell samt Löwenkopf zum Bettvorleger des
bürgerlichen Schlafzimmers mit der geheimen Botschaft: So werde auch
der Ehemann enden. Venus hat Mars, den Kriegsgott, entwaffnet und ihn
in Ketten gelegt.

Die Entdeckung der Vaterschaft und die Kontrolle der Frau

In der Wirklichkeit haben ein paar entscheidende Zivilisationsschübe diesen Zähmungsprozeß vorangebracht. An erster Stelle steht hier die Entdeckung der Vaterschaft. Die erste Urfrau, die einen finster blickenden Höhlenbewohner mit der frohen Botschaft, er werde Vater, beim Schärfen seines Steinbeils unterbrach, dürfte noch auf heftigen Unglauben gestoßen sein: »Warum ausgerechnet ich?« wird er geknurrt haben. Aber nach ein paar Jahrtausenden Überredungsarbeit wird sie ihn schließlich davon überzeugt haben, daß es da einen Zusammenhang gab zwischen der Geburt ihres Kindes und seinem hingebungsvollen Einsatz neun Monate zuvor.

Uns heute mag die Rolle des Vaters aufgrund unserer biologischen Kenntnisse als ebenso natürlich erscheinen wie die der Mutter. Aber unsere Kenntnisse sind noch nicht sehr alt. Wie die Teilung und Rekombination väterlicher und mütterlicher Chromosomen wirklich vor sich geht, haben erst die britischen Forscher Crick und Watson 1953 herausgefunden, als sie entdeckten, daß das DNS-Molekül mit den Genen wie eine Doppelspirale gebaut ist. Und die Gesetze der Vererbung – nach ihrem Entdecker Gregor Mendel die Mendelschen Gesetze genannt – sind nicht vor 1900 bekannt geworden. Auch daß das Kind aus einem weiblichen Ei entsteht, das von einer männlichen Samenzelle befruchtet wurde, weiß man kaum länger als 200 Jahre. Vorher hatte man angenommen, beim Geschlechtsverkehr wandere ein mikroskopisch kleiner Mensch – der sogenannte »Homunkulus« – vom werdenden Vater hinüber zur werdenden Mutter und ziehe als Mieter in ihren Uterus ein, von wo er, um etliches gewachsen, neun Monate später wieder ausziehe, um sich in der Welt umzutun. Nach dieser Vorstellung war der Vater der alleinige Schöpfer und die Mutter nur der Brutofen. Er war der Pflanzer und sie der Topf (und manchmal ein zerbrochener Krug). Sie wurde als Gefäß aufgefaßt, in das er seinen Geist goß. Der Geist war himmlisch, das Gefäß war irden. Materie kommt von lateinisch »mater«, die Mutter. Eine Prägung erhielt das Kind allein vom Vater. Das war eine direkte Verdrehung des Augenscheins. Nämlich daß die Mutter das Kind gebar und die Rolle des Vaters im dunkeln lag. Mit dieser Theorie wurde die Unsicherheit kompensiert. Gerade weil die Verbindung des Vaters mit dem Kind so zweifelhaft war, mußte sie künstlich abgesichert werden: durch die symbolische Ordnung der Kultur.

Diese grundsätzliche Unsicherheit war die Quelle einer sekundären speziellen Unsicherheit, die für die Betreffenden sehr viel quälender sein konnte. Kein Mann konnte je genau wissen, ob er auch tatsächlich der Vater seines Kindes war. Während die Mutter durch die Geburt unmittelbar mit dem Erscheinen ihres Kindes im Zusammenhang stand, lag zwischen der Aktivität des Vaters und dem Erscheinen des Kindes die lange Nacht von neun Monaten. Wer garantierte ihm, daß sich nicht ein anderer im Bett seiner Frau betätigt hatte? Er hatte nur ihr Wort dafür. Aber würde sie, wenn sie jemand anderem ihren Schoß geöffnet hatte, dem Pseudo-Vater das erzählen? Wohl kaum. Folglich war sie Partei und letztlich nicht vertrauenswürdig. Sollte also der Mann an die Familie gebunden werden, mußte ihm die Gesellschaft Garantien verschaffen, daß er auch der Vater der Kinder war, die er unter seinem Dach groß werden ließ. Und so rang sich die Gesellschaft dazu durch, dem Mann ein ganzes Paket von Privilegien zuzugestehen, die dafür sorgten, daß sich Vaterschaft lohnte und halbwegs sicher schien.

1. Er durfte die Sexualität der Frau kontrollieren. Dazu mußte er sie selbst kontrollieren. Der Mann wurde zum Oberhaupt der Familie.

2. Dafür, daß er die Last auf sich nahm, für Frau und Kinder zu sorgen, wurde der Mann mit dem Stolz darauf belohnt, Stammvater vieler Söhne zu werden. Heute wird jede Familie in jeder Generation neu gegründet. In traditionellen Gesellschaften war sie ein Personenverband, der durch die Zeit identisch blieb. Diese Kontinuität wurde nur über die männlichen Nachkommen gesichert. Allein die Söhne erbten den Namen des Vaters, die Töchter emigrierten mit der Heirat in eine andere Familie. In der englischen Hochzeitszeremonie wird das noch dadurch ausgedrückt, daß der Vater der Braut sie dem Bräutigam zuführt und sie weggibt.

3. Damit wurde die Vaterschaft in der Gesellschaftsstrukur verankert. Sie war die erste Institution, wenn wir unter »Institution« eine rein gesell-

schaftliche Einrichtung verstehen. Sie konnte erst erfunden werden, als der Zusammenhang des Geschlechtsverkehrs mit der Geburt eines Kindes im Prinzip begriffen wurde. Damit steht sie am Anfang der Zivilisation. Daß es auch Verwandtschaftssysteme gibt, die über die weibliche Linie laufen, erlaubt keine Rückschlüsse auf die Existenz eines ursprünglichen Matriarchats, wie man früher im Anschluß an die Theorien des Mutterrechtlers Bachofen angenommen hatte. Alle bekannten Gesellschaften sind patriarchalisch.

Die Unsicherheit der Vaterschaft ist also die Keimzelle der Gesellschaft. Sie gleicht, wie die ganze Gesellschaft, einen naturalen Mangel aus. Sie definiert kulturell, wo die Natur die Sache offenließ. Im Paradies mußte ein Männchen keinen Unterhalt zahlen. Dafür sorgte erst die Erfindung der Familie durch die Entdeckung der Vaterschaft. Väter wurden durch den Stolz auf die Nachkommen belohnt. Sie fühlten sich damit verewigt, so wie sie selbst ihren Stammbaum auf uralte Ahnen zurückführten. Je älter eine Familie, je länger der Stammbaum, desto größer das Prestige. Wer keine Familie hatte, war ein Niemand. Vaterschaft und Vatersvaterschaft wurden zur Form, die Zeit zu berechnen. Denken wir nur an die Stammtafel der Bibel: »Und dem Enoch wurde geboren Irad, und Irad zeugte Jehorael, und Jehorael zeugte Methusael, und Methusael zeugte Lamech. Und Lamech nahm sich zwei Frauen. Die eine hieß Ada, und die andere hieß Zillah...« So beginnt der biblische Stammbaum der Menschheit nach Adam.

Gerade weil Vaterschaft eine kulturelle Erfindung war, ließ sie sich symbolisch erweitern. Sie konnte nun zum Modell aller Verhältnisse werden, bei denen es um die Beziehung zwischen Schöpfer und Geschöpf ging. Auf diese Weise wurde Gott zum »Vater unser, der du bist im Himmel, geheiligt werde dein Name, dein Wille geschehe ...« Da Gott aber Geist war und das vornehmste Geistesprodukt das Wort, war Gott der Vater und sein Sohn das Wort. Auf diese Weise wurde auch der Autor zum Vater seiner Bücher, die er als Kinder seines Geistes hervorbrachte. Dichterische Kreativität wurde als veredelte Form der sexuellen gedacht. Man stellte Zusammenhänge her zwischen Potenz und Genialität. Und da das Urbild aller Kreativität Gott war, gab es eine Verbindung zwischen Göttlichkeit,

Genialität und sexueller Potenz. Der Gleichklang der lateinischen Worte für Kinder und Bücher – liberi und libri – verstärkte die Analogie zwischen Autor und Vater. So wurde Gott zum Verfasser des Dramas, das auf der Bühne der Welt aufgeführt wurde.

Aber die Vaterschaft wird vom Gefühl der Unsicherheit umspült. Die Untreue der Frauen war ein Dauerthema traditioneller Gesellschaften. Der Ruf des Kuckucks, der seine Eier in fremde Nester legt, blieb eine spöttische Mahnung. Liest man die Literatur Europas, gewinnt man zuweilen den Eindruck, die Männer seien von einer Besessenheit heimgesucht worden. Die Vorstellung, gehörnt zu werden, schien wie eine Zwangsidee. In James Joyces »Ulysses« ist das ganze Kapitel neun, das mittlere, dem Thema der Vaterschaft gewidmet. Bezeichnenderweise ist der Schauplatz eine Bibliothek, in der die Vaterfigur des Buches, Leopold Bloom, der moderne Odysseus, auf seinen Irrfahrten zum ersten Mal seinem Sohn Stephen Telemachus begegnet. Und dieser Sohn sagt über die Vaterschaft:

»Vaterschaft im Sinne des bewußten Zeugens ist dem Menschen unbekannt (is unknown to man, was »Mensch« und »Mann« heißt). Sie ist ein mystischer Zustand. Eine apostolische Nachfolge vom einzigen Erzeuger zum einzigen Erzeugten. Auf dieses Mysterium ... ist die Kirche gegründet. Und sie ist unverrückbar gegründet, weil gegründet wie die Welt, Makro- und Mikrokosmos, auf das Nichts, auf Unsicherheit, auf Unwahrscheinlichkeit. Amor matris (Mutterliebe) mag das einzig Wahre im Leben sein. Vaterschaft ist eine gesetzliche Fiktion. Wer ist der Vater irgendeines Sohnes, daß irgendein Sohn ihn liebe oder er irgendeinen Sohn lieben sollte?« (»Ulysses«, meine Übersetzung)

Erst ein Rückblick in die traditionelle Gesellschaft verschafft uns ein Gefühl für die privilegierte Stellung der Vaterschaft in unserer Kultur. Er zeigt, welcher Aufwand nötig war, um die Väter überhaupt dazu zu bringen, ihre Beteiligung an der Erschaffung von Kindern anzuerkennen und einen Teil der Lasten der Kinderaufzucht zu übernehmen. Denn an sich gibt es dafür keinen Grund. Joyce hat es zugespitzt: Was hat irgendein Vater mit irgendeinem Sohn zu tun, daß er ihn lieben sollte? Von Natur aus gibt es kein enges Verhältnis zwischen einem Mann und seinen Kindern.

Das muß ihm anerzogen werden. Oder er muß zusätzliche Vorteile davon ableiten können: Er kann sich als Herr aufspielen; sie werden seinen Namen weitertragen, sein Nachleben sichern. Um ihretwillen wird man sich seiner erinnern. Er stellt sie in den Dienst seiner männlichen Größenphantasien. Sie sind sein Ersatz für die Jagdmeute von Männern, die er zugunsten der Familie aufgegeben hat.

Aber all das sind kulturelle Umwege, nicht von der Natur, sondern von der Gesellschaft bereitgestellt, Umwege einer Gesellschaft, die auf der Vaterschaft gegründet war. Die Frau zivilisiert den Mann, indem sie sich von ihm kontrollieren läßt.

Der ganze Vorgang wird in der Bibel als Sündenfall nacherzählt. Obwohl es der Herr außerhalb der Paarungszeit verboten hat, wackelt Eva kokett mit den Äpfeln. Da reckt Adams Schlange ihr Haupt und flüstert Eva süße, sündige Geheimnisse ins Ohr. Von der Schlange verführt, gerät Eva in Erregung, kostet von dem Apfel und reicht ihn Adam. Der vergißt alle guten Vorsätze und beißt hinein. Da verfinstert sich der Himmel, der Apfel bleibt Adam vor Schrecken im Halse stecken, und der Erzengel Michael verkündet die Folgen: Erfindung der Doppelmoral und des Feigenblatts, Verengung des Geburtskanals wegen des aufrechten Ganges (damit das Kind nicht herausfällt), daher zu frühe Geburt (solange das Kind noch klein genug ist, um hindurchzupassen), lange Pflegebedürftigkeit des Kindes und generelle Doppelbelastung der Frau wegen Rädelsführerschaft beim Sündenfall. Adam ist aber von nun an zu regelmäßiger Erwerbsarbeit verdammt und muß im Schweiße seines Angesichts nicht nur allein für sich das Brot verdienen. Damit ist er gezähmt.

Die Erfindung der Höflichkeit

Solche Männerzähmungswellen sind noch mehrfach durch die Geschichte gerollt und haben das Niveau der Zivilisation gehoben. Eine von ihnen war ein besonders schwerer Brecher, der von der hohen See des Mittelalters bis auf den Strand des siebzehnten Jahrhunderts lief. An seinem Anfang steht die Kultur des Rittertums. In ihr übertrug der Ritter die Gefolgschaftstreue gegenüber dem Feudalherrn auf die Herrin. Dann konnten der Kampfesmut und die Todesbereitschaft als Ausdruck für die Unbedingtheit seiner Liebe im Frauendienst gedeutet werden. Dramatisiert wurde das im Turnier: Die Dame überreichte dem Ritter ihr Tuch, und am Ende gab er es, ganz mit seinem Blute befleckt, zurück. Seine Wildheit wurde in ihren Dienst gestellt und durch eine schöne Form zivilisiert. Ritterlich zu sein, hieß von da ab, die Schwachen zu schützen und ein weiches Herz zu haben für Witwen und Waisen – also Familien ohne Männer. Der Ritter wurde gewissermaßen zur fahrenden Vormundschaftsbehörde für alleinerziehende Mütter.

Das war ein schönes Ideal. In Wirklichkeit wurde der Mann erst gezähmt, als die Könige sich den kämpferischen Adel unterworfen hatten. Das geschah dadurch, daß sie das Gewaltmonopol an sich brachten: Das war der Anfang des modernen Staates und begründete die drei P: die Politik, die Politesse und die Polizei. Wollten die Adligen nun weiterhin an der Macht teilhaben, mußten sie ihre Burgen verlassen und an den Königshof gehen: denn nur hier konnten sie sich die Ämter, die Aufträge oder die Steuermonopole besorgen, die ihnen Macht, Geld und Einfluß sicherten. Auf ihren heimatlichen Burgen hatten sie an der Spitze der sozialen Pyramide gestanden und auf niemanden Rücksicht nehmen müssen. Da hatten sie sich den Wonnen der Hemmungslosigkeit überlassen können. Wie weit diese gingen, wissen wir aus den Manierenbüchern der Zeit, den mittelalterlichen Knigges: Da wird der Ritter ermahnt, nicht in die Suppe zu spucken, die abgenagten Knochen nicht einfach hinter sich zu werfen und gefälligst nicht mit dem Bratenmesser auf den Nachbarn loszugehen. Auch davon, sich in das Kleid der Tischdame zu schneuzen, wird abgeraten. Männer, denen man solche Regeln ins Gedächtnis rufen mußte, hatten auch nicht allzuviel Respekt vor der Würde der Frauen.

Bei Hofe aber trafen sie zum ersten Mal auf Menschen, die ihnen sozial übergeordnet waren – unter ihnen auch Frauen. Diese Damen verfügten häufig über das Ohr des Königs oder hatten Einfluß bei entscheidenden Männern. Sie waren mit allen Wassern der fortgeschrittenen Intrigenkunst gewaschen. Ihre Domäne war die Streuung von Gerüchten, die doppeldeutige Mitteilung und die genaue Beobachtung des Gegenübers.

Über sie konnten die Männer nicht einfach herfallen – das hätte ihr soziales Ende bedeutet –, sondern sie mußten sich beherrschen, sich höflich und galant benehmen und versuchen, durch gewinnende Manieren ihr Wohlwollen zu erwerben. Das hatte einen enormen Zivilisierungsschub zur Folge. Nun zählten nicht mehr Kühnheit und rohe Gewalt – obwohl Feigheit nach wie vor einen Mann diskreditierte –, sondern die Tugenden der Selbstbeherrschung, die Künste der Verstellung und die Schauspielerei. Und den wahren Glanz erhielt das Verhalten, wenn die Anstrengung der Selbstkontrolle verborgen wurde und das gute Benehmen ganz natürlich erschien. Der Freilauf der Impulse wurde in Regie genommen und durch eine Psychologie der Selbstbeherrschung ersetzt. Die Benimmbücher des sechzehnten und siebzehnten Jahrhunderts dokumentieren das dadurch, daß nun nicht mehr vom In-die-Suppe-Spucken die Rede ist, sondern davon, wie man eine Dame durch geistreiche Konversation unterhält. So wurde die Behandlung von Frauen zum Maßstab für das Niveau der Zivilisation. Seitdem erkennt man eine Lady nicht mehr daran, wie sie sich benimmt, sondern wie sie behandelt wird.

All das ist in der Forschung unbestritten. Zivilisierungsfortschritte sind immer nur dann eingetreten, wenn die Frauen den Maßstab des Verhaltens festlegten. So haben sie durch Befriedung sozialer Binnenräume die Zivilisation geschaffen. Der Mann mußte dazu durch außerordentliche Erziehungsanstrengungen erst bewogen werden.

Dabei ist ein Typ herausgekommen, der zum Urbild der männlichen Attraktivität geworden ist. Um uns diesen Typ anzuschauen, betreten wir unsere Porträtgalerie der Männertypen und betrachten Bild 1.

Erster Abstecher in die Porträtgalerie der Männertypen: Der Kavalier

Hier sehen wir den Mann zu Pferde, den Ritter. Er sitzt erhöht. Sein Leib ist mit dem des feurigen Rosses verschmolzen, das er sich unterworfen hat. In jeder Bewegung bringt er zum Ausdruck, daß sein Wille das Pferd beherrscht. Und seine Ausrüstung kennzeichnet ihn als Kämpfer.

Dieser Figur war eine langanhaltende Karriere beschieden. Seit dem Mittelalter bevölkert sie unsere Literatur und unsere Volkserzählungen und vor allem unsere Romanzen. Als ganz und gar romantische Figur wird der Ritter in idealisierter Gestalt zum Urahn des heutigen Märchenprinzen. In der hierarchischen Gesellschaft des Mittelalters, in der rauhe Männer den Ton angaben, waren Frauen ziemlich schutzlos der Gewalt ausgeliefert. Ihre einzige Zuflucht bot der Schutz durch solche Männer, die genauso stark wie die Grobiane waren, sich den Frauen gegenüber aber als zartsinnige Feingeister benahmen.

Diese Paradoxie wurde in der Gestalt des Ritters verwirklicht. Er war ein Mann mit zwei Gesichtern. Nach außen, gegenüber der Männerwelt, war er mutig und kampfstark – ein Kämpfer unter Kämpfern, ebenso rauh und ebenso gewalttätig wie sie. Aber nach innen, gegenüber den Frauen, zeigte er eine Zartheit und ein Feingefühl, das das ihre noch übertraf. Er huldigte ihr in Versen, er sublimierte seine erotische Energie in Poesie, und er bot ihr ein Schauspiel, so bunt und so vielgestaltig, daß sie daran ihre eigene magische Wirkung ablesen konnte.

Diese Figur des Ritters erblickte im 12. und 13. Jahrhundert, der Zeit des Minnesangs und der Troubadours, das Licht der Welt. Danach machte sie eine Metamorphose durch und wurde an den Höfen Europas im 16. und 17. Jahrhundert in der Form des Höflings wiedergeboren. Wenn er nicht seine Zeit mit Kriegszügen verbrachte, widmete er sich den Damen. Das hat zu einer eigenartigen Konsequenz geführt. Gerade weil diese Figur schon im bürgerlichen Zeitalter ab dem 18. Jahrhundert überholt schien, wurde sie außerordentlich populär. Inmitten einer durch Geld und Konventionen bestimmten Welt wurde sie eben wegen ihrer Unzeitgemäßheit zu einer romantischen Figur. Im bürgerlichen Liebesroman war der Liebhaber fast immer ein Adliger. Das Schema dieses Romans wurde die Geschichte von Aschenputtel. Ein Prinz rettet das Mädchen aus einer untergeordneten Stellung und erhebt es zu seiner Prinzessin. Daß damit Visionen von einer neuen Garderobe verbunden waren, machte das Schema um so attraktiver. Auf dieser Grundidee beruht das Handlungsgerüst fast aller wichtigen bürgerlichen Liebesgeschichten, von Richardsons »Pamela« über Jane Austens »Stolz und Vorurteil« bis zu G. B. Shaws »My Fair Lady« oder ihrer banalen Version »Pretty Woman«. Der Erfolg dieses Films beweist, daß das Schema heute noch so lebendig ist wie eh und je. Es beherrscht weiterhin alle Schnulzen- und Heftchenromane. Die Millionenauflagen von Barbara Cartland belegen, wie außerordentlich zäh die Figur des Märchenprinzen ist.

Das kann nur damit erklärt werden, daß das Bild des Aristokraten mit dem des Liebhabers überhaupt verschmolzen ist. Und das geschah im Kontrast mit dem Gegenbild des unpoetischen Spießbürgers. Vor diesem Hintergrund war die Rolle des Edelmannes in seiner zivilisierten Form menschlich ungemein anziehend. In ihm sind alle Tugenden der Ritterlichkeit versammelt. Ein wahrer Edelmann ist großzügig, unbekümmert um das eigene Wohl, rücksichtsvoll gegenüber den Frauen, mutig und opferbereit in ihrem Dienst und gewinnend in seinen Manieren. Sein Temperament ist allem Kleinlichen abgeneigt. Hierzu gehört vor allem die Lässigkeit gegenüber dem Geld. Man gibt es großzügig aus oder verleiht es ebenso großzügig, oder man verspielt es oder verpraßt es mit seinen Freunden. Denn man versteht zu genießen. Dies gilt um so mehr, als das Leben kurz sein kann. Denn sein Beruf ist das Waffenhandwerk. Schon morgen kann es ihn das Leben kosten, wenn Fürst und Vaterland zum Kriege rufen. Selbst in Friedenszeiten muß er immer bereit sein, seine Ehre in einem Duell auf Leben und Tod zu verteidigen. Was ihm dagegen fremd bleibt, sind die kleinlichen und mühseligen Sorgen um die Zukunft und der knickerige Egoismus des Geldverdienens und die bedrückte Psychologie der Plackerei. Dem echten Aristokraten ist die Heiterkeit dessen eigen, der die Konfrontation mit dem Tod schon hinter sich hat. Diese Erfahrung erhöht den Hang zum Unbedingten und zum Risiko. Dazu gehört auch die Liebe. Diese Figur vereint Stilgefühl, Bravado und Temperament. Sie wurde zum Inbegriff männlicher erotischer Attraktivität.

Auf diese Weise wurde das Bild des archetypischen Liebhabers mit einer aristokratischen Einfärbung versehen. Darin drückt sich auch die Phantasie aus, daß der Liebhaber die errettete Frau zu sich emporhebt. Oder, direkt ausgedrückt: daß sie durch ihn sozial aufsteigt. In Jane

Austens »Stolz und Vorurteil« gibt die Heldin ihren Widerstand plötzlich auf, als sie das Schloß des Liebhabers sieht. Offenbar erhöhen dessen Größe und Glanz auch seine erotische Ausstrahlung.

Die Attraktivität des Aschenputtel-Motivs läßt vermuten, daß der Traum vom sozialen Aufstieg zur Langlebigkeit des Märchenprinzen beigetragen hat. Man hat deshalb auch vom »Cinderella-Komplex« gesprochen. Damit wird ausgedrückt, daß es sich bei der Figur des Ritters und Retters um eine weibliche Phantasie handelt. Das heißt nun gerade nicht, daß sie in Wirklichkeit nicht mehr vorkommt. Im Gegenteil! Gerade weil das Bild des Prinzen in den Köpfen der Frauen so zählebig ist, spezialisieren sich Männer darauf, es zu erfüllen.

Das setzt bestimmte Konstellationen in Gang. So begründet es etwa den Hang älterer, erfolgreicher Männer zu jüngeren Frauen. Die verlassene Ehefrau mißversteht in der Regel seine Motive. Sie erklärt sich seinen Ausbruch mit dem jugendlichen Körper seiner Geliebten, mit dem sie nicht mehr konkurrieren kann. Und hadert deshalb mit ihrem Schicksal, das sie dazu verdammt zu altern. Aber sie irrt sich. Es ist nicht der jugendliche Körper. Der große Altersunterschied wirkt sogar häufig als soziale Belastung. Er läßt ihn lächerlich erscheinen. Nein, einer jungen Frau kann er als reicher, erfahrener Mann eine Welt zu Füßen legen. Er kann sie aus den niederen Sphären eines subalternen Bürojobs in die Höhen führen, in denen man mit Prominenten speist, Longdrinks schlürft und Leute in Villen besucht, wie man sie nur aus dem Kino kennt. Dabei handelt es sich um den sogenannten »Lewinsky-Effekt«. Präsident Clinton war unfähig, dem Cinderella-Appeal von Monica Lewinsky zu widerstehen. Kaum himmelte sie ihn an, sah er sich als Prinz und mußte sie zu sich emporheben. Für Männer wie Clinton stellt die Kombination von niederem sozialen Status und erotischer Attraktivität bei Frauen einen Schlüsselreiz dar. Das erklärt die außerordentliche Anzahl von vulgären Geliebten, die dem Präsidenten später die Hölle heißmachten.

Der Retter-Komplex des modernen Ritters hat einen tückischen Haken. Er wird nur in Gang gesetzt, wenn die Frau sozial niedriger ist oder – noch fataler – wenn sie direkt in Not ist. Wenn sie glücklich ist, funktioniert er nicht. Also muß sie immer unglücklich bleiben. Mit dieser absurden Konsequenz beschäftigt sich etwa Lessings Komödie »Minna von Barnhelm«. Der heldische Tellheim nimmt die Titelheldin nur, wenn er sie retten kann. Sich umgekehrt von ihr retten zu lassen, lehnt er ab. Das blockiert ihn. Er kommt nur in Fahrt, wenn sie leidet. Deshalb muß sie so tun, als ob. Die Frau, die sich mit Rettern einläßt, kalkuliert das mit ein. Sie muß periodisch die Unglückliche mimen. Ist sie glücklich, rettet er andere.

Das Retterschema gibt es auch in der kleinen Münze des Alltags. Da bleibt der Frau auf der Landstraße der Wagen liegen. Angewidert beugt sie sich über einen Motor, den sie noch nie gesehen hat. Man sieht ihrem Gesicht die Ratlosigkeit an. Und nun steigen in den Köpfen vorbeifahrender Männer Visionen davon auf, wie sie mit einem Blick den Schaden identifizieren und mit zwei Griffen beheben, sich selbst aber so das Gefühl verschaffen, das so angenehm durch den Körper rieselt: den Kavalier zu spielen. Und wenn sie dennoch nicht anhalten, dann deshalb, weil sie insgeheim wissen, daß sie nach zwei Stunden vergeblichen Prutschens mit dreckigen Händen und veröltem Anzug zugeben müssen, daß sie keine Ahnung haben, was mit dem Auto los ist.

Andererseits kann selbst der ungeschickteste Mann der Versuchung kaum widerstehen, sich als Held der Technik aufzuspielen, der eine Frau aus der Not befreit. Der elektrische Büchsenöffner ist kaputt? Kein Problem! Diese Büchse kriegen wir auch so auf! Haben Sie vielleicht einen Hammer und ein altes Messer? Oder – der Briefbeschwerer tut's auch. Nach eineinhalb Stunden liegt ein Teil der Küche in Trümmern, das Messer ist abgebrochen, und der Held ist schwer verwundet und muß von ihr notärztlich versorgt werden, während er ihr totenbleich erklärt, daß er es sicher geschafft hätte, wenn die Büchse nicht so glitschig gewesen wäre. Weiß er doch: Er hat für sie sein Blut vergossen.

Diese alltäglichen Notsituationen sind aus der Wirklichkeit und aus dem Film als Standardsituationen des erotischen Kennenlernens bekannt. In der Romantik diente dazu die Ohnmacht, der Platzregen beim Spaziergang, der Fall vom Pferd oder der verstauchte Knöchel. Doch dann kam jedesmal ein attraktiver Mann zu Pferde des Weges und hob die

Jungfrau zu sich auf. Wenn das geschah, wußten die Leserinnen: jetzt waren die beiden füreinander bestimmt.

Auch heute hält der Alltag unendlich viele kleine Ansätze für ritterliche Rettungsaktionen bereit. Von der Hilfe beim Transport eines zu schweren Koffers bis zum Schutz gegen zudringliches Gelichter, von der kundigen Führung durch den Dschungel der Steuererklärung bis zum siegreichen Kampf mit einem widerwilligen Computer: überall gibt es Felder heldischer Bewährung. Der Anlässe für Galanterien sind kein Ende.

Bei dieser Ausmünzung in das Kleingeld des Alltagslebens sind aber die ursprünglichen Konturen der Galanterie etwas aus dem Blick geraten. Der Held unterliegt nämlich einer paradoxen Dialektik. Er darf nicht wissen, daß er einer ist. Nie darf er den Verdacht erregen, daß er den Helden spielt, um zu imponieren. Ein Held muß naiv sein. Und ist er es nicht, muß er doch wirken, als ob. Deshalb muß er alles Demonstrative vermeiden. Er handelt nicht, um Eindruck zu schinden. Er hat ja keine Ahnung von seinem Heldentum. Er ist bescheiden. Er hält seinen Einsatz für ganz normal. Jeder wäre doch dem Hündchen in den Tigerkäfig hinterhergesprungen und hätte es für das Töchterchen gerettet! Die Dame braucht sich nicht bei ihm zu bedanken. Das war doch selbstverständlich! So hätte jeder gehandelt! Und ehe sie ihn nach seinem Namen fragen kann, ist er unerkannt in der Menge verschwunden. Das ist ein wahrer Held!

Aber eben diese Haltung findet man eher selten. Kleine Helden verfahren nach dem Prinzip der maximalen Rendite. Sie pressen aus einer Rettungsaktion das äußerste an Bewunderung für sich selbst heraus. So genügt ihnen die Tat allein nicht. Statt dessen wird etwa die Befreiung aus einer technischen Notlage durch einen Grundkurs in dem dazugehörigen Fachgebiet überhöht – etwa der Automechanik oder der Computerkunde –, und die Gerettete muß mit der Rettung auch noch sämtliche Nebenwirkungen in Kauf nehmen. Der Held begnügt sich nicht mit dem einmaligen Beifall. Er holt durch immer neue Dacapos ständig weitere Vorhänge heraus, bis der Geretteten die Hände schmerzen und sie sich wünscht, sie wäre niemals gerettet worden.

Das zeigt einmal mehr, was natürlich jede Frau weiß: Diejenige hat den größten Erfolg bei Helden, die den enthusiastischsten Beifall spendet.

Aber auch das kann sich als Falle erweisen. Ein Held, der es nötig hat, ist keiner mehr. Die Frau, die im Beifall spröde ist, schreckt möglicherweise viele ab, gewinnt aber dadurch vielleicht einen wirklichen Helden. Die Beifallsvirtuosin dagegen gerät an einen Scharlatan.

Eine kulturgeschichtliche Neuerung hat das Rettungsszenario fast in seiner archaischen Urform wiederaufleben lassen: Das ist die Möglichkeit der Scheidung. In der alten Dramaturgie wird die Jungfrau von einem Drachen bewacht. Dann erscheint der Ritter Georg, der den Drachen erschlägt und die Jungfrau befreit. Im Scheidungsszenario ist der alte Ehemann der Drache und der neue Geliebte der Ritter Georg. Manche Frau wird da die Erfahrung machen, daß Ritter Georg nur solange sein Bestes gibt, wie es gilt, sie vom finsteren Ehemann zu befreien. Ist der aus dem Feld geschlagen, verliert Georg das Interesse. Ihn interessierte der Drache mehr als die Jungfrau. Jedenfalls die Jungfrau nicht ohne den Drachen. Sie täte vielleicht gut daran, den alten Drachen im Spiel zu halten.

Das zugehörige Drama, so hatten wir gesagt, ist die Romanze. So wie der Retter der archetypische Held ist, ist die Romanze die archetypische Liebesgeschichte. Ihre Langlebigkeit verdankt sie wohl auch einem mythischen Fundament. Im Grunde ist der Held der Frühling, der die Säfte sprießen läßt. Und der alte Drache ist der Winter, den er erschlägt. Damit rettet er die Jungfrau vor der Einsamkeit der Sterilität und dem Schicksal der alten Jungfer. In den Komödien, die aus diesem Frühlingsfest entstanden sind – man denke an den »Sommernachtstraum« – war dann der Winter zum alten Vater geworden, der die junge Tochter nicht hergeben wollte. Sein weißes Haar erinnerte an den Schnee des Winters. Und seine Regierung bedeutete Starre und Tod. Von ihm muß der Liebhaber das Mädchen befreien. Und das ist es tatsächlich, was in den meisten romantischen Komödien geschieht. Damit verlassen wir die Porträtgalerie und kehren zu unserem Ausgangspunkt zurück.

Fußballhooligans sind Stammeskrieger

Im Ritter hat der Kämpfer eine zivilisierte Form angenommen. Aber so wie sich der Mann auf der einen Seite veredeln läßt, droht auf der anderen immer wieder der Rückfall in die Barbarei. Jederzeit kann er sich in einen Rausch versetzen und sich mit anderen zusammenschließen, um aus der Zivilisation auszubrechen.

Desmond Morris, Zoologe und Autor des Buches »Der nackte Affe«, hat diese Rückfälle untersucht und sich mit dem Verhalten von Fußballhooligans beschäftigt. Dabei hat er herausgefunden, daß die Fußballfans sich bis in alle Verästelungen hinein genauso benehmen wie die Stammeskrieger, die sich auf einen Kampf vorbereiten. Zu bestimmten Zeiten, wenn die Buschtrommel des HSV ins Volksparkstadion oder die des 1. FC Kaiserslautern auf den Betzenberg ruft, verlassen die Fans ihre Lehmhütten, begeben sich zu den Versammlungsplätzen der Männer, nehmen berauschende Getränke oder Drogen ein, schmücken sich mit den Totems des Stammes und tragen auf ihrer Haut die Farben der Kriegsbemalung auf. Dann marschieren sie gemeinsam zu den Kultstätten des Kampfes. Dort verfallen sie in stundenlange Schlachtgesänge, die abwechselnd der Lobpreisung des eigenen Stammes und der Herabwürdigung des Gegners gewidmet sind. Die Mutter aller Schmähgesänge benutzt dabei die Grundmelodie des Beatles-Songs »Yellow Submarine«, unterlegt ihr aber so subtile Texte wie »Zieht den Bayern die Lederhosen aus, Lederhosen aus, Lederhosen aus! Zieht den Bayern die Lederhosen aus!« Ein Text, der bei Fouls der eigenen Mannschaft durch solche Gemmen der Gesangsdichtung ersetzt wird wie »Eins, zwei drei, schon wieder einer tot, wieder einer tot...« Das vermittelt ihnen das Gefühl, das der Mann am meisten liebt, nämlich einem großen, mächtigen Stamm anzugehören, mit gemeinsamen Helden, Ritualen und Tabus mit gemeinsamen Gesängen, Trophäen und einem Medizinmann.

Möchte eine Frau also wirklich wissen, was für ein Wesen in ihrer Wohnung herumtrabt, sollte sie sich eine Beruhigungstablette einwerfen und eine Karte für die Fankurve des lokalen Fußballvereins kaufen. Dort wird sie endlich das natürliche Soziotop ihres vertrauten Lebensabschnittsgefährten zu Gesicht bekommen: die Urhorde mit den Trainern als Medizinmännern, den Mannschaftsmitgliedern als Elitekriegern und den Fans als Fußvolk, Chören und Kampfverbänden. Dabei sollte sie sich nicht dadurch täuschen lassen, daß ihr Mann vielleicht ein Feingeist ist, der den Fußball verachtet: Sein Stamm besteht dann in einer politischen Seilschaft, einer Forschungsgruppe oder einer Bürofraktion seiner Firma. Das Urbild und Grundmodell all dieser Gruppen ist die Urhorde der Fußballfans und der Stammeskrieger. Dann wird der Eindruck überwältigend: Der Mann und die Zivilisation stehen auf Kriegsfuß miteinander. Er wirkt wie ein Troglodyt (Höhlenbewohner), wie ein Relikt der Vorzeit oder bestenfalls wie ein Westgote, der sich einen guten Anzug angezogen hat.

Die Gleichberechtigung bedeutet nicht, daß Mann und Frau gleich sind, sondern, daß ihre Ungleichheit rechtlich ignoriert wird. Sie soll in der Gesellschaft keine Rolle spielen. Die politische Ordnung blendet sie aus.

Und weil das die zivilisierte Mode auch tut und ein Bärenfell als Kleidungsstück das Wesen des Mannes viel deutlicher ausdrücken würde als ein guter Anzug, ist ein Besuch des Fußballstadions für die Frau so lehrreich. Dort kann sie sehen, wie seine Gene Karneval feiern.

Y-Chromosomen kennen keine Frauen

Es gibt ein untrügliches biologisches Merkmal, das bei allen größeren Tierarten über die Unterschiedlichkeit der Geschlechter Auskunft gibt: Das ist die Differenz der Körpergröße. Ist sie bei beiden Geschlechtern verschieden – wie bei Löwen oder auch bei Gorillas –, leben diese Tiere in Herden, die von einem Pascha beherrscht werden. Nur das stärkste Männchen gelangt zur Fortpflanzung, vererbt seine Körpergröße seinen männlichen Nachkommen und sorgt mit diesen zusammen dafür, daß die Schere zwischen Weibchen und Männchen, was Körperkraft, Wildheit und Aggressivität betrifft, immer weiter wird. Da also alle Weibchen, aber nur das stärkste Männchen sich fortpflanzen, entwickeln sich beide Geschlechter auf verschiedenen Wegen.

Das zeigt auch die Genetik: Die sexuelle Reproduktion sorgt dafür, daß die Gene immer wieder neu kombiniert werden. Jedes Junge erhält einen anderen Cocktail von Genen. Jedes Fohlen ist eine neue Zusammenstellung von Pferdegenen. Aber in der ganzen Herde sind alle Gene noch beisammen. Im Laufe der Generationen wandern die Gene durch viele Körper und machen mit ihnen ihre Erfahrungen, die sie dann speichern: Erfahrungen mit kleinen Körpern und großen Körpern, mit schlanken und mit fetten Körpern, mit weiblichen Körpern und mit männlichen Körpern. Es gibt nur eine Ausnahme: Das Chromosom mit dem Gen, das das männliche Geschlecht festlegt, das sogenannte Y-Chromosom, kommt nur beim Männchen vor. Bei der Teilung und Neukombination der Chromosomen tauscht dieses Y-Chromosom keine Gene mit anderen Chromosomen aus. Das Männlichkeitsgen auf dem Y-Chromosom wandert nie hinüber in einen weiblichen Körper. Das ist mit den X-Chromosomen, die das weibliche Geschlecht bestimmen, nicht so: Weil jeder Mensch in seiner Doppel-Helix immer eine Doublette von Chromosomen aufbewahrt, verfügt der Mann auch über ein weibliches X-Chromosom. Das wird wieder gebraucht, wenn es sich bei der Produktion eines Kindes mit einem X-Chromosom der Frau kombinieren muß, um ein Mädchen hervorzubringen.

In der Kombination mit einem Y-Chromosom aber ist es unterlegen, und deswegen wird daraus ein Knabe, der wieder eine Y-X-Kombination enthält. Ein Mann hat also die Kombination Y-X, eine Frau die Kombination X-X. Wenn sie sich teilen und neu kombinieren, ergeben sich wieder die Kombinationen Y-X und X-X. Ein klassischer Fall von Selbstreproduktion. Dabei wird das Geschlecht durch den Mann bestimmt. Deshalb bleiben Y-Chromosomen immer in Männerkörpern. Sie haben keinen Schimmer davon, wie es ist, sich in einem weiblichen Körper zu befinden. Das ist bei allen Säugetieren so. Ein männliches Gen blickt also auf Erinnerungen bis zur Erfindung der Säugetiere zurück. Es hat ein Gedächtnis, das über viele Arten zurückreicht. Aber es hat nie einen weiblichen Körper erfahren.

All diese männlichen Gene haben in erfolgreichen männlichen Körpern gelebt. Ihre Erinnerungen beziehen sich nur auf Erfolgsgeschichten. Sonst wären die Männchen nicht zur Fortpflanzung gelangt. Und das Gen auf dem Y-Chromosom wäre nicht, wo es jetzt ist. Bei den weiblichen Genen auf den X-Chromosomen ist der Erfolg längst nicht so stark umkämpft. Denn in den Haremsgruppen mit einem dominierenden Pascha gelangten alle Weibchen zur Fortpflanzung, aber kein Männchen außer dem Pascha. Das Y-Chromosom hat also die Erfahrung eines starken Selektionsdrucks hinter sich. Männchen und Weibchen haben sich auf getrennten Wegen entwickelt.

Wenn wir noch einen Augenblick bei der paschabeherrschten Urhorde bleiben, stoßen wir auf einen weiteren, spannungsreichen Widerspruch. In jeder Großgruppe gehört die Mehrzahl der Männchen zu den Hinterbänklern, weil der Pascha ja das Fortpflanzungsmonopol innehat. Aber all diese unterlegenen Männchen, die mißmutig herumschleichen und auf die Gelegenheit lauern, den Pascha zu stürzen, alle diese ressentimentgeladenen Neidhammel stammen selbst von einem dominanten Männchen ab. Ja, mehr noch: all ihre Vorfahren bis hinunter zu ihrem Vater waren Sieger. In jeder neuen Generation von Männern werden Sieger aus einer Gruppe von Siegern ausgewählt. Das öffnet die Schere zwischen Männern und Frauen immer weiter. Das Element des Männlichen wird mit der Dauer der Evolution unter diesen Bedingungen immer männlicher. Die männlichen Gene, die alle Männer einer Gesellschaft zusammen herumschleppen, stellen schon eine Auswahl aus einer Erfolgsmannschaft von Macho-Genen dar. Und aus diesen wird erneut eine Macho-Auslese getroffen etc.

Diese verschärfte Auslese wird erst mit der Erfindung der Familie gemildert, in der jeder Mann im Prinzip eine Fortpflanzungschance erhält. Aber ganz stimmt das auch nicht, weil viele erfolglose Männer gar nicht die Mittel dazu hatten, eine Familie zu gründen und zu versorgen. So blieben also immer noch eine Menge Männer übrig, die im Bogen um die Herdfeuer herumschlichen und auf eine Chance zur illegalen Fortpflanzung lauerten. Kein Wunder, daß die männlichen Kuckucke besonders gefürchtet waren und den Frauen grundsätzlich mißtraut wurde.

Die Folklore hat das bewahrt: Wenn jemand gehörnt wurde, hieß es: Er hat den Kuckuck gehört – und auf französisch: er ist »cocu«.

Dabei trat nun eine andere Form der Selektion in Erscheinung. Es waren jetzt die Frauen, die sie vornahmen. Sie mußten den Vater ihrer Nachkommenschaft so auswählen, daß sie bei der Aufzucht der Kinder die bestmögliche Unterstützung erhielten. Die Gene der Frauen machten also die Erfahrung, daß es sich lohnt, sich jemanden auszusuchen, der über Macht und Mittel verfügte. Deshalb ist Macht, wie man so sagt, ein Aphrodisiakum. Frauen schätzen Männer, die auch von anderen Männern geschätzt werden. Das verstärkt wieder bei den Männern den Hang zur Konkurrenz.

Damit diese weibliche Selektion überhaupt funktioniert, ist die Frau bei der Selektion ihres Partners viel wählerischer als der Mann. Er muß ja überall anklopfen, um ausgewählt werden zu können. Immer muß sich eine Mehrzahl von Männern um eine Frau bewerben. Sein Interesse, evolutionsbiologisch gesehen, ist es, seinen Samen so weit wie möglich zu verteilen. Das befiehlt ihm sein egoistisches Gen. Es will sich ja kopieren. Weil Gene nur in lebendigen Leibern überleben, muß es dazu ein neues Wesen schaffen. Wenn ihm das gelingt, schafft es sich eine neue Umwelt in einem neuen Körper.

Fazit: Die Meute der männlichen Geschlechtsgene auf dem Y-Chromosom sind, wie die Männer in der Urhorde, immer beieinander geblieben. Ihre Erfahrung ist auf Männer beschränkt. Unsere Gene sind die wahren Machos. Dabei stellt sich die Frage: Wie werden diese Gene heute sozial integriert? Genügen da Appelle an den guten Willen und die Väterlichkeit?

Väter sind keine männlichen Mütter

Die Vaterschaft begründet das Patriarchat, aber sie zivilisiert auch die Männer. Allerdings hat das väterliche Familienoberhaupt in der letzten Generation seine Abschiedsvorstellung gegeben und ist unter Buh-Rufen von der Bühne gejagt worden. Die Frau hat ihre Gleichberechtigung errungen. Und die Anti-Baby-Pille hat die Keuschheitsmoral mit der Hilfe von Freud zum Tempel hinausgejagt. Die Kontrolle der weiblichen Sexualität ist dem Mann aus der Hand gewunden worden. Die Frau entscheidet nun selbst, wann und mit wem. Und sie entscheidet auch, ob sie ein Kind haben will oder nicht. Als letztes Stück, das ihr zur vollen Souveränität noch gefehlt hat, hat sie das Recht auf Abtreibung erkämpft. Was soll da noch der Vater?

Nun, die Frau weiß, was er soll: Er soll mithelfen, das Kind großzuziehen. Sie wundert sich, daß er sich dabei so schwertut. Daß er Ausflüchte sucht, sich nur zögerlich, wenn überhaupt, an der Babypflege beteiligt, daß er sich dumm anstellt, daß er es an der richtigen Begeisterung fehlen läßt, ja, daß er manchmal sogar den Eindruck erweckt, als sei ihm die Sache zuwider, und sich in vielen Fällen direkt drückt oder gar ganz Reißaus nimmt. Sie kann sich das nicht erklären. Die natürlichsten Gefühle scheinen ihm zu fehlen. »Sieh doch, wie süß das Baby lächelt!« Es hat sogar seine Augen, wie kann er da widerstehen? Er ist ein Ungeheuer, ein kaltherziges Monster und eine große Enttäuschung.

Weil in der alten Gesellschaft die Vaterschaft mit der Mutterschaft parallelisiert wurde, haben wir vergessen, daß das künstlich geschah, und glauben, sie habe dieselbe Grundlage wie die Mutterschaft: die natürliche, spontane, instinktive Liebe zu dem neugeborenen Kind. Wir halten den Vater für eine Art männliche Mutter. Weil die Mutter die Liebe zu ihrem Kind als so natürlich und fraglos erlebt, unterstellt sie das auch dem Vater. Und da er weiß, daß das von ihm erwartet wird, heuchelt er die Vaterliebe so wie seine Frau den Orgasmus.

Aber ohne die Vorteile des Patriarchats brechen wieder die alten, natürlichen Abneigungen hervor. Das Kind ist nicht nur eine bedrohliche Last, die ihn dreißig Jahre lang finanziell niederdrücken wird, es raubt ihm auch den ersten Rang in der Liebe und Aufmerksamkeit seiner Frau. Plötzlich ist er abgemeldet. Mit dem Kind kann er nicht konkurrieren. Es ist nicht zu leugnen: die Frau zieht es ihm vor.

Außerdem ist es ihm just in den Bereichen überlegen, in dem sich bisher seine Männlichkeit entfaltet hat: das Kind brüllt lauter und dringlicher als er; es säuft häufiger und monopolisiert die Mutterbrust. Es hält den ganzen Körper seiner Frau besetzt, so daß seine Zugangsberechtigung erlischt. Es ist egoistischer und angeberischer als er. Und das Üble ist, es erntet mit dieser Hemmungslosigkeit auch noch das permanente Entzücken seiner Mutter. Kurzum, es ist richtig unfair. Man hat gegen es nicht die geringste Chance.

Und dabei darf er seine Abneigung noch nicht einmal zeigen! Sie würde ihm übelgenommen. Statt dessen wird er zum Laufburschen dieses kleinen Monsters degradiert. Diese Sklaverei ist schlimmer als die des letzten Aushilfskellners. Er muß Brei besorgen und ihn ihm mühselig in den schmierigen Mund stopfen. Statt ein Trinkgeld zu kassieren, wird er dafür angespuckt. Er muß Windeln wechseln und Popos säubern, er muß sich tagsüber ein Höllengeschrei anhören und sich des Nachts durch eine verstärkte Version des gleichen Geschreis aus dem Schlaf reißen lassen. Was hat er mit diesem Monster zu tun, das ihn anschreit, wenn er sich vorsichtig nähert? Rein gar nichts. Die einzige Verbindung zu diesem Schreihals stellt nur jener Akt vor neun Monaten dar. Und selbst dafür hat er nur das Wort seiner Mutter. Wie sagt doch Lord Chesterfield über diesen Akt: »Das Vergnügen ist flüchtig, die Stellung lächerlich, und die Folgekosten sind monströs.« Das alles läßt ihn seine Ehe langsam in einem neuen Licht erscheinen. Ihm kommt der Verdacht, daß dieses Kind das eigentliche Ziel seiner Frau gewesen sei. Sie ist so absorbiert, so strahlend glücklich und so altruistisch und selbstlos, wie er sie bisher gar nicht gekannt hat. Sie scheint die Bestimmung ihres Lebens gefunden zu haben. Und er erinnert sich an die frühen Gespräche mit ihr: »Na, sicher möchte ich einmal Kinder haben!« Damals hatte er sich nichts dabei gedacht. Sie hatte das so leichthin gesagt. Doch dann fallen ihm die vielen Frauen ein, die in dem gleichen Ton das gleiche gesagt hatten. Überall hatte er diesen Satz irgendwann gehört. Aus vielen Mündern war er an sein Ohr gedrungen. Alle Typen von Frauen hatten ihn früher oder später geäußert. Ob Karrierefrauen oder Hausmüttertypen, ob Studentinnen oder Friseurinnen, alle wollten sie mal Kinder haben. Warum nur? Was trieb sie? Denn eine Art Trieb mußte es sein, weil es da etwas gab, das stärker wurde, wenn Frauen sich den Mittdreißigern näherten. Sie sprachen dann vom Ticken der biologischen Uhr. Sie konnten es wohl nicht ertragen, daß da eine

Möglichkeit aus dem oberen Teil der Sanduhr rann, die Möglichkeit, ein Kind zu kriegen und Mutter zu werden. Vor die Wahl gestellt, ob sie auf diese Möglichkeit verzichten oder einen Haufen Belastungen auf sich nehmen wollten, wählten sie die Belastung.

Und dabei setzten sie auf seine Hilfe. Was hatte er damit zu tun? Er konnte nicht Mutter werden. Bei ihm war die biologische Uhr schon bei der Geburt abgelaufen. Er mußte Karriere machen oder es wenigstens versuchen. Das sollte sich seine Frau mal vor Augen halten! Sollte sie sich doch mal vorstellen, was es für sie bedeuten würde, Vater zu werden! Und langsam wuchs in ihm der Verdacht, daß sie ihn ausgenutzt hatte. Er war als Erzeuger und Ernährer dieses kleinen, gefräßigen Monsters willkommen, aber nur insoweit er diese Funktion erfüllte. Sie hatte ihn in den Dienst ihres Mutterinstinkts gestellt. Er war verheizt worden, reines Kanonenfutter, mit dem der kleine Dauerfresser gemästet wurde. Plötzlich empfand er einen tiefen Groll gegen den Schreihals.

Dieses Konkurrenzgefühl hat auch damit zu tun, daß ein Kind die Form von sinnloser und unverdienter Anbetung erntet, nach dem sein eigenes Ego ständig giert. Bewunderung ohne Grund, Liebe, ohne sich anstrengen zu müssen, bedient zu werden wie ein Pascha und herrisch sein zu können bis zur Absurdität – das alles möchte er auch. Das Kleinkind zeigt ihm das Leben, das er selbst heimlich führen möchte. Und so fühlt der Mann, wie leise Rivalitätsgefühle in ihm aufsteigen. Er erlebt einen Konkurrenten, der immer stärker werden wird. Er wird ihm die Haare vom Kopf fressen. Zum Schluß wird dieses Monster im vollen Saft stehen, gemästet mit seinem Fleische, während er selbst sich zum Sterben hinlegt. Das kleine Biest erinnert ihn an seine Sterblichkeit. Seitdem es da ist, hat er das Gefühl, daß es nur noch abwärtsgeht.

Im Grunde hat er einen Widerwillen gegen das ganze Szenario. Aber das darf er nicht zeigen, denn die Rolle der Väter wird nicht mehr wie früher durch die Gesellschaft und die ganze symbolische Ordnung abgestützt. Sie wird allein aus dem moralisch-korrekten Gefühl der Väterlichkeit gerechtfertigt.

Das aber kann nur während einer gewissen Übergangzeit funktionieren. Denn wir erleben gerade eine der tiefstgreifenden sozialen Revolutionen, die es je gegeben hat: die Auflösung der Familie, wie wir sie bisher kannten. Danach wird wieder, wie am Anfang unserer Zivilisation, ein Anreiz dafür gefunden werden müssen, daß Männer die Väter spielen. Oder man verzichtet ganz auf ihre Rolle. Dafür gibt es schon etliche Anzeichen. Die Versorgerrolle wird durch die Leistungen der Gesellschaft ersetzt. Was früher die Familie tat, tun jetzt die Sozialhilfe, das Kindergeld, die Rentenzahlung und die behördliche Aufsicht. Eine ganze Bürokratie ist aus der Notwendigkeit entstanden, die fehlenden Väter durch die Verwaltung zu ersetzen. Schon die Sozialreformer im Kielwasser des Sozialismus und des Darwinismus haben gefordert, Mutterschaft solle als eine Art Beruf behandelt werden, den Frauen ergreifen könnten, um für die Reproduktion der Gattung von der Gesellschaft bezahlt zu werden.

Werden nicht neue Prämien für die Vaterschaft gefunden, werden sich die Väter aus dem Staube machen. Das gilt um so mehr, als die wichtigste Gratifikation, die die Bindung des Mannes an die Familie bisher lohnend machte, inzwischen entwertet worden ist: die dauernde sexuelle Bereitschaft der Frau. Daß das nicht selbstverständlich ist, zeigen die zahlreichen Tiere, die die Sexualität auf Brunft und Paarungszeiten einschränken. Pferde werden rossig, Kühe stierig, Hunde läufig und Katzen rollig. Der Mensch dagegen ist immer paarungsbereit. Wenn die soziale Struktur vorsieht, daß für jeden Mann nur eine Frau zugänglich ist, hält ihn das bei der Stange.

Mit der sexuellen Revolution ist aber diese Beschränkung entfallen. Der Sex, früher ein knappes Gut, ist frei verfügbar. Stand einst am Ende der Liebesgeschichte die Gewährung der letzten Gunst, steht sie jetzt am Anfang. Das hat die Dramaturgie der Liebesgeschichte stark beschädigt.

Ihre Dramatik diente ja dem Zweck, das Paar dem Erlebnis einer emotionalen Wildwasserfahrt auszusetzen, das sie nur miteinander und mit niemandem sonst teilten. Dramatisch aber wurde die Geschichte nur, wenn sie mit Hindernissen durchsetzt war, gleichwohl aber auf ein attraktives Ziel zusteuerte. Dann wurde die Liebesgeschichte zu einem gemeinsamen Initiationsritus, der das Paar aneinanderband. Die Sexualität wurde gewissermaßen in diese Intimität verwoben und persönlich eingefärbt. Liebe machte Sex persönlich. Er wurde dann als eine Form der Kommunikation neu stilisiert, und die Geschichte testete, ob die Partner im Stile ihrer Kommunikationsfähigkeit zueinander paßten.

Heute ist der Sex eine Einstiegsdroge geworden. Damit wird getestet, ob sich die Fortsetzung der Beziehung überhaupt lohnt. Und da der Einstieg leicht ist, ist auch der Ausstieg leicht. Sex als Belohnung für väterliche Treue fällt damit weg.

Die Frauen haben in dieser Lage getan, was man immer tut, wenn man eine Erwartung durchhalten muß, die unrealistisch ist: sie haben die gefühlsmäßig begründete Vaterliebe zur Norm erhoben. Sie hegen die Vorstellung, daß die Väter an sich schon verhinderte Mütter seien. Daß sie die gleichen Emotionen gegenüber ihren Kindern empfänden wie sie, daß man sie nur von ihren notorischen Hemmungen befreien müsse, daß sie ihre verleugneten Gefühle herauslassen müßten und daß vermehrtes Training und ständiger Umgang mit den Kleinkindern schon die richtige Vaterliebe wecken würden.

Würden die sozialen Erwartungen in dieser Hinsicht erst einmal normalisiert – so glauben viele Frauen – und würde der Arbeitsmarkt darauf Rücksicht nehmen, würden die Hausarbeit und die Kinderaufzucht gleichberechtigt zwischen Mann und Frau geteilt.

Zweifellos wäre das gerecht, und es wäre wünschenswert. Aber eine moralische Norm schafft nur Sünder, leistet aber für die Erkenntnis wenig: Will man dagegen eine Form von Väterlichkeit kennenlernen, die mit der männlichen Identität übereinstimmt, sollte man das nächste Bild in der Porträtgalerie der Männertypen besichtigen.

Zweiter Abstecher in die Porträtgalerie der Männertypen: Der Mann mit der starken Schulter

Hier sehen wir einen Typ, der aufgrund einer geheimnisvollen Mischung von Eigenschaften, deren Rezept die Forschung bisher noch nicht ermittelt hat, über die Begabung verfügt, andere Menschen zu führen. Jeder bemerkt diese Fähigkeit an der Ausstrahlung. Einige sprechen von Charisma, andere, weniger dramatisch, von Autorität. Männer dieses Kalibers verstehen es, in den anderen Menschen das Vertrauen in ihre Stärke und Umsicht zu wecken. Sie sind unerschrocken, geraten nie in Panik, vertrauen ihrer eigenen Kraft und reagieren nie hektisch. Zugleich haben sie auch die Fähigkeit, die Gruppe als Ganzes zu repräsentieren. Nach außen zeigen sie das Bild, das die Gruppe selbst gern von sich hätte. Nach innen geben sie allen Mitgliedern das Gefühl, für sie dazusein. Das zwingt sie zum Ausgleich und zur Gerechtigkeit. Gelingt ihnen diese Balance nicht, etwa, weil sie Günstlinge bevorzugen, spalten sie die Gruppe und verlieren ihre Autorität.

Will er das vermeiden, muß der erfolgreiche Anführer gewissermaßen »surfen«. Er muß ein dynamisches System ausbalancieren. Dazu gehört, daß er Freunde zurücksetzen kann und in der Lage ist, sich mit ehemaligen Feinden zu versöhnen. Schließlich muß er wechselnde Bündnisse eingehen können. Deshalb nimmt er nichts übel. Er ist großherzig und kann verzeihen. Nur so gewinnt er Abtrünnige für die Gruppe zurück. Er akzeptiert, daß er für alles verantwortlich gemacht wird, was schiefgeht, und daß man nicht sieht, wie er den einzelnen Mitgliedern mehr Zuwendung angedeihen läßt, als er selber bekommt. Er ist also nicht abhängig von dem Gefühl, geliebt zu werden. Ein guter Anführer ist altruistisch. Und darüber hinaus kompetent. Er gleicht die Fehler, die andere machen, selber aus. Er nimmt hin, daß sie sich gehenlassen und er selbst es nicht darf.

Am deutlichsten erkennt man den Anführertyp daran, daß er völlig zukunftsorientiert ist. Seine Hauptaufgabe ist es, das nächste Problem zu lösen. Wenn die Sekretärin kommt und ihm meldet: »Abromeit hat einen Schwächeanfall, Frau Baumann weigert sich, mit Herrn Dellbrück zusammenzuarbeiten, und Frau Ellmau findet die Lieferscheine nicht, weil Frau Ferchl krank ist«, dann wird der richtige Chef folgendes sagen: »Gerke hat einen Erste-Hilfe-Kurs gemacht. Er soll sich um Abromeit kümmern. Derweil soll Frau Baumann Herrn Dellbrück dabei helfen, einen Krankenwagen zu rufen. Und Frau Ellmau soll bei Frau Ferchl zu Hause anrufen und fragen, ob wir was für sie tun könnten und beste Grüße vom Chef, und sie soll sich gut auskurieren, ach so, und ja, wo die Lieferscheine wären...« Eine Figur ohne Führungsqualitäten würde dagegen folgendes von sich geben:»Ich hab' ja gleich gesagt, daß Abromeit in dieser Position überfordert ist. Aber nein, Dellbrück mußte mich ja überreden, ihm die ganze Abteilung zu geben. Immer muß er seinen Kopf durchsetzen, dieser Dellbrück, kein Wunder, daß Frau Baumann nicht mit ihm zusammenarbeiten will. Und Frau Ferchl? Na, das wundert mich nicht! Die hat doch damals der Gerke eingestellt. Überhaupt kein Auge fürs Personal! Ist ja typisch für sie, nicht zu sagen, wo die Lieferscheine sind! Damit will sie nur ihre Unentbehrlichkeit vorführen. Niemals hätte ich die eingestellt! Aber auf mich hört ja niemand...« Kurzum: Der richtige Chef kümmert sich nicht um die Vorgeschichte, sondern tut das Nächstliegende, wobei er allen Beteiligten ein Gefühl dafür gibt, daß die Lösung besser ist als das Problem. Der Anti-Chef kümmert sich nicht um die Probleme; ihm kommt es darauf an, daß er nicht für Sie verantwortlich gemacht werden kann. Deshalb sucht er nach Sündenböcken. Während der wahre Chef die Gruppe integriert, wird der Anti-Chef sie zertrümmern.

Eine Frau, die einen Mann mit Führungsqualitäten gefunden hat, hat, was viele Frauen wollen: zwei Schultern, an die sie sich lehnen kann.

Allerdings: Sie hat ihn nie für sich allein. Er ist immer auch mit der Gruppe verheiratet. Das macht sie vielleicht eifersüchtig. Denn einen Großteil seiner seelischen Energien investiert er in die Gruppe. Und unbewußt weiß sie: diese ist reicher, komplexer und interessanter als sie selbst. Mit ihr kann sie nicht konkurrieren. Versucht sie es, tut sie genau das, was er bei jedem einzelnen Mitglied der Gruppe gerade verhindern muß: ihn für sich allein haben zu wollen und den Günstling mit Privilegien zu spielen. Doch eben dazu reizen sie seine Führungsqualitäten. Diese zeigen sich nämlich in einer gewissen freundlichen Unpersönlichkeit. In einer Sachlichkeit des Stils, die Aufgeregtheiten und emotionale Dramen dämpft. Sie möchte aber sehen, daß sie ihm mehr bedeutet als all die anderen. Sie will ihn dazu bewegen, ihr das auch zu zeigen. Doch seine Instinkte sagen ihm, daß er das gerade vermeiden soll.

Über Führungsqualitäten verfügt erst, wer den Intimstil privater Sympathien und Antipathien hinter sich gelassen hat. Der Führer muß zu allen gleich freundlich sein. Er muß jedem zu verstehen geben, daß es noch andere Beziehungen gibt als die zu ihm. Aber daß er natürlich so viele Rechte hat wie jeder andere. Diese Führungsqualitäten wird sie erst schätzen lernen, wenn sie Kinder hat und die Familie wächst. Dann kommen seine Tugenden zur Geltung. Denn wie die Gruppe behandelt er auch seine Familie: Zuerst kommt sie und dann erst er selbst. Und im Notfall opfert er sich für sie auf. So wird er zum männlichen Vater neben der weiblichen Mutter. Für diese Väterlichkeit gilt dann, was man von der Macht sagt: Sie wirkt auf Frauen wie ein Aphrodisiakum.

DIE KOMÖDIE DER FRAUEN:
AMPHITRYON ODER: ALKMENES DILEMMA

Handelnde Personen:

AMPHITRYON	Fürst von Theben
ALKMENE	seine Frau
SOSIAS	Adjutant des Amphitryon
THESSALA	seine Frau
LEDA	Freundin des Hauses Amphitryon
JUPITER	der Göttervater
MERKUR	Gott der Händler und Diebe
NEPHROSYNE	Halbgöttin und Assistentin Merkurs

Szene 1: Die Strategen des Ehekriegs

Es ist nachmittags an einem Sommertag. Man schreibt das Jahr 430 vor Christi. Wir befinden uns im Griechenland des Sokrates und des Perikles oder, genauer gesagt, im Hause von Amphitryon und Alkmene, des Fürstenpaares von Theben. Auch der Adjutant des Amphitryon, Sosias, wohnt dort mit seiner Frau Thessala. Die Stadt Theben befindet sich im Krieg. Amphitryon und Sosias haben einen kurzen Waffenstillstsand ausgenutzt, um zu Hause vorbeizuschauen, laufen dabei aber direkt in einen Ehekrach.

SOSIAS: Mein Fürst, schon reisefertig?

AMPHITRYON: Ja. Ich will heute noch ins Lager aufbrechen.

SOSIAS: Der Waffenstillstand dauert doch zwei Tage. Wir werden morgen abend erst zurückerwartet.

AMPHITRYON: Deshalb mußt du bestätigen, daß ein Bote da war, der uns ins Feld zurückgerufen hat. Wir würden dringend dort gebraucht. Ich

werde mich jetzt gleich von Alkmene verabschieden, und danach
mußt du auch verschwinden und mir ins Lager folgen. Denn es wäre
doch zu unplausibel, wenn ich ins Feld rücke ohne dich. Das würde sie
nicht glauben.

SOSIAS: Aber warum wollen Sie denn jetzt schon los?

AMPHITRYON: Na, diese Ehekrise … Ich halt' es nicht mehr aus. Ich muß
mich erholen. Ich muß nachdenken, über Alkmene und mich. Und
nun hat zu allem Überdruß noch Leda ihren Besuch angesagt, als ob
nicht alles schon verzwickt genug wär'. Kaum hört sie, daß ein Waffenstillstand ausgebrochen ist, muß sie uns hier besuchen.

SOSIAS *(grinsend)*: Stimmt es denn, daß Sie eine voreheliche Liaison mit
Leda hatten?

AMPHITRYON: Was macht es aus, ob es stimmt oder nicht? Wenn Alkmene es glaubt, genügt das, um die Sache zu komplizieren. Grins nicht so.
Ich glaub', das macht dir alles auch noch Spaß. Mir macht's jedenfalls
keinen Spaß, und deshalb will ich sie hier nicht treffen. Du mußt ihr
das erklären.

SOSIAS: Ich?!

AMPHITRYON: Ja, du! Wenn du in der Schlacht meinen Rückzug decken
kannst, kannst du's auch hier. Und hier wird's langsam kriegerischer als
im Feld.

SOSIAS: Ja, ich hab' so das Gefühl, es droht ein Friede.

AMPHITRYON: Dein Gefühl trügt dich wohl nicht. Doch kaum erlischt
der Krieg draußen im Felde, flammt er im Hause wieder auf.

SOSIAS: Bei mir hat er von Anfang an getobt. Ich bin ein Veteran!

*(Alkmene tritt von rechts auf und geht wortlos durch den Raum und ver-
schwindet links in Thessalas und Sosias' Gemächern. Während sie durchgeht)*

AMPHITRYON: Alkmene. Es tut mir leid wegen unseres Wortwechsels. Ich
sehe ein, du hattest recht. Aber du mußt auch mich verstehen …

(Als Alkmene weg ist, guckt er ratlos Sosias an) Was sagst du nun?

SOSIAS: Was soll ich sagen? Das ist eine Szene, schon tausendmal gespielt,
und sie wird mit neuem Gusto noch tausende von Jahren weiterge-
spielt werden, wenn die Welt so lang durchhält. Sie spielen sie nicht
schlecht! *(Alkmene kommt wieder und will genau so wieder von links nach*

rechts durch den Raum gehen, aber da stellt sich ihr Amphitryon in den Weg)

AMPHITRYON: Alkmene, sei nicht albern: Wir müssen überraschend wieder einrücken, und ich möchte mich von dir verabschieden.

ALKMENE: Was, schon wieder weg? Du bist noch gar nicht angekommen, und du mußt schon wieder weg? Und ich soll wieder Wochen hier alleine herumsitzen und verfaulen? Wie stellst du dir das vor?!

AMPHITRYON: Es tut mir leid, aber es läßt sich nicht ändern, das mußt du einsehen. Ich würde auch viel lieber hierbleiben, in einem gemütlichen Heim, von einer lieben Frau liebend umsorgt, und dir die Schlachten schildern, statt sie zu schlagen. Was mich forttreibt, bin nicht ich, das sind die Pflicht und der Beruf.

ALKMENE: Ah, dauernd versteckst du dich hinter deiner Pflicht und deinem Beruf! Aber hier lügst du, und das nehm' ich dir übel! Du liebst sie; diese Pflicht und der Beruf sind tausend menschliche Kontakte und Gefühlsbeziehungen. Dein Beruf ist nichts als ein anderes Wort für reiches, ausgefülltes Leben, während wir Frauen hier zu Hause sitzen und versauern. *(Sosias versucht, unauffällig wegzuschleichen)* Du brauchst dich gar nicht wegzuschleichen, Sosias, du kannst das ruhig hören: Thessala wird dir dasselbe sagen.

SOSIAS *(bleibt stehen)*: Eben.

ALKMENE: Was meinst du?

SOSIAS: Ich wollte es nicht zweimal hören.

AMPHITRYON: Du bleibst hier, Sosias! Thessala sagt's nicht halb so gut wie Alkmene.

ALKMENE *(mit verdoppelter Wut zu Amphitryon, weil sie vage ahnt, daß die Männer sie veralbern)*: Wenn ihr meint, mit eurer Kameraderie davonzukommen, irrt ihr euch gewaltig! Ich kann ja auch Thessala rufen. Dann *(zu Amphitryon)* kannst du sehen, daß meine Wut mehr als persönlich ist! *(Ruft)* Thessala! *(Und spricht direkt weiter)* Aus mir spricht die Wut der Frauen Griechenlands! *(Thessala kommt und hört zu)* Und wenn ich aufhör', könnte Thessala weitermachen! Euer ganzes Verhalten zeigt, ihr habt uns nie als Personen anerkannt und ernst genommen. Gerade wo ihr vorgebt, uns am hingebungsvollsten zu lieben, habt ihr uns in

Wirklichkeit verachtet. *(Zu Amphitryon)* Für dich war ich doch immer nur ein Sexualobjekt!

AMPHITRYON: Sexualobjekt? Schreckliches Wort! Das klingt ja nach diesem neuen theoretischen Jargon, der so in Mode kommt.

SOSIAS: Wenn Sie's interessiert, meine Frau kann Ihnen da mal ein paar Schriften leihen, hochinteressant, wenn auch schlecht geschrieben!

THESSALA *(zu Sosias)*: Du redest besser nichts von dem du nichts verstehst.

SOSIAS: Aber ich bin doch bestens durch dich unterrichtet! Du läßt doch keine Gelegenheit zu einem Vortrag aus!

AMPHITRYON: Nun, jetzt ist keine Zeit für einen Vortrag. Wenn wir zurück sind, wollen wir gern mehr darüber hören! *(Zu Alkmene)* Mein Herz, adieu! Ich versteh', daß du jetzt nicht in einer lyrischen Stimmung bist. Trotzdem, gib mir zum Abschied einen Kuß!

ALKMENE *(zu Thessala)*: So ist er! Einfach keine Rücksicht darauf, wie es in mir aussieht, wie ich mich fühle, Hauptsache, die Formen werden gewahrt! *(Zu Amphitryon)* Dir hat nie etwas an meiner Liebe gelegen. Dir ging es immer nur um das Image! Wir sollten das ideale Liebespaar darstellen, und dazu brauchtest du mich als Rollenstaffage. Mich selbst hast du dabei nie wahrgenommen, sondern nur den Eindruck, den ich machte. Wenn ich daran denke, wie lange ich das mitgespielt hab', könnte ich mich selbst verachten!

AMPHITRYON: Dich selbst und den Eindruck, den du machtest! Ich weiß nicht, warum es nötig ist, solche Unterscheidungen zu treffen. Ich bin vielleicht ein simpler Bursche und habe beides gleichzeitig geliebt. Doch nun bringst du mir ja bei, daß das wohl falsch war. Denn wenn du so wärst, wie deine Erscheinung in der letzten Zeit, sähe ich selbst für meine simple Liebe schwarz!

ALKMENE *(zu Thessala)*: Wie bringt man es ihnen nur bei? *(Zu Amphitryon)* Das ist es ja, daß ihr zu simpel seid! Männer sind einfach egozentrisch; wenn sich alles um euer Ego dreht, dann nennt ihr's Ordnung, und alles andere ist bloß Störung! Dann rümpft ihr die Nase und sagt, die Frauen würden kompliziert! *(Zu Amphitryon, wieder hitzig)* Deshalb hast du nicht bemerkt, daß in unserem Liebesspiel bei mir Gefühl und Rolle bald schon auseinandertraten. Dies »Die-Frau-an-seiner-Seite«-Spielen ist's, das diesen Unterschied hervorzwingt, und es ist euer Stumpfsinn, davon nichts zu merken! Ihr zwingt uns deshalb dazu, es euch immer lauter in die Ohren zu schreien.

THESSALA: Bei Sosias nutzt auch das nichts.

SOSIAS: Du hältst dich da raus, Thessala! Du hast genug damit zu tun, mit den entfesselten Fluten deiner feministischen Beredsamkeit mich hinwegzuspülen, daß du nicht auch noch andere überschwemmen mußt.

THESSALA: Ich halt' mich nirgends raus. Alkmene hat recht, und du hast es tausendfach bewiesen: eure Unsensibilität ist so gewaltig, daß ihr uns zwingt, immer lauter zu keifen, damit auf dem Weg von eurem Ohr zum Hirn nicht alles auf der Strecke bleibt. Erst seid ihr so stumpf, daß ihr nichts begreift, und nötigt uns damit zu schreien, und dann klagt ihr uns an, daß wir zu laut sind!

AMPHITRYON *(zu Sosias)*: Was hast du gesagt? Feministische Beredsamkeit? Ist das auch so ein Begriff?

ALKMENE *(zu Thessala)*: Das ist ein ganz wichtiger Punkt, Thessala. Sie zwingen uns damit, viel häßlicher zu werden, als wir eigentlich wollen, und mobilisieren damit unseren eigenen Selbsthaß.

SOSIAS *(zu Amphitryon)*: Der Begriff ist ganz üblich und bezeichnet eine Epidemie, die die Frauen infiziert, gegen die Weltordnung anzuschimpfen. Eine Art theoretische Rechtfertigung für Megären.

THESSALA *(zu Alkmene)*: Das macht sie so hassenswert, daß sie uns dazu zwingen, in unseren eigenen Augen hassenswert zu werden! Aber damit ist Schluß, wenn die Frauen ihre Isolierung aufgeben. Überall in Griechenland organisieren sich die Frauen. In Sparta haben sie schon längst die Macht übernommen. Aspasia hat in Athen die freie Ehe propagiert und eine Schule für Rhetorik aufgemacht, in der nun auch Mädchen studieren. Sogar Sokrates und Euripides besuchen ihre Vorlesungen! Unter der Führung von Lysistrata solidarisieren sich die Frauen von Athen und Sparta gemeinsam gegen ihre Männer und deren ewigen Parteienstreit und bilden eine neue Friedensbewegung.

Sappho hat auf Lesbos neue Gemeinschaftsformen entwickelt, in denen Frauen sich ganz anders einbringen und sich selbst entdecken können. Jetzt brechen herrliche Zeiten für die Frauen an!

AMPHITRYON: Thessala, ich will mich nicht auch mit dir noch anlegen und bin dir eigentlich für deine Freundschaft zu Alkmene dankbar. Aber beantworte mir nur eine Frage, eine einzige Frage: Wenn jetzt für die Frauen so herrliche Zeiten anbrechen, warum zum Teufel sind sie so viel schlechter gelaunt als vorher?

THESSALA: Weil sie erst jetzt entdecken, daß sie Tausende von Jahren Grund für schlechte Laune hatten und es nicht zeigen durften!

SOSIAS *(explodiert vor sarkastischer Heiterkeit)*: Du willst tausend Jahre schlechte Laune in einer Lebensspanne nachholen? Bei Apoll, Thessala, wenn das eine schafft, dann du!

THESSALA *(zu Sosias)*: Dein kalter Sarkasmus kann mir nichts mehr anhaben, du zynischer Schuft! Dieser elende Zwang, nur alles lächerlich zu machen, verrät nur die Unfähigkeit, mit deinen eigenen Gefühlen umzugehen! Das macht so Typen wie dich enttäuschend: Ihr seht aus wie Männer, aber in euren Gefühlen seid ihr Kinder geblieben. Kein Wunder, daß man sich als Frau betrogen fühlt! *(Ab)*

SOSIAS: Sie ist eine Expertin in der Dramaturgie des Ehekrachs. Sie gibt mir nie die Chance des letzten Worts! *(Ruft ihr nach, laut)* Megäre! *(Zu Amphitryon und Alkmene, höflich)* Entschuldigung, sie wäre enttäuscht gewesen, wenn ich nichts gebrüllt hätte.

ALKMENE: Ich werde mir an ihr ein Beispiel nehmen! *(Zu Amphitryon)* Du weißt, daß Leda dich besuchen kommt, und es ist einfach unhöflich, wenn du abreist!

AMPHITRYON: Leda – heute – davon wußte ich ja gar nichts!

ALKMENE: Für einen Feldherrn bist du ziemlich feige! Du lügst! Ich weiß, daß du es wußtest!

AMPHITRYON: Aber sie kommt dich besuchen, nicht mich, das weiß ich! Auf jeden Fall muß ich weg. Sosias wird ihr alles erklären, wenn du sie nicht sehen willst.

ALKMENE: Mach, was du willst. Ich fühle, ich kriege wieder meine Kopfschmerzen.

AMPHITRYON: Mein Herz, soll ich dich massieren?

ALKMENE *(zischt ihm zu)*: Laß mich in Ruhe, du hast ja keine Zeit! *(Ab)*

AMPHITRYON *(guckt ihr nach)*: Es ist unheimlich, wie sie sich in so kurzer Zeit verändert hat! Vor kurzem noch waren unsere Nächte heiter, wir brauchten nichts als uns selbst, und ich war Ehemann ihr und Geliebter. Vor kurzem noch zitterte sie bei jedem Gedanken, wie viele Pfeile in der Schlacht auf mich gezielt wurden, und jetzt, glaub' ich manchmal, wär' sie lieber meine Witwe als meine Frau. Ich möchte wissen, wie das, was ich für so gefestigt hielt wie sonst nur deine Freundschaft, sich so plötzlich in sein Gegenteil verwandeln konnte.

SOSIAS: Das, was fast fällt, sieht, bevor es kippt, genauso fest aus, wie das, was mit breiter Basis auf der Erde ruht. Sie war wohl nicht ganz glücklich, und jetzt nimmt sie's sich und Ihnen übel, daß sie vorher so getan hat, als ob.

AMPHITRYON: Wenn ich nur wüßte, was ich getan hab', so einen Umsturz zu bewirken!

SOSIAS: Nichts haben Sie getan, wir haben's ja gehört, und niemand kann was daran ändern. Ich kenne mich da aus, denn Thessala ist ein Barometer für die Stimmung der ganzen Weiblichkeit von Griechenland. Sie ist so durchschnittlich, daß ich das Gefühl habe, ich bin mit allen Frauen dieser Welt vermählt, was einen einzelnen schon überfordern kann.

AMPHITRYON: Aber was ist denn mit den Frauen passiert, Sosias?

SOSIAS: Das ist schwer zu sagen. Auf jeden Fall haben sie ein ganz neues Verhältnis zum Glück. Hier hat sich die Begründungslast verschoben: Wenn früher eine unglücklich war, dann hielt sie es für eine Ausnahme und mußte das begründen und dann zunächst den Fehler bei sich selber suchen. Da hat sie oft das Unglück eher versteckt. Jetzt ist es umgekehrt: Unglück ist jetzt normal und weit verbreitet. Ja, eine Frau, die restlos glücklich ist, die macht sich eher verdächtig und muß jetzt das begründen. Was meinen Sie, wie viele persönliche Miseren wie kranke Küken bei der großen Glucke des allgemeinen Unglücks aller Frauen

unterkriechen?! Kein Wunder, daß die Bewegung populär ist und weiter Anhängerinnen gewinnt. Der Feminismus gibt dem privaten Elend
eben einen großen Sinn. Darin liegt seine Attraktivität, und das macht
dann alles so verwirrend.

AMPHITRYON: Wieso, im Gegenteil, ich beginne langsam zu begreifen!
Hast du nicht auch von diesen Amazonen gehört? Die gehen so weit
wie Männer und ziehen in die Schlacht. Sie sollen formidabel sein!

SOSIAS: Thessala redet von nichts anderem. Sie schneiden sich die rechte
Brust ab, damit sie besser schießen können!

AMPHITRYON: Die rechte? Das ist ja entsetzlich! Die sind verrückt! Bei
uns verstümmeln sich die Männer, um n i c h t in den Krieg zu ziehen,
und die tun's auch, um Kriege führen zu können!

SOSIAS: Daran sehen Sie, wie groß der Wunsch ist, es uns gleichzutun!
Wie alle Wünsche ist auch der illusorisch, denn wenn sie Männer wä-
ren, hätten sie's mit Frauen, wie sie's sind, zu tun, und das ist auch kein
Spaß. Doch man muß eben dabei unterscheiden: unter dem Deck-
mantel der neuen Argumente verstecken sich auch die enttäuschten
Traditionellen!

AMPHITRYON: Wie meinst du das?

SOSIAS: Nun ja. Die einen ärgern sich, daß ihre Liebhaber es nicht bleiben und Ehemänner werden. Das sind die Traditionellen und Erotischen, die das Verblassen der großen Passion nicht verwinden können
und sich nach großen Liebesgesten sehnen. Die setzen auf den Unterschied von Mann und Frau. Die wahren Revolutionärinnen aber sind
die anderen. Die wollen diesen Unterschied abschaffen und nehmen
einem übel, daß man keine Kinder kriegt wie sie, sie säugt und auf-
zieht oder sie umgekehrt zur Schlacht und Ratsversammlung mit-
nimmt. Sie verstehen, das ist jetzt eine theoretische Vereinfachung.
Die meisten Frauen enthalten eine Mischung beider Typen – und
manchmal findet man auch beide voll entfaltet in einer Frau beisammen. Doch gibt es oft ein deutliches Profil in einer oder der anderen
Richtung.

AMPHITRYON: Ah, ja? Und Alkmene?

SOSIAS: Traditionalistin!

AMPHITRYON *(nachdenklich)*: Meinst du wirklich? Ich weiß nicht. Vielleicht hast du recht. Wieso bist du so sicher?

SOSIAS: Weil ich Thessala kenne. Und sie ist das Gegenteil!

AMPHITRYON: Obwohl sie sich so einig sind?

SOSIAS: Eben. Das macht es ja so schwierig. Dasselbe Geschrei für so ganz verschiedenes Elend.

AMPHITRYON: Wie du das so ungerührt sagst! Wenn wir die Spartaner schlagen konnten, dann müßte es uns doch auch gelingen, unsere Frauen glücklich zu machen!

SOSIAS: Das schafft niemand mehr!

AMPHITRYON *(beiläufig)*: Es sei denn, es wär' ein Gott.

SOSIAS: Ein Gott? *(Hat eine Idee)* Ja, der müßte schon ein Gott sein, der eine Frau glücklich machen könnte ... Sagen Sie, wann wollte Leda kommen?

AMPHITRYON *(erschrocken)*: Beim Jupiter, sie muß gleich da sein! Bleib du hier und unterhalt' sie, bis Alkmene wiederkommt.

SOSIAS: Wo ist sie denn?

AMPHITRYON: Zu dieser Stunde geht sie regelmäßig zum Opfern in den Tempel Jupiters. Sie ist recht religiös geworden in der letzten Zeit. Ob das wohl mit unserer Ehekrise zu tun hat?

SOSIAS: In den Tempel Jupiters? Sind Sie da sicher? Nicht Heras oder Athenes oder Demeters oder Aphrodites? Jupiters?

AMPHITRYON: Ja, Jupiters. Was ist daran so erstaunlich? Unter allen Göttern hat sie ihn immer mit besonderer Inbrunst verehrt. Und alle sieben Tage bringt sie ihm ein ganz besonderes Opfer dar. Sie nennt das den Jupiter-Tag. Und das ist wieder heute.

SOSIAS: Das könnte klappen. Hören Sie, Sie möchten doch, daß Ihre Ehe so wie früher wäre und Alkmene auch so glücklich wie als Braut?

AMPHITRYON: Das fragst du?

SOSIAS: Woll'n Sie mir vertrau'n und tun, was ich Ihnen sage?

AMPHITRYON: Nur wenn ich mich dabei nicht verstellen muß. Du weißt, das kann ich nicht.

SOSIAS: Das wird nicht nötig sein. Das einzige, was Sie tun müssen, ist

jetzt abzureisen und mich bei Kriton, dem Sophisten, in der Stadt zu
treffen.

AMPHITRYON: In der Schenke? Sehr gut! Da kann ich dann mein Elend
im Wein ersäufen.

SOSIAS: Am besten, Sie gehen hinten raus. Leda ist schon vorgefahren.

AMPHITRYON *(ab)*.

II. Das zerbrechliche Ego des Mannes

Natürlich ist die Frau und künstlich der Mann

Im vorigen Kapitel haben wir uns dem Mann so weit angenähert, daß wir schon von seinem strengen Geruch umfangen wurden. Jetzt greifen wir nach dem Schlüssel zu seinem Herzen. Dazu müssen wir die bisher entwickelte Sicht auf ihn etwas verfeinern, indem wir die Frage nach der Natur des Mannes in Richtung auf die Kultur verschieben: Wie haben traditionelle Kulturen den Mann definiert? Welche Rolle wurde ihm angewiesen? Wie unterschied sich in den vormodernen Kulturen der Mann von der Frau? Was erfahren wir darüber, wenn wir die Gesellschaften der Erde durchmustern?

Die Antwort darauf weist den Königsweg zum Verständnis des Mannes. Mit ihr wird jeder Frau zugemutet, ein ganz anderes Wesen zu verstehen; eine Spezies Mensch, die ein grundsätzlich unsicheres Daseinsgefühl hat; einen Menschenschlag, dessen Angehörige sich in ständigem Beweisnotstand befinden und deshalb hochempfindlich sind.

Die entscheidende Erkenntnis besteht in folgendem Gedanken: Der Mann ist künstlich, die Frau ist natürlich. Oder, anders ausgedrückt: Als Frau wird man geboren, zum Mann wird man gemacht. Weiblich ist frau, ohne etwas dazu tun zu müssen. Der Mann entsteht erst durch einen gesellschaftlich organisierten Übergangsritus. Vorher ist ein Mann ein männliches Kind, das in der Gesellschaft von Frauen aufwächst und sich im Prinzip benehmen darf wie sie: es darf weinen, es darf Ängste ausdrücken, es darf sich seinen Gefühlen überlassen und sich im Grunde spontan verhalten.

Aber irgendwann, um die Zeit der Pubertät herum, wird der Knabe von den Frauen und Mädchen getrennt und einem Härtetest unterworfen. Alle Kulturen kennen diesen sogenannten »Initiationsritus«. Dabei werden die Knaben aus der Gesellschaft entfernt und in die Wildnis geschickt. Hier verlieren sie ihre bisherige Identität. Sie müssen lernen, die Einsamkeit und die Verlorenheit auszuhalten, die mit dieser Grenzsitua-

tion verbunden sind. Wir finden die Spuren davon noch in den Wander-
jahren der früheren Gesellen und Studenten. Die Anthropologen nennen
das den »liminalen Zustand«. Sie bezeichnen damit die Schwellenerfah-
rung des Außenseitertums. In ihr lernt der Knabe, seine Panik zu besiegen
und auf seine eigene Kraft zu vertrauen. Er wird gewissermaßen mit dem
Nichts konfrontiert, weil er selbst nichts mehr ist. Seine alte Rolle als
Kind wird in ihm selbst vernichtet. Er muß ihre Nichtigkeit erlebt haben.
Von nun an wird jeder Rückfall in diese Kindlichkeit intensive Ängste bei
ihm auslösen.

Am Ende dieser Übergangsphase steht eine Prüfung, die den Wieder-
eintritt als Mann in die Gesellschaft markiert. Dabei wird der Kandidat
verschiedenen Schmerz- und Tapferkeitstests unterworfen, die beweisen,
daß er gelernt hat, seine Angst, seinen Schmerz und seine inneren Regungen überhaupt zu ignorieren. Bestanden hat er, wenn er das, was kindlich
und weiblich an ihm war, abgetötet und zum Schweigen gebracht hat.
Dann kann er, ausgestattet mit der neuen Identität als Mann, wieder in die
Gesellschaft aufgenommen werden. In den traditionellen Stammesgesell-
schaften wird der neue Status in der Regel durch Körpermarkierungen
gekennzeichnet: Tätowierungen, Narben, Verletzungen, Beschneidungen
und symbolisch bedeutsame Frisuren.

Demgegenüber bedarf es keiner kulturellen Markierungen, um zu bezeichnen, was Weiblichkeit ist. Sie ist von Natur aus gegeben. Der Übergangsritus regelt nur den Statuswechsel von der unverheirateten zur
verheirateten Frau, nicht aber den vom geschlechtsneutralen Kind zur
erwachsenen Frau. Deshalb wird in allen Kulturen Weiblichkeit mit Natur
assoziiert und Männlichkeit mit Kultur. Mit anderen Worten: Nur Männlichkeit ist eine kulturelle Fiktion.

Der Mann ist eine Nicht-Frau

Das Verhältnis der Geschlechter ist also asymmetrisch. Eine Frau braucht
den Unterschied zum Männlichen nicht zu betonen. Zwar wird ihr in
der Regel nicht gestattet, als Mann aufzutreten. Aber innerhalb des

Rollenschemas besteht für sie keine Notwendigkeit, in ihrem Verhalten die Weiblichkeit zu betonen. Im Gegenteil, sie darf tapfer und selbstbeherrscht und mutig sein, ohne daß ihr das übelgenommen wird. Es wird sogar geachtet. Auch darf sie sich das Weinen verkneifen und kaltblütig handeln, ohne daß man ihr Versagen vorwirft. Sie braucht sich gegen Männlichkeit nicht eigens abzugrenzen. Das hat den Weg zur Emanzipation eröffnet, und in unserer Kultur benehmen sich Frauen längst wie Männer. Auch ist es nicht verpönt, daß ein Mädchen sich wie ein Junge aufführt und alle möglichen »männlichen« Eigenschaften demonstriert.

Dagegen ist das Umgekehrte nicht erlaubt. Die Rolle des Mannes beruht auf strikter Abgrenzung gegenüber allem, was weiblich ist. Sie ist eine künstliche Stilisierung, eine soziale Erfindung, die aus dem Verhaltensrepertoire einen bestimmten Bereich als männlich herausmodelliert und gegen den Rest abgrenzt. Vielleicht kommt sie der Natur vieler Männer entgegen. Aber nicht bei allen. Und nicht immer. Und nicht in jeder Situation. Doch ob sie ihr entspricht oder nicht, ist gleichgültig – der Mann hat die Linie strikt zu beachten, die seine Rolle gegen die der Frauen und Kinder abgrenzt. Überschreitet er sie, ruiniert er sein Image. Er hat dann die Achtung der anderen Mitglieder der Gesellschaft verloren. Das bedeutet in traditionellen Kulturen den sozialen Tod.

Noch bis vor wenigen Generationen wurde auch bei uns dieser prekäre Status der Männlichkeit mit dem Begriff der Ehre belegt. In den mittelmeerischen Ländern spielt sie bis heute eine entscheidende Rolle. Dabei ist der Verlust der Ehre gleichbedeutend mit dem Ruin der männlichen Identität. Ein Mann verliert seine Ehre, wenn er sich feige verhält, wenn er eine Beleidigung nicht ahndet, wenn er sich von seiner Frau herumkommandieren läßt, wenn er sich hörnen läßt, ohne mit dem Schuldigen blutig abzurechnen, und er verliert sie auch, wenn er nicht in der Lage ist, bei seiner Frau seinen Mann zu stehen.

Mit der Todesverachtung, die der Mann bei der Ahndung einer Beleidigung im Duell beweist, gibt er zu verstehen, daß ihm seine Identität als Mann wichtiger ist als das Leben: Lieber tot als kein Mann mehr! In der Konfrontation mit dem Tod wiederholt der Mann die Erfahrung seiner

Initiation. Es ist immer der Kampf mit dem Tod. Dürers Holzschnitt »Ritter, Tod und Teufel« bringt diesen Zusammenhang zur Anschauung. Wenn der Mann seinen Test bestanden und sich in der Konfrontation mit Schmerz, Angst und Tod seiner Männlichkeit versichert hat, empfindet er ein merkwürdiges Überlegenheitsgefühl gegenüber all denen, die diesen Härtetest nicht mitgemacht haben, wie Frauen und Kinder. Aber dieses Gefühl bezahlt er mit einer Angst, die ihn fortan nie wieder verläßt: der Angst, daß sich sein neues männliches Ich als zerbrechlich erweisen könnte, daß es unter dem Druck der heroischen Anforderungen zerspringt. Dann würde er wieder zum Kind oder zur Frau. Das aber wäre mehr als ein sozialer Abstieg. Es wäre ein Fall ins Bodenlose, und es würde von intensiven Gefühlen der Beschämung und der Panik begleitet.

Geschlechterrollen und Sex

Nun sieht es auf den ersten Blick so aus, als ob die moderne Gesellschaft mit der Diskreditierung des Patriarchats und des Ehrbegriffs einige Entlastungen geschaffen hätte. Das ist richtig. Aber dafür hat sie andere Belastungen durch die Hintertür wieder eingeführt.

Traditionelle Gesellschaften trennten die sozialen Sphären, die den Geschlechtern zugeordnet wurden. Jedes der beiden Geschlechter bekam einen sozialen Platz, wurde eingekleidet und verzweigte sich je nach Status in einen Set von Tätigkeiten, die nur ihm allein zukamen. Wenn man jemanden traf, der Brot backte, den Garten oder Kranke pflegte, die Küche betrieb, die Wolle spann, Heilkräuter züchtete, den Herd anmachte und die Hühner fütterte, konnte das nur eine Frau sein. Femininität fiel mit einem sozialen Raum zusammen. Das versorgte die Wahrnehmung mit so zwingenden Bildern von Weiblichkeit, daß ein Mann, der in der Küche arbeitete, wie eine Frau wirkte. Wie die alten Komödien zeigen, war es deshalb sehr leicht, sich im Outfit des anderen Geschlechts zu verkleiden. Man sah nicht die Körper, sondern die soziale Figur.

Heute dagegen kann jede Person, ob weiblich oder männlich, im Prinzip jede Position einnehmen. Die alten sozialen Unterscheidungskriterien für die Abgrenzung der männlichen Identität sind damit weggefallen. Da auch die Kleidung nicht mehr als zuverlässiges Indiz gelten kann, gibt es nur noch eine Stelle, an der die Geschlechterdifferenz wahrgenommen wird: der Körper. Damit verwandelt sich die soziale Rollendifferenz in Sex. Die einzige Funktion, die die Geschlechterdifferenz für die Gesellschaft noch hat, ist die sexuelle Reproduktion. Das führt zu einer Übersexualisierung der wechselseitigen Wahrnehmung. Da im Arbeitsalltag der Unterschied der Geschlechter aber keine Rolle spielen soll, muß dieser Punkt mühselig ignoriert werden. Das führt zu einer gespannten Doppelung des Blicks. Man erkennt am Gegenüber das Geschlecht nur, um es wieder zu übersehen. Überall sieht man, was man ignorieren soll. Weil man sie aber ignoriert, wird im Gegenzug die Signalintensität der Sexualität wieder erhöht.

Die zwanziger Jahre waren die Zeit des ersten Emanzipationsschubs. Sie erlebten zugleich eine deutliche Steigerung in der erotischen Selbstinszenierung der Frau. Die Durchschnittsfrau der Großstadt benutzte nun die Mittel der Selbstdarstellung, die bis zum Ersten Weltkrieg allein den Prostituierten vorbehalten waren: Schminke, Lippenstift, Nagellack, Augenbrauenstift etc. Bis heute hat sich die Erinnerung an ein Zeitgefühl erhalten, das dadurch eingefärbt wurde: jazzy, frivol, hektisch und zugleich gekennzeichnet durch die Schockiertheit der Konservativen – sie sahen ihre Bräute und Mütter plötzlich als Huren auftreten und gerieten in Panik. Da nun auch die Gründung der Familien gesellschaftlich freigegeben wurde, mußte Liebe überall ausbrechen können, also auch im Arbeitsalltag und nicht nur beim dafür eigens vorgesehenen Tanztee, Hausball oder College-Fest. Der Unterschied der Geschlechter entscheidet nun nicht mehr über den Zugang zu den sozialen Positionen. Er ist nur noch als Liebesauslöser gefragt. Damit wird er unter Dauerspannung gesetzt. Gerade weil man das sexuelle Reizpotential übersehen mußte, mußte man es erhöhen. Heute prallt die Überladenheit unserer Werbung und Zeitschriftencovers mit Sexfotos auf die Abgebrühtheit, mit der wir sie ignorieren müssen, wenn wir nicht in ein sexualpathologisches Dauerdelirium verfallen wollen.

All das beschränkt auch Männlichkeit immer mehr auf Sexualität. Die sozialen Stützen der männlichen Identität werden dadurch unterspült, und das läßt die Künstlichkeit der sozialen Rolle um so stärker hervortreten. Mit anderen Worten: Fühlt sich heute einerseits der Mann von den Härten der Rollenanforderung des Machismo entlastet, fühlt er sich andererseits durch das Diffuswerden der Rolle bedroht. Je mehr die moderne Gesellschaft die Grenze zu den Frauen durchlöchert, desto angestrengter muß sie aufrechterhalten werden. Das macht vor allem das Verhältnis des männlichen Kindes zu seiner Mutter problematisch.

Der Sohn und seine Mutter

Als Mutter kommt die Frau dem Mann am nächsten. Aber da ist er noch ein Kind. Will er zum Manne werden, begründet gerade diese Nähe zur Mutter die Notwendigkeit der Abgrenzung. Tritt er später seiner zweiten Frau gegenüber, hat er das Management von Nähe und Distanz von seiner Mutter gelernt. Hat er Angst vor Nähe wie viele Männer, sprudelt die Quelle dafür in der Erfahrung mit seiner Mutter.

Der Ablöseprozeß von der Mutter ist nämlich für Knaben ein verwirrendes Drama. Natürlich ist auch für Mädchen die Mutter die zentrale Figur am Beginn ihres Lebens. Aber »Figur« ist schon ein Ausdruck, der das Verhältnis einer Mutter zu ihren Kindern – gleichgültig ob Mädchen oder Jungen – nicht trifft. Eine Mutter ist nicht eine Gestalt mit festen Konturen wie andere auch. Sie ist die Welt selbst. Sie bildet den Raum, in dem allein das Kind leben kann. Nur wenn sich das Baby von ihr gesehen weiß, fühlt es sich wohl. Die Mutter wird als die Luft zum Atmen erlebt, als die Sonne, die den Raum mit Licht füllt, und als die Form der Anwesenheit selbst. Sie ist deshalb, anders als eine Figur, ohne Konturen. Sie ist wie der Raum selbst grenzenlos.

Ihre Abwesenheit wird deshalb als lebensbedrohender Kälteschock erfahren und als Verwandlung der Welt. Daß die Mutter »anderswo« weiter existiert und deshalb wiederkommt, wird noch nicht begriffen. Erst wenn sich die Erfahrung vom Verschwinden und Wiederkommen mehrfach wiederholt, und erst wenn neben der Mutter auch andere Figuren auftauchen, begreift das Kind langsam, daß die Mutter eine Figur mit Konturen ist, die sich in der Welt bewegt und nicht mit der Welt identisch ist. Erst allmählich also lernt das Kind die Welt als einen stabilen Raum von der Mutter selbst zu unterscheiden. Aber niemals mehr verliert die Mutter den privilegierten Status, für das Kind die Welt bedeutet zu haben. Und die Erinnerung an sie wird zum Unbewußten, das all diese Erfahrungen aufbewahrt.

Das Kleinkind erfährt sich in vollständiger Abhängigkeit von diesem Welthintergrund. Verschwände die Mutter oder versagte sie sich, würde der Raum zusammenstürzen und das Kind überflutet werden von Angst. Das Wort »Angst« leitet sich von lateinisch »angustiae«, Enge, ab. Und dieser Zusammenbruch des Raums ist die Mutter aller Ängste. In ihm hat man das Gefühl, daß die Luft zu atmen wegbleibt. Die Brust wird zusammengequetscht, und man kann sich nicht mehr bewegen. Wir wissen, daß der Verlust der Mutter in der frühen Kindheit Ängste hervorruft, die einen Menschen nie wieder verlassen.

Und doch...

Das Gefühl der Autonomie erwirbt das Kleinkind durch einen allmählichen Ablösungsprozeß von der Mutter. Es lernt seinen Körper beherrschen, es macht selbständig Ausflüge in die Welt, es stellt fest, daß es draußen auch eine Welt gibt ohne Mutter und daß man für eine kurze Zeit darin sogar selbständig überleben kann. Um diesen Verselbständigungsprozeß zu fördern, muß die Mutter etwas ganz und gar Paradoxes vollbringen: Für jeden Nachweis, daß das Kind auf ihre Nähe und Intimität verzichten lernt, belohnt sie es mit Zuwendungen aus dem Schatzhaus der Nähe und Intimität. Mit anderen Worten: Das Kind erntet Zuwendung durch seine Abwendung. Da draußen – so heißt die Botschaft – ist die Welt auch in Ordnung. (»Geh ruhig, mein Liebling, fürchte dich nicht, auch wenn Mama nicht da ist!«) Kurzum, wenn alles gutgeht, lernt das Kind mit Hilfe der Mutter, daß es sich von ihr trennen kann und trotzdem überlebt. So löst sich die Symbiose mit ihr langsam auf. Der Heranwachsende erfährt seine Autonomie und bewältigt so die Trennung von der Figur, die einmal seine Welt war.

Dieser Prozeß verläuft aber nur reibungslos, wenn die Mutter für lange Zeit als Basislager der Expeditionen weiterdient, zu der der junge Welterforscher immer wieder zurückkehren kann. Nur so erwirbt er sich ein Weltvertrauen, das die Grundlage seines Selbstvertrauens wird. Zum Schluß hat er die Grenze zur Mutter akzeptiert. Diese Grenze verschafft ihm ein Gefühl der Eigenständigkeit und der Souveränität. Er erlebt sich jetzt als Herr im eigenen Haus. Er versteht, daß er nicht mehr eine Provinz im Territorium seiner Mutter ist; er ist nicht mehr direkt an ihren Körper und an ihre Seele angeschlossen. Er verfügt über eigene Gemütszustände, die nicht mehr mit den ihren zu verwechseln sind. Er muß nicht unbedingt trauern, wenn sie es tut, und sich freuen, wenn sie lächelt. Er ist eine eigenständige Person.

Bei diesem Ablösungsprozeß helfen andere Figuren – Menschen, die erst gar nicht als Welt, sondern gleich als Figuren in der Welt in Erscheinung treten – wie der Vater, die Geschwister oder andere Bezugspersonen. Sie zeigen dem Kind, daß man sehr wohl ohne die Mutter leben kann. Daß man fern von ihr existieren kann, ohne gleich zu verwelken und einzugehen. Mit solchen Figuren kann das Kind sich dann identifizieren, um sich wie sie zu erleben – als Figur mit selbständigen Konturen. In diesem Prozeß, der die ganze Kindheit und Jugend lang andauert, verlagert also der menschliche Nesthocker seine Autonomiegefühle langsam von der Mutter auf seine eigene Unabhängigkeit. Aber – und nun kommt die Pointe – dieser Prozeß ist für Mädchen und Knaben völlig verschieden. Denn während dieses Prozesses erwerben sie auch ihre Geschlechtsidentität – die Mutter hat dasselbe Geschlecht wie die Mädchen, aber das entgegengesetzte der Knaben.

Für Mädchen waltet über dem Ablösungsprozeß von der Mutter eine gütige Paradoxie, die den Vorgang abmildert: Während sie selbständig werden und heranwachsen, werden sie der Mutter immer ähnlicher. Nicht daß das auch eine Quelle der Spannung sein könnte: Mögen sie die Mutter in manchem nicht leiden – wegen ihrer Einmischerei oder ihres Mangels an Takt – so reagieren sie auf Ähnlichkeiten allergisch und betonen statt dessen die Unterschiede. Aber das sind Nebensächlichkeiten angesichts der Grundübereinstimmung in der Geschlechtsidentität oder im Körpergefühl. (Kommt es hier allerdings zu Ablehnungen der Mutter, ist das schwerwiegend, so wie in der Bulimie oder der Anorexie, mit der pubertierende Mädchen ihre Geschlechtsidentität mit ihrem weiblichen Körper zusammen ablehnen.) Abgesehen von solchen Fehlentwicklungen, ist aber bei Mädchen der Ablösungsprozeß viel weniger kompliziert.

Knaben müssen nämlich ihre Geschlechtsidentität gegen die Mutter ausbilden. Und diese verlangt ihnen ab, daß sie der Mutter nicht nur unähnlich werden, sondern auch auf all das verzichten, was den Ablösungsprozeß erleichtert: die Möglichkeit des Auftankens im Basislager der Nähe und Intimität. Der Junge muß sich also in einer Weise von seiner Mutter lösen, die den Verzicht auf ihre Nähe dramatisiert und fühlbar macht. Er wird dabei demonstrativ ruppig und abwehrend werden. Deshalb betont er die Grenze zwischen sich und ihr. Von nun an wird jede Durchlöcherung dieser Grenze zur Bedrohung seiner Identität. Dann fühlt er sich überflutet. Diese Grenze muß er auch gegen die Erinnerung seiner frühkindlichen Erfahrung in sich selbst aufrichten, um jenes Gefühl der Verschmelzung abzuwehren, das ihn beseelte, als die Mutter und die Welt und er selbst noch ein und dasselbe waren. Und von nun an werden Grenzüberflutung, Verschmelzung, Nähe, Intimität mit Weiblichkeit identifiziert; Männlichkeit dagegen mit Härte, Abwehr, Distanz, Grenzüberwachung und Kontrolle. Das Verhängnisvolle ist: Die mangelnde Abwehr gegen die Weiblichkeit droht mit Identitätsverlust.

Die Ausbildung der männlichen Geschlechtsidentität gegen die Mutter wird also durch diese Dramatisierung erschwert. Sie kann nicht ruhig, sozusagen allmählich und mit Hilfe der Mutter verlaufen, wobei das gelegentliche Auftanken und die Ähnlichkeit mit der Mutter die Sache erleichtern, sondern sie muß selbst gegen diese Hilfe gewonnen werden. Und jede Ähnlichkeit wäre eine Bedrohung.

Aber – und nun kommt die eigentlich bösartige Falle – die Abwendung des Sprößlings von der Mutter widerspricht der Faszination, die von der Entdeckung ausgeht, daß sie weiblichen Geschlechts ist. Sie setzt ein, sobald der Knabe seine Männlichkeit entdeckt. Von da ab geht alles

durcheinander: die sexuellen Regungen, die Erfahrung der emotionalen
Überflutung, die Sehnsucht nach Nähe und Intimität und die daraus er-
wachsende Verwirrung und Panik. Der Junge wird also zur Zeit seines
Heranwachsens einem Trommelfeuer der widerstreitenden Impulse ausgesetzt, die nicht mehr sortiert werden können: Trennungsängste, Ab-
wehrregungen, Versuche der Selbstbehauptung, sexuelle Triebe, Überflu-
tungspaniken und verdrängte Intimitätssehnsüchte werden untrennbar
verwirbelt. Deshalb sucht der junge Mann später sein Heil in der Neutra-
lität. Er wechselt das Terrain und verdrängt die Innenwelt. Er wandert aus
dem Reich der Gefühle, in dem sowieso keine Klarheit zu gewinnen ist,
ganz aus. In dieser Zeit der Verwirrung und der Hilflosigkeit entwickelt er
eine Vorliebe für klare Verhältnisse. Er liebt den Überblick. Er sucht die
Ordnung. Er legt Sammlungen an. Er interessiert sich für Maße und Gewichte. Er entwickelt Kontrolltechniken. Er entwirft Begriffssysteme. Er
ordnet Kategorientafeln. Er kartographiert die Welt. Und er zeichnet eine
Landkarte – um endlich einen Überblick zu gewinnen über jene unendliche Welt, die früher die Mutter bedeutete. Der Titel eines Stücks von
Max Frisch drückt das aus: »Don Juan oder Die Liebe zur Geometrie«.

Erst wenn er das alles fertiggebracht hat – wenn er die Mutter in sich
hinreichend neutralisiert und in ihre Schranken verwiesen hat –, kann er
sich einer Frau zuwenden, der zweiten Frau in seinem Leben. Sie wird
nicht umhinkönnen, all die Resonanzbezüge und Echoeffekte auf seine
Mutter in seinem Inneren wieder zum Klingen zu bringen. Wie das geschieht und mit welchen Folgen, ist in jedem Fall anders. Sie kann die
gegenüber seiner Mutter verbotenen Zärtlichkeitsgefühle entfesseln und,
da sie nun legal sind, zum Blühen bringen. Genausogut kann sie die Panik
gegen Überflutungsbedrohung aktivieren und all die Verkrampfungen
verschärfen, die seine Mutter hinterlassen hat.

Also stellen wir fest: Der Mann hat eine fragile Identität. Sein Selbstgefühl ist zerbrechlich. Die Rolle des Mannes ist eine Fiktion, ein Status,
den er durch sein Verhalten erwirbt und den er auch wieder verlieren
kann. Sein Lebensgefühl wird von dem nagenden Zweifel gequält, er
könne vielleicht nicht männlich genug sein. Deshalb läßt er keine Gelegenheit aus, Männlichkeit zu demonstrieren.

Weil er unsicher ist, ist der Mann an und für sich ein Angeber. Oder, anders ausgedrückt: Er ist ein Renommist. Er hat einen Hang, sich aufzublasen. Er neigt zu Pomposität. Er rückt sich in den Mittelpunkt. Er macht Lärm und spielt sich auf. Damit übertönt er seine Unsicherheit.

Daraus gewinnen wir eine Erkenntnis, die im richtigen Leben eine wohltuend entspannende Wirkung entfalten kann: Machistisches Gehabe ist im Prinzip kompensatorisch. Je mehr sich jemand hemmungslos aufbläst, desto unsicherer ist er. Je anmaßender er gegenüber Frauen auftritt, desto zerbrechlicher ist seine männliche Identität. Und je großspuriger er sich benimmt, desto wackeliger ist sein Selbstvertrauen.

Aber auch der selbstbewußteste Mann wird seine grundsätzliche Unsicherheit niemals los. Im tiefsten Inneren wohnt die Angst, die ihm zuflüstert, er sei gar kein richtiger Mann.

Um diese Angst zu beruhigen, müssen Männer periodische Härtetests ihres Mannbarkeitsritus wiederholen. Gerade weil die männliche Rollenidentität künstlich ist, ist das Selbstgefühl der Männer von den Wellen des Selbstzweifels umspült. Das schafft einen ständigen Beruhigungsbedarf. Er macht Männer zu Süchtigen. Sie brauchen in regelmäßigen Abständen die Bestätigung ihres Männlichkeitsstatus, eine Art soziales Testosteron.

Hier liegt der Grund für die Anfälle kollektiver Barbarei, denen sich die Männer regelmäßig überlassen und die sie für den Rest der Gesellschaft schwer erträglich macht. Bestimmte Phasen sind dabei durch den Lebenszyklus vorgegeben. Sie sind als periodische Episoden von Unzurechnungsfähigkeit anzusehen.

Die Phasen der männlichen Unzurechnungs-
fähigkeit

Die erste Phase ist die Pubertät, in der das Testosteron den männlichen
Organismus überflutet und das Hirn in ein Sexualorgan verwandelt. In
dieser Zeit erreicht die Potenz in einem einzigen Anlauf im Alter von
sechzehn Jahren ihren höchsten Stand und macht jeden Jugendlichen zu
einem potentiellen Sexualstraftäter. Und jeder Lehrer weiß davon zu berichten, daß in diesem Alter die Denkfähigkeit sich bedingungslos den
Freudschen Assoziationsgesetzen unterwirft: Schon das Wort »Mitglied«
löst ein geiles Gelächter aus. In diesem Alter werden fast alle männlichen
Jugendlichen zu Gesetzesbrechern. Das ist auch die Zeit, in der sie zu
Fußballfans werden und sich am stärksten dem annähern, was wir uns unter einer Barbarenhorde vorstellen.

Dabei darf man nicht übersehen, daß diese Horden am stärksten auf
ihre Mitglieder einwirken. Fast jeder Mann hat sich einmal im Inneren einer solchen Horde befunden. Spätestens hier erfolgt die Initiation der zar-
teren Gemüter unter den Knaben. Hier machen sie ihre Grenzerfahrung.
Jedes Mitglied wird hier zur Geisel der gesamtem Horde. Und eine Frau,
der eine solche Erfahrung in aller Regel erspart bleibt, kann sich keine zu
schlimme Vorstellung von der Roheit, der sadistischen Bösartigkeit und
der Gefühllosigkeit eines solchen Kollektivs machen.

Kneift jemand oder sucht er sich zu entziehen, werden die Anführer
schon dafür sorgen, daß er dafür mit um so größeren Qualen bezahlen
muß. Das Drachenblut, das die spätere Unverwundbarkeit und Härte verleiht, ist in der Regel das eigene. Wer diese Torturen durchsteht, hat sich
verwandelt. Er weiß, was er zu ertragen imstande ist, und wird es auch von
anderen erwarten.

Die Pubertät ist also für die männlichen Jugendlichen die Zeit der
Gangbildung. Sie trennen sich von den Mädchen und ziehen in Gruppen
herum. Dabei gleichen sie manchmal den Jungmännerhorden, die die
griechischen Städte auf Argonautenfahrt schickten, um sie aus der Stadt
zu entfernen. Und vielleicht ist auch die Völkerwanderung von solchen
Horden im Zustand altersbedingter Asozialität ausgelöst worden.

Als zweite Phase kann heute eine Art Spätblüte der Pubertät, die sogenannte Adoleszenz, gelten. In dieser Zeit wird dem Jugendlichen seine
Identität zum Problem. Er sucht seine Rolle in der Gesellschaft. Das betrifft auch die sexuelle Identität, da jetzt die Partnerprobleme in den
Mittelpunkt treten.

In dieser Zeit kann die Begegnung mit Frauen intensive Gefühle der
Unsicherheit und der Beschämung auslösen. Der Jungmann erlebt dann
vor dem Hintergrund der Erwartung, daß er cool auftreten muß, seine
hektischen und linkischen Annäherungsversuche in der Wirklichkeit als
Horrordramen der Verelendung. Und das zerstört den größten Teil seiner
Zurechnungsfähigkeit. Die umworbenen Frauen mögen sich fragen, warum sich der Verehrer so wahnsinnig anstellt. Doch die Antwort werden
sie niemals finden, wenn ihnen nicht klar wird: Seine ganze männliche
Identität steht auf dem Spiel. Es geht um alles. Deshalb können die Frau-
en die mannigfachsten Erscheinungsformen des männlichen Irrsinns studieren.

Normale Männer gehen aus dieser Krise gefestigt hervor. Aber es gibt
die, denen das nicht gelingt. Sie werden zu den düsteren Helden von
Schauerromanen, in die sie ihre Partnerinnen verwickeln. Die Liste der
folgenden Fahndungsfotos ist unvollständig. Und ihre Qualität reicht gerade, daß frau die Typen wiedererkennen und die Flucht ergreifen kann:

Männer, die das Gefühl haben, daß sie sich vor der belagerten Frau lächerlich gemacht haben, und es ihr heimzahlen. Hier gibt es ein weites
Spektrum von Sadisten, Grobianen und Barbaren, die ihre Unsicherheit
unter ständigen Ruppigkeiten verstecken. Sie sind nicht über die Pubertät hinausgekommen.

Männer, in denen die ungewohnten Gefühlswallungen eine panikarti-
ge Verschmelzungsangst und die Furcht auslösen, der so teuer erworbene
Ich-Panzer könne sich auflösen. Sie neigen zur emotionalen Ausbeutung,
um sich selbst in Kontrolle zu fühlen.

Die Don Juans, die sich immer wieder das narzißtische Kitzelgefühl einer frischen Eroberung und Verführung verschaffen müssen, um ihre
Männlichkeit in der Beleuchtung weiblicher Blicke auf der Bühne er-
strahlen zu sehen. Für diesen Typus wird die letzte Eroberung zur größten

Feindin, weil sie ihn an der nächsten Eroberung hindert. Man kann ihn getrost als Süchtigen bezeichnen, denn für ihn sind die Frauen ein Trank, der Durst macht.

Männer, in denen die alten Familiendramen aus ihrer Kindheit unter der Asche weiterglühen. Bei diesem Typ sollte sich frau die Familie unbedingt vorher anschauen. Hier hat er Männlichkeit gelernt. Irgendeine von den Figuren wird er später spielen.

Die Söhne alleinerziehender Mütter, die nirgendwo Männlichkeit gelernt haben. Für sie gab es in ihrer Familie keine Muster, keine Rollen und keine Vorbilder. Haben sie sie nicht anderswo vorgefunden, haben sich ihre männlichen Affekte nicht in Form einer Identität abgelagert. Statt dessen vagabundieren sie, wie man so sagt, frei flottierend herum. Sie können den Betreffenden jederzeit überfluten. Sie rasten dann aus. Aus dieser Gruppe stammen deshalb besonders viele Gewalttäter. Was nicht heißt, daß jeder Sohn einer alleinerziehenden Mutter zum Gewalttäter werden muß.

Die dritte Phase der männlichen Unzurechnungsfähigkeit ist die sogenannte midlife crisis. Da ein Mann sein Dasein meist als Heldenleben entwirft, wird die midlife crisis durch die Erkenntnis ausgelöst, daß ihm zur Verwirklichung nur noch wenig Zukunft verbleibt. So wird er von der männlichen Entsprechung zur Torschlußpanik erfaßt. Im Schlaf hört er das Ticken der biologischen Uhr. Das versetzt ihn in eine gewaltige Unruhe. Er macht einen letzten, verzweifelten Versuch, dem großartigen Image, das er sich als Wechsel auf die Zukunft zugelegt hatte, wenigstens ein Minimum an Deckung zu verschaffen. Zum letzten Mal bäumt sich der Macho auf und sprengt noch einmal alle Ketten. Das Ergebnis kann in einem beruflichen Amoklauf oder, sehr viel häufiger, in einem Ausbruch aus privaten Bindungen bestehen: Zahlreich sind die Geschichten über die Versuche ihrer Ehemänner, durch eine junge Geliebte das Gefühl der Jugend wiederzugewinnen, die sich die Haus- und Karrierefrauen an ihren abendlichen Herdfeuern erzählen. Sie wissen: Ihre Männer sind auf der Suche nach ihrer letzten Prise Testosteron. Dazu mobilisieren sie ihre letzten Reserven für einen letzten, verzweifelten Anlauf, bevor sie endgültig zusammenbrechen und sich mit dem Gefühl geschlagen geben: der

Mann, der sie hatten sein wollen, waren sie nie und werden sie nie sein. Dann sind sie bereit zu sterben.

Der Mann als Hauptdarsteller

Erst wenn wir uns klargemacht haben, was es bedeutet, daß der Mann eine Art Entwurf, eine Fiktion und ein Schauspieler seiner selbst ist, können wir die Folgen ganz ermessen. Und diese Folgen sind gewaltig. Mit den wichtigsten wollen wir uns nun befassen.

Erstens: Der Mann ist grundsätzlich ein Hauptdarsteller. Natürlich ist auch die Frau eine Schauspielerin. Aber sie ist es im strikt technischen Sinne: Sie täuscht sich nicht über ihre Schwächen und Stärken hinweg. Deshalb versucht sie, die Schwächen zu kaschieren und sich selbst möglichst nur im Lichte der Stärken zu zeigen. Das erreicht sie durch eine strikte Trennung zwischen der Hinterbühne, auf der sie sich schminkt und kostümiert und generell ihre Auftritte technisch vorbereitet, und der Vorderbühne, auf der sie in vollem Amtsornat erscheint und die Huldigungen des Publikums entgegennimmt. Dem Publikum ist der Zutritt zur Hinterbühne strengstens verboten. Dazu haben allein die engsten Vertrauten Zutritt, meistens nur Freundinnen, die als Profi-Darstellerinnen und Kolleginnen mit ihr die Kenntnisse aus der professionellen Trickkiste teilen. Dabei täuscht sich eine Frau selten darüber hinweg, daß sie schauspielert.

Anders der Mann. Er will nicht eine vorgegebene Rolle gut spielen, sondern das Publikum überzeugen, daß ihm die Heldenrolle gebührt. Sein Szenario ist nicht die Aufführung des Stücks, sondern die Besetzungsprobe. Sein Vorbild ist Zettel im »Sommernachtstraum«. Als dieser hört, daß in diesem Stück ein Löwe vorkommt, brüllt er: »Let me play the lion, too!«

Deshalb lebt der Mann nicht in Distanz zu seiner Rolle, sondern seine Identität ist theatralisiert. Sie ist ein Auftrag, den er noch zu erfüllen hat. Natürlich weiß der Mann, daß seine Identität noch nicht seiner Rolle entspricht. Deshalb muß er sie zunächst vortäuschen. Doch dieser Fiktion entspricht eine höhere Wahrheit. In der theatralischen Figur kommt zur Erscheinung, was er seinem inneren Wesen nach eigentlich ist. Ist seine Vorstellung noch unvollkommen, ist dieses Defizit lediglich ein Aufschub, ein Noch-Nicht. Das Theater, das er macht, ist deshalb keine Lüge. Es ist ein Vor-Schein, ein stilisierter Ausdruck dessen, was aufgrund von widrigen Bedingungen sich in voller Reinheit noch nicht entfalten kann.

Dabei ist das Theater selbst der Nachweis seiner eigenen Berechtigung. Dieser kreisförmige Satz bildet die kreisförmige Begründung ab, mit der sich die männliche Theatralik selbst legitimiert: Je gespreizter und lauter jemand auftritt, desto mehr Berechtigung hat er dazu. Wer die Mitte der Bühne erobert, hat damit bewiesen, daß er ein Eroberer ist. Ihm gebührt also die Mitte der Bühne. Und für den Mann ist jede Versammlung, die die Anzahl drei erreicht hat, eine Bühne.

Das macht die Drei zur heiligen Zahl. Warum gerade drei? Der erste ist der Held, der zweite der Gegner, der dritte das Publikum. Das war schon in der griechischen Tragödie so: Protagonist, Antagonist und Chor. In der christlichen Religion wurde das die Dreifaltigkeit von Gott, Satan und den Menschen als Beifall klatschenden oder buhenden Zuschauern. Auch Gott ist typisch männlich. Er macht die Welt und lobt sich dann selbst: »Und siehe, sie war sehr gut«. Er erläßt Verbote und straft. Er will der einzige sein, den man verehrt: »Du sollst keine anderen Helden haben neben mir!« Er ist äußerst eifersüchtig, und er beansprucht den Mittelpunkt der Bühne und damit den ganzen Beifall.

So haben auch die Männer in ihrer Theatralik immer das Imponiergehabe der Götter nachgemacht. Verfügten sie wie Jupiter über den Donner, sagt Shakespeare, so würden sie nichts als donnern, von morgens bis abends donnern.

Der Mann und die Wahrheit

Männer haben deshalb ein ganz anderes Verhältnis zur Wahrheit und zur Lüge als Frauen. Frauen halten die Aussage von jemandem für eine Lüge, der bewußt das Gegenteil von dem behauptet, was gegenwärtig der Fall ist. Männer dagegen haben ein dynamisches Verhältnis zur Wahrheit. Für sie ist bereits wahr, was zwar noch nicht eingetreten ist, aber in unmittelbarer Reichweite liegt: der greifbare Erfolg, die todsichere Wette, der bombensichere Profit. Sie wissen, es sind nur ein paar lächerliche Details, die dem endgültigen Durchbruch im Wege stehen. Sie haben den Sieg praktisch schon in der Tasche. Im Grunde kann man schon die Sektkorken knallen lassen. In der lebhaften Vorstellung des Erfolgs erleben sie die tiefere Wahrheit, daß sie sind, was sie sein wollen: Helden.

Es wäre falsch, den dynamischen Wahrheitsbegriff als bloßes Mittel abzutun, mit dem man sich selbst und andere täuschen kann. Das ist er natürlich auch, aber er ist noch mehr. Er hat in vielen Fällen die Kraft, sich selbst zu erfüllen. Er versetzt den Mann in solchen Schwung, daß er den Erfolg, den er vorwegnimmt, auch wirklich herbeiführt. Er steht in einem engen Verhältnis zum positiven Denken.

Das Problem für die Frauen besteht dann darin, daß sie zwischen schlichter Hochstapelei und einer sich selbst in Gang lügenden Erfolgsdynamik nicht unterscheiden können. Sind sie skeptisch, müssen sie sich vorwerfen lassen, den nahen Sieg durch negatives Denken und mangelnde Unterstützung verhindert zu haben. Sind sie vertrauensselig, landen sie nach dem Platzen der Träume unsanft in der Enttäuschung.

Das Geheimnis dieses andersartigen Wahrheitsverhältnisses liegt im unterschiedlichen Verhältnis der Geschlechter zur Zeit. Für die Frau ähnelt sie dem Ablauf eines Waschmaschinenprogramms. Die Episoden liegen im vorhinein fest. Sie sind mit der biologischen Uhr synchronisiert. Irgendwo befindet sich die zentrale Phase des Kinderkriegens. Davor ist die Vorwäsche der Heirat oder der Partnersuche, danach wird gespült, gepumpt und geschleudert.

Anders der Mann. Für ihn sind Zukunft und Vergangenheit nicht nur Streckenabschnitte, die hinter oder vor ihm liegen. Natürlich sind sie das auch. Aber darüber hinaus sind sie Druckausgleichsbehälter des Wünschbaren. Die Zukunft ist der Aufenthaltsort der Wirklichkeiten, die gegenwärtig noch verhindert werden. Die Vergangenheit dagegen ist ein Reservoir von Erzählungen, die im Dienste einer höheren Wahrheit die Geschehnisse berichten, wie sie hätten sein sollen. Wird ein Mann ganz und gar vom dynamischen Wahrheitsbegriff beherrscht, entsteht eine neue Figur. Um sie zu besichtigen, betreten wir wieder die Porträtgalerie.

Dritter Abstecher in die Porträtgalerie der Männertypen: Der Scharlatan

Der Mann erlebt sich weitgehend über seine Außenwirkung. Er erfährt sich im Beifall der Welt, im strahlenden Lachen der Frauen, im bewundernden Augenaufschlag der Verehrerin. Oder in seiner Wirkung auf Männer: im Respekt, der ihm gezollt wird, der Achtung, die ihm entgegengebracht wird, den Türen, die vor ihm aufspringen, den Fahrern, die vor ihm den Autoschlag aufreißen, den Hüten, die vor ihm gezogen werden. Oder er läßt sich vertreten von dem Werk, das er geschaffen hat: dem Gebäude, das er gebaut, der Firma, die er gegründet, dem Stück, das er inszeniert, den Roman, den er geschrieben hat. Wie immer die Form, sie ist stets ein Reflex der Außenwirkung.

Das begründet seine größte Schwäche, nämlich: Schwächen nicht zugeben zu können. Weder sich selbst noch anderen gegenüber. Denn sie gegenüber anderen zugeben zu müssen hieße, sie auch gegenüber sich selbst zuzugeben.

Das ist für frau schwer zu verstehen. Wenn sie leidet, dann weint sie. Wenn sie eine Niederlage verarbeiten muß, dann ist sie ärgerlich oder niedergeschlagen. Wenn sie einen Verlust hinnehmen muß, dann trauert sie. Wenn dem Mann das gleiche widerfährt, versucht er, es zu ignorieren. Er überspielt es. Er läßt sich jedenfalls nichts anmerken. Und eine richtige Niederlage, die erkennt er gar nicht an. Täte er das, würden seine Feinde triumphieren. Und er selbst verlöre das Gesicht.

Das »Gesicht« ist die Miene des Siegers. Sie behält er immer als Maske auf. Niemals wird er sie je absetzen. Und niemals wird eine Frau das wahre, schmerzzerfurchte Antlitz des Mannes zu sehen bekommen. Auch seine Frau nicht. Denn dann würde sie ihn bemitleiden. Und nichts haßt er so sehr wie Mitleid. Das degradiert ihn zu einer Frau oder einem Kind.

Und ebenso haßt er den Trost. Welch eine Unverschämtheit, ihn trösten zu wollen! Er ist ein Sieger! Und Sieger werden beneidet und nicht getröstet!

Anders als die Frau ist der Mann gegenüber Niederlagen zunächst hilflos.

Er muß mühsam lernen, sie anzuerkennen. Hat er das erfolgreich und gründlich gelernt, ist es ihm endlich gelungen, sich selbst und anderen gegenüber seine Schwächen zuzugeben, ist er gegenüber allen anderen Männern im Vorteil. Er ist dann frei. Er kann bei allen seinen Unternehmungen auch mit der Möglichkeit der Niederlage rechnen. Sie schreckt ihn nicht mehr. Er weiß, daß er sie überleben wird. Er kann dann in Konflikte eintreten trotz der Gefahr, daß er besiegt wird. Er kann also wesentlich risikoreicher und angstfreier operieren. Denn für ihn ist eine Niederlage kein Sturz in den Abgrund mehr.

Gerät aber Männlichkeit aus dem Gleichgewicht, wird die Niederlage in der Phantasie geleugnet und durch einen Sieg ersetzt. Dann wird der Mann zum Scharlatan. Er beginnt, sich und anderen etwas vorzumachen. Er wird ein vollentwickelter Hochstapler. Er wird dann den Sieger simulieren.

Er ist dabei mehr als ein großer Lügner. Während seiner »Vorführungen« glaubt er selbst an seine Show. Da er sich über seine eigene Außenwirkung wahrnimmt, überzeugt er sich selbst. Er liest sein Bild vom Beifall ab, den er hervorruft. Und das stete Training macht ihn zum reinen, wirkungsvollen Theatraliker. Da er seinen Erfolg vortäuscht, braucht er sich bei seinen Inszenierungen nicht einmal an der Realität auszurichten. Er kann sein Image den bloßen theatralischen Erfordernissen anpassen. So kommt es, daß Hochstapler oft überzeugender sind als die realen Figuren.

Legendär sind die Geschichten von falschen Kriegsheimkehrern, die ihren vorgeblichen Müttern oder Frauen so überzeugend vorspielen konnten, sie seien ihre Söhne oder Männer, daß diese an ihnen selbst dann noch festhielten, als sie durch unwiderlegbare Beweise enttarnt worden waren. Und immer wieder staunen wir über das Auftreten falscher Ärzte oder Psychiater, die vor Gericht überzeugender wirken als die echten. Sie haben eben studiert, wie ein Arzt wirken muß.

So findet auch der normale Durchschnitts-Scharlatan immer wieder ein gläubiges Publikum. Mit seiner Scharlatanerie macht er sich und andere vergessen, daß er in Wirklichkeit ein Versager ist. Diese Vermeidungsstrategie gibt seiner Inszenierung ein gewisses Feuer. Er vollbringt ja etwas Erstaunliches: Über einem Abgrund schwebend, spiegelt er seinem Publikum eine Fata Morgana vor. Er ist ein Zauberer. Er mag zwar als Arzt ein Versager sein, aber als Scharlatan ist er ein Erfolg. Und daraus bezieht er jetzt sein neues Selbstbewußtsein. Er kann doch etwas. Er ist keine Niete! Er kann Illusionen wecken. Mehr tun Ärzte auch nicht!

Das aber führt ihn in ein Paradox. Die Qualität seiner Scharlatanerie darf er nämlich nicht enthüllen. Da, wo er wirklich gut ist, dürfen ihn die Leute nicht sehen. Aber insgeheim wünscht er sich, daß sie seine Zauberkunst auch als Zauberkunst bewundern würden. Deshalb wird er immer kühner. Er läßt es darauf ankommen, entdeckt zu werden. Das macht ihn immer hinreißender. Er hat immer mehr Erfolg. Und so kann sich ein begabter Scharlatan in eine Erfolgsspirale treiben, die ihn weit nach oben trägt. Doch irgendwann stürzt er ab. Die Zeitungen sind voll von solchen Stürzen. Der Baulöwe Schneider, der falsche Psychiater Postel, der Hauptmann von Köpenick, unser »Führer« Adolf Hitler...

Aber die Gazetten berichten nicht von den vielen kleinen Scharlatanen. Ihre Opfer sind häufig Frauen. Sie fallen in die Hände eines Heiratsschwindlers, der mit ihrem Vermögen durchbrennt. Oder sie verbinden sich mit einem Mann, der mit seiner Scharlatanerie gerade den Eindruck des Seriösen und Soliden erweckt. Das Schicksal einer solchen Frau ist grausam. Am Anfang wird sie von seinem Optimismus mitgerissen. Sie findet sein Feuer hinreißend. Endlich ein Mann mit Unternehmungsgeist und Enthusiasmus! Freudig ist sie bereit, ihm ihr Erspartes zu überschreiben. Sie wollte schon immer Teil von etwas Großem sein. Mit zu etwas beitragen. Er versichert ihr täglich, seinem Projekt gehöre die Zukunft. Er habe da diese bahnbrechende Idee. Damit sie ihm nicht von seiner Firma geklaut werde, habe er gekündigt. Jetzt brauche sein Partner nur noch die technische Produktion vorzubereiten. Das Werbekonzept habe er schon ausgearbeitet. Es sei eine sichere Sache. Als sie wissen will, wer der Partner sei, erfährt sie, das sei ein Japaner. Aber die Idee möchte er ihr lieber nicht mitteilen. Denn es ginge um ein Verfahren, das alle Waschmittel unnötig mache. Wenn die Waschmittelkonzerne davon Wind kriegten, wären sie ihres Lebens nicht mehr sicher. Sie würden vor keinem Verbrechen zurückschrecken, um die Produktion zu verhindern. Er würde sie lieber nicht zum Mitwisser machen. Sie findet seine Rücksichtnahme wundervoll. Er macht sich Sorgen um ihre Sicherheit. Aus Dankbarkeit nimmt sie einen Kredit auf, den sie mit einer Hypothek auf ihr ererbtes Haus absichert. Leider zieht sich die Sache etwas hin. Der Partner hat ein paar Schwierigkeiten bei der Umstellung der Produktion. Er mußte sich von seinem eigenen Partner trennen. Dafür braucht er nun noch eine Kapitalspritze. Sie nimmt einen weiteren Kredit auf. Da erzählt ihr ein Bekannter, er habe ihren Lebensgefährten auf dem Rennplatz getroffen. Und sie hatte geglaubt, er habe einen Termin bei einem Patentanwalt! Sie wußte gar nicht, daß er auf Pferde wettete. Als sie ihn zur Rede stellt, wird er ungehalten. Ob sie hinter ihm herspioniere? Das sei viel zu gefährlich, er müsse sich mit dem Anwalt heimlich treffen, ein Rennplatz sei eine gute Tarnung. Doch ihr Mißtrauen ist nun erwacht. Da wird sie völlig beschämt. Er zeigt ihr einen Geschäftsbrief von der Düsseldorfer Filiale von Hatitachi Incorporated. Darin wird ihm zugesichert, daß die Produktion in Vorbereitung und daß er selbst mit 18% beteiligt sei, wobei man im ersten Jahr mit einem Profit von 350 Millionen Dollar rechne. Als er ihr triumphierend den Brief zeigt, ist sie wegen ihres Mißtrauens zerknirscht. Sie bittet ihn innerlich um Verzeihung. In der Nacht liebt sie ihn besonders hingebungsvoll. Sie weiß ja nicht, daß er den Brief an sich selber geschrieben hat, weil er eine intime Beziehung zu Frau Macziewski unterhält, und die ist Sekretärin bei Hatitachi in Düsseldorf...

Wie leicht ist es, so einem Scharlatan auf den Leim zu gehen! Er wirkt ja so solide und überzeugend. Da sie ihm glauben möchte, läßt sie sich zu Beginn gerne bereden. Sie solle noch etwas Geduld haben. Sie müsse ihm vertrauen. Bald schon seien sie reich. Der Erfolg sei praktisch schon sicher. Er müsse nur noch ein paar Hindernisse aus dem Wege räumen. Aber obwohl seine Erklärungen immer windiger werden und die Halbwertszeit seiner Vertröstungen immer kürzer wird, fährt sie fort, an ihn zu glauben. Und manche hört damit auch dann nicht auf, wenn die Spatzen es von den Dächern pfeifen, daß sie einem Scharlatan aufgesessen ist.

Die Komödie der Frauen:
Amphitryon oder: Alkmenes Dilemma

Szene 2: Die Minderwertigkeit der Männer

Amphitryon ist gerade geflohen, und an seiner Stelle empfängt Sosias Leda, die ihren Besuch angesagt hatte. Sie unterhalten sich über die Ehekrise zwischen Alkmene und Amphitryon und planen eine List, um die beiden wieder zu versöhnen. Danach verabschiedet sich Sosias, und Leda spricht mit Alkmene von Frau zu Frau. Der Schauplatz ist immer noch der Empfangsraum im Hause Amphitryons, und die Szene beginnt mit einer Auseinandersetzung zwischen Sosias und Thessala.

Thessala *(tritt auf)*: Sosias …

Sosias: Du bist ja wohl völlig hemmungslos geworden! Wäschst du jetzt unsere schmutzige Wäsche in aller Öffentlichkeit?

Thessala: Für Alkmene ist es lebenswichtig, daß sie mit ihrem Schicksal nicht allein ist. Wenn sie sieht, daß unser Krach noch schlimmer ist als ihrer mit Amphitryon, ist das mehr als Trost und als Entlastung. Es lehrt sie, die eigene Situation von außen zu sehen. So lernt sie akzeptieren, daß Streit das unausweichliche Schicksal jeder Ehe ist.

Sosias *(hitzig)*: Das ist doch Unsinn! Ich werde dem ein Ende setzen.

Thessala: Und wie willst du das tun?

Sosias: Indem ich unsern Krach als Komödie hinstelle und behaupte, unser Streit sei nur gespielt.

Thessala: Und wenn ich das bestreite?

Sosias: So werde ich auch das als gespielt hinstellen.

Thessala *(hilflos, weil ihr klar wird, daß sie in einer Falle sitzt)*: Das wirst du nicht tun.

Sosias: O doch, das werde ich.

Thessala: Das wirst du nicht!

Sosias: Das werden wir ja sehen!

Thessala: Damit zwingst du mich, noch mehr aufzudrehen.

SOSIAS: Um so besser! Frauen gelten sowieso als theatralisch. Damit bestätigst du nur, was ich sage.

THESSALA *(leicht irritiert)*: Das ist infam! Du nimmst mich nicht mehr ernst.

SOSIAS: Hippokrates hat sogar einen Namen für diese weibliche Theatralik. Er nennt sie Hysterie.

(Sie haben nicht bemerkt, daß Leda hereingekommen ist)

LEDA: Seid ihr dabei, die Demokratie noch mal zu erfinden? Ihr redet ja schon wie in Athen! Worüber streitet ihr euch denn?

THESSALA: Ah, Leda, ich habe gar nicht gehört, daß Sie hereingekommen sind. *(Sie begrüßen sich mit Umarmung und Küßchen)* Das ist mein Mann Sosias!

LEDA *(als Mischung aus Grande Dame und Kokotte guckt sie ihn abschätzend an)*: Ah, wer kennte nicht den Adjutanten des Amphitryon?! *(Während sich Sosias verbeugt, zu Thessala)* Ich glaub', Kindchen, ich kenn' ihn länger schon als du! *(Sie setzen sich)* Und du machst ihm die Hölle heiß, wie ich sehe?! Warum streitet ihr euch denn wirklich? Mich interessiert so etwas immer. Dann freue ich mich, daß ich nicht verheiratet bin!

SOSIAS: Wir stritten über die Ehekrise zwischen Alkmene und Amphitryon.

LEDA *(jubelnd)*: Das ist ja köstlich! Ihr habt einen Ehekrach über einen Ehekrach! Das ist ein Meta-Ehekrach! Ja, da staunt ihr, ich bin in der letzten Zeit furchtbar gebildet geworden: Ich höre Vorlesungen bei Aspasia. Da trifft man die interessantesten Leute! Und erst mal ihr Salon: Perikles, Anaxagoras, Euripides, Alkibiades, Phidias und dieser häßliche Philosoph, der jetzt die große Mode ist mit seinen Schülern, wie heißt er denn noch? Der auch so eine furchtbare Ehe führt.

SOSIAS: Sokrates.

LEDA: Ja, Sokrates! Die gehen dort alle ein und aus, und die haben ein Mundwerk, sage ich, sie rütteln an den Grundfesten unserer Überzeugungen! Es ist ja soooo interessant! Ich mußte mich direkt auf dem Land erholen, ich kure nicht weit von hier in Leuctra, ich muß etwas für meine Figur tun, und da dachte ich, ich schau' mal herein, weil ich gehört hab', der Friede ist ausgebrochen, und da dacht' ich mir, jetzt

muß ich meinen alten Freund Amphitryon besuchen, Alkmene natürlich auch! Und auch euch beiden Schätzchen! Wo sind sie denn? Doch
nicht etwa schon im Bett? Nach der Versöhnung, wie? Das wäre vielleicht voreilig! Eine Ehekrise muß man ausreifen lassen wie eine
Frucht, bis sie die richtige Süße hat! Beende sie zu früh, und sie wird
bitter! Stimmt's, Kindchen? Aber wo sind die beiden?

SOSIAS: Amphitryon mußte schon wieder abreisen.

THESSALA: Alkmene ist im Jupitertempel.

LEDA: Halt, halt! Nicht beide zugleich. Das ist für einen Streit gut, aber
schlecht für die Konversation. Also schön der Reihe nach. Ladies first,
wie man jetzt sagt. Das bedeutet, zuerst die Dame. Frag mich nicht,
was das für eine Sprache ist. Auf jeden Fall ist sie barbarisch. Also: Wo
ist Alkmene, nein, *(zu Sosias)* wo ist Amphitryon? Denn wo er ist, soll
auch sie hingehen.

SOSIAS: Na, eben nicht. Er mußte wieder ins Feld einrücken.

LEDA: Er ist nicht hier? Ist denn der Friede schon beendet? Der hat aber
nicht lange gedauert! Vom Ehekrach direkt in den Krieg? Na ja! Es geschieht ihnen recht, schließlich brocken sich's die Männer selber ein.
Und Alkmene, ist sie auch im Krieg?

THESSALA: Nein, sie ist im Tempel des Jupiter. Soll ich sie holen?

LEDA: Ja, tu das, Kindchen! *(Thessala ab.)*

LEDA *(wollüstig seufzend)*: Des JupiterS! Weißt du, bis heute kann ich nicht
seinen Namen hören, ohne daß ich bebe, und in Leuctra hat's mir den
Atem verschlagen! Verstehst du, die haben in dem Kurbad ja so herrliche Anlagen gebaut! Ich ahne nichts Böses und betrete die Gärten, da
plötzlich muß ich mich setzen: überall Schwäne auf den Teichen! Ich
hatte schon lange keine mehr gesehen; in Athen gibt es ja keine mehr,
seit die Parks von Bauspekulanten aufgekauft wurden! War das ein
Schock!

SOSIAS: Leda, gerade über Ihre Affaire mit Jupiter wollt' ich mit Ihnen
sprechen!

LEDA: Nichts, was ich lieber täte! Eine Zeitlang wollte niemand mehr davon hören, aber jetzt hat sich das, Gott sei Dank, geändert! Ich bin die
Vorläuferin der neuen Unabhängigkeit.

SOSIAS: Was ist denn das?

LEDA: Nun ja, ich bin ein Vorbild aller Frauen, die zwar ein Kind wollen, aber keinen Mann. Es gibt junge Frauen, die machen geradezu einen Kult um mich!

SOSIAS: Und ist Ihnen diese Verehrung angenehmer als der Kult, den die Männer um Sie machen?

LEDA: *(schlägt schelmisch nach ihm)*: Du Schmeichler! Jetzt machen sie ihn nicht mehr so wie früher, da ist die Verehrung dieser Mädchen mir doch sehr willkommen. Aber ich schwindle ein bißchen: es ging mir ja nicht so sehr um das Kind, außerdem wurden' s ja zwei, sondern um eine intensive Erfahrung! Und daß die mit der Ehe unvereinbar ist, dazu stehe ich.

SOSIAS *(enttäuscht)*: Schade.

LEDA: Was ist schade?

SOSIAS: Nun, ich hatte gehofft, Sie dazu bewegen zu können, daß Sie Alkmenes Ehe retten. Nur Sie sind dazu imstande! Aber wenn Sie grundsätzlich gegen die Ehe sind ...

LEDA: Nicht gegen jede Ehe. Manche sind dafür geschaffen, die schlichteren Gemüter beiderlei Geschlechts, die eher langweiligen. Im Vertrauen, ich habe Amphitryon sehr gemocht, aber er ist unendlich langweilig, findest du nicht?! Wie geschaffen für Alkmene.

SOSIAS: Und sie für ihn. Das ist ja das Problem: Wo sie sich nicht mehr gegenseitig mit Beschlag belegen, langweilen sie ihre ganze Umgebung. Ich bin schon ganz zerrüttet.

LEDA *(lacht schelmisch)*: Du kannst mich ja in Leuctra mal besuchen, ich sorge dafür, daß du dich gut erholst! Sonst kann ich dir bei deinem guten Werk nicht helfen, denn ich muß heute noch zurück: Ich lebe da nach einem strengen Kurkalender und darf meine Bäder nicht versäumen.

SOSIAS: Das ist wirklich schade!

LEDA *(neugierig)*: Was sollte ich denn tun? Alkmene einreden, sie soll wieder nett und lieb sein? Mein Lieber, das ist schlimmer als dicke Bretter bohren und wird auch von den jungen Frauen nicht mehr akzeptiert.

SOSIAS: Nein, ich hatte mir etwas anderes gedacht.

LEDA: Ach ja, was denn?

SOSIAS: Eine kleine, harmlose Intrige.

LEDA *(gierig)*: Aber warum hast du das denn nicht gleich gesagt, mein Lieber? Euch Soldaten traut man so etwas gar nicht zu, aber ihr seid ja Strategen, das vergißt man leicht. Ich glaube fast, Sosias, du bist es, der hinter Amphitryons Siegen steckt, wie?

SOSIAS: Wenn Sie mitmachen, dann wir beide.

LEDA: Schieß los!

SOSIAS: Also – ich hatte mir gedacht – doch darf ich Sie zunächst etwas Persönliches fragen?

LEDA: Mich kannst du nur was Persönliches fragen, etwas anderes weiß ich gar nicht.

SOSIAS: Bei Ihrer Erfahrung mit Jupiter – stimmt es, daß Sie da vorher ein Zeichen erhielten, ein Zeichen dafür, daß er Sie erwählt hat?

LEDA: Ach, mein Junge, ich sah viele Zeichen. Die meisten wurden mir erst später klar. Doch auch die anderen reichten aus, um mich bereit zu machen. Am Tag, bevor er kam, brannte mein Oberschenkel, hier, und als ich hinsah, was denkst du, war da zu sehen?!

SOSIAS: Ich wag' es nicht zu denken!

LEDA: Der Umriß eines ausgewachsenen Schwans, eher wie ein Schatten, ehe sich der große Vogel selbst herabließ. Nein, ich wußte, daß er kam, er ließ mich's wissen. Durch Zeichen an mir selbst tat er mir kund, daß ich bereit war für ihn und daß er kam.

SOSIAS: Angenommen, er erschiene auch Alkmene – wohlgemerkt, er tut's nicht, aber angenommen, bloß als Hypothese – er erschiene ihr, wird er sich nicht auch durch ein Zeichen vorher kundtun?

LEDA: Weißt du, der Gedanke ist mir gar nicht recht, auch nicht als Hypothese. Versteh mich nicht falsch, ich bin nicht eifersüchtig, und mit Europa, Semele, Danae und Antiope versteh' ich mich wunderbar! Wir bilden einen regelrechten kleinen Club und treffen uns regelmäßig. Aber Alkmene würde einfach nicht zu uns passen!

SOSIAS: Das ist auch nicht nötig. Mir geht's ja nicht darum, daß Jupiter ihr erscheinen soll, sondern daß sie glauben soll, er tut's. Und da könnte doch Ihr Besuch ein Zeichen sein, wenn Sie erzählen, er hat sie beauftragt, sein Nahen Alkmene kundzutun!

LEDA: Ich soll ihr verkünden, er kommt? Und wie, in welcher Gestalt soll ich ihn ankündigen, wie soll er sich nahen? Als Regen, Adler, Wolke, gar als Schwan? Nein, das geht nicht, dazu geb' ich mich nicht her!

SOSIAS: Er kommt in einer Gestalt, an die niemand denkt: er kommt als Amphitryon! Oh – Jupiter ist schlau!

LEDA: Als Amphitryon? *(Begreift plötzlich)* In der Gestalt des Amphitryon soll er sich nahen? Oh, du Stratege, du ausgekochter Logiker, die Sophisten könnten sich's nicht schlauer ausdenken! Ich versteh', Amphitryon kommt – und sie hält ihn für Jupiter! *(Sie lacht lange.)* Köstlich! Ja, da hast du recht! Wenn irgend etwas eine Ehe retten kann, dann das! *(plötzlich ernüchterter)* Aber wenn sie's erfährt, wird sie's mir nie verzeihen.

SOSIAS: Wenn sie's erfährt, hat's seinen Dienst getan, und ihre Ehe ist gerettet. Dann wird sie's Ihnen auf den Knien danken und Amphitryon auch, als ihrer beider beste Freundin, die in der größten Not zur Stelle war.

LEDA: Ja, ich habe ein gutes Herz!

SOSIAS: Und Sie sind eigens von Athen nach Leuctra gereist und haben die Unannehmlichkeiten einer langen Kur auf sich genommen, um diesen frommen Betrug ins Werk zu setzen.

LEDA *(entzückt)*: Ach, du bist entzückend! Ja, ich mach's! Du hast mich überzeugt.

SOSIAS: Und Jupiter wird sich freuen und Ihnen nahe sein!

LEDA *(greift sich ans Herz)*: Er lacht schon jetzt, ich spüre es am Herzen.

SOSIAS *(steht auf, galant)*: Darf ich Ihnen sagen, wie erfrischend es für einen grobschlächtigen Soldaten ist, mit einer Frau von Herz und Geist zu plaudern, Leda? Es ist ein Vergnügen, mit Ihnen Geschäfte zu machen! Und Ihnen kann keine Frau das Wasser reichen!

LEDA *(lacht geschmeichelt)*: Na, lassen Sie das Ihre Frau nicht hören!

SOSIAS: Eben deshalb muß ich mich jetzt verabschieden, sie kommt, und Alkmene kommt mit ihr. *(Er küßt ihr die Hand, Alkmene und Thessala treten auf)* Ich verlasse mich auf Sie! *(Zu Alkmene und Thessala)* Meine Damen, ich räume Ihnen das Feld und verabschiede mich. *(Er verbeugt sich)* Thessala, begleitest du mich noch?

THESSALA *(zu den beiden Damen)*: Entschuldigung. *(Thessala und Sosias ab)*

ALKMENE *(emphatische Begrüßung von Leda mit Umarmung und Küßchen)*: Nein, wie reizend von Ihnen, uns zu besuchen! Hat man Ihnen etwas angeboten? Möchten Sie eine Erfrischung? Ich lass' Honigtörtchen aus Euböa kommen, mit Mandelmilch schmecken sie ganz pikant!

LEDA: Beim schlanken Leib der Aphrodite, nein! Ich diäte!

ALKMENE: Ach ja, Thessala sagte, sie kuren hier in Leuctra! Amphitryon haben sie leider gerade verpaßt. Er mußte schon wieder einrücken, der Ärmste, er fehlt mir ja so sehr!

LEDA: Ach was, Amphitryon! Die Männer langweilen mich zu Tode! S i e wollte ich sehen, liebste Freundin!

ALKMENE: Wirklich? Wie lieb von Ihnen!

LEDA: Seien Sie ehrlich, Alkmene. Bestimmt haben Sie geglaubt, ich mag sie nicht leiden, stimmt's? Geben Sie's zu!

ALKMENE: Aber nein!

LEDA: Sehen Sie, ich irre mich da nie. Völlig verfehlt, mein Kind! Das ist alles völlig falsch. Mit Amphitryon, das waren alles nur Gerüchte!

ALKMENE: Aber, ich bitte Sie!

LEDA: Genau, kein wahres Wort war dran. Darf ich Ihnen etwas anvertrauen? Ich habe mir aus Männern nie etwas gemacht! Das sind nur Tölpel! Eine geringere Klasse Mensch als wir Frauen! Wir sollten endlich den Mut haben, uns das klarzumachen. Wir sind zu gut für sie, wir sind an sie verschwendet, und unser ganzer Schwachsinn besteht nur darin, daß wir uns so exzessiv mit ihnen beschäftigen. Kennen Sie Euripides, Alkmene, den Dramatiker?

ALKMENE: Der so angegriffen wird?

LEDA: Ja. Er hat mir da was Hochinteressantes gesagt, er war völlig betrunken. Also, er ist der Meinung, daß alle schöpferischen Männer es nur sind, weil sie wie Frauen empfinden. Deshalb gibt's davon nur so wenige. Sie haben den Impuls, Neues hervorzubringen, und ihre Kinder sind dann ihre Werke. Deshalb erfahren sie die Welt wie wir; doch von den normalen Männern versteht das niemand, und so sind sie einsam und unglücklich wie wir, weil ihre weibliche Seele auf ewig mit einem männlichen Körper verheiratet ist, bis daß der Tod sie scheidet. Ich war ja so fasziniert! Das ist noch schlimmer, als mit einem Mann verheiratet zu sein, finden Sie nicht?

ALKMENE: Aber ich finde das nicht schlimm!

LEDA: Mir können Sie nichts vormachen, ich weiß alles, Sie sind unglücklich, und deshalb bin ich hier.

ALKMENE: Deshalb sind Sie hier? Ja, wie um alles in der Welt konnten Sie das wissen?

LEDA: Eins nach dem anderen. Es hängt alles mit Euripides' Theorie zusammen. Nicht daß ich nicht schon vorher alles gewußt hätte, aber er kann es sehr gut formulieren. Also er sagt: Die Schöpfung ist nicht gut. Das sehen wir. Aber warum, warum ist sie nicht gut? Nun?

ALKMENE *(seufzt)*: Wenn ich das wüßte!

LEDA *(triumphierend)*: Sie ist noch gar nicht fertig! Deshalb ist sie nicht gut, die Schöpfung. Sie dauert an. Die Welt wird ständig umgestaltet, und auf jeder Stufe einer langen Treppe erschaffen die Götter neue, bessere Wesen, die ihnen schließlich gleichen werden. Und auf der höchsten Stufe stehen die Frauen!

ALKMENE: Da hat er recht!

LEDA: Doch wie kommt man von da zur nächsten höheren Stufe? Das ist das Geheimnis. Die neue Schöpfung, sagt er, kündigt sich in Wehen an, die jene spüren, denen ihre Stellung nicht mehr genügt. Und das ist dann ihr Unglück. Ach, er hat ja so recht! Ich hab's am eigenen Leib erfahren. Bevor Jupiter zu mir kam, war ich von einem tiefen Unglück heimgesucht, das mich fast tötete.

ALKMENE: Ich dachte immer, Ihre – wie soll ich sagen – Ihre Beziehung zu Jupiter sei die Erfahrung eines großen Glücks gewesen. So haben Sie's doch stets geschildert!

LEDA: Ja, aber davor, Kind! Ich spreche von der Zeit davor! Sie haben alle diese Erfahrung gemacht, Europa, Semele, alle. In wenigen ausgewählten Frauen wecken die Götter das Gefühl von tiefem Ungenügen, eine Unzufriedenheit, die alles an sich reißt und in sich versenkt. Vor allem die eigenen Männer! Das, Kind, ist der Grund für dein jetziges Unglück! Du erlaubst, daß ich dich duze, wir werden jetzt Schwestern sein!

ALKMENE *(verwirrt)*: Sie meinen, ich meine, du meinst, – ach, ich bin ganz verwirrt!

LEDA: Ja, Kind, du gehörst zu jenen Auserwählten, in deren Unglück sich die neue Schöpfung meldet. Auch ich versteh' es jetzt erst richtig. Nur, dieses Unglück, diese alles durchdringende Überzeugung von der Minderwertigkeit der Männer macht uns dazu bereit, sie hinter uns zu lassen und uns den Göttern zuzuwenden. So macht Jupiter uns fähig, ihn, einen Gott, zu sehen, zu erfahren und zu empfangen. Alkmene, dir kann nur noch Jupiter genügen, das ist dein Unglück und, wenn er dann kommt, dein Glück.

ALKMENE *(steht auf)*: Er kommt? Zu mir? Warum zu mir? Ich bin doch gar nicht vorbereitet! Es ist auch noch nicht aufgeräumt. Ah – Sie machen Spaß, ich kann das gar nicht glauben.

LEDA: Bin ich nicht hier – ist er mir nicht erschienen? Gibt es nicht Castor und Pollux, meine Halbgötter-Kinder? Woher, denkst du, wußte ich von deinem Unglück?

ALKMENE: Ja, woher? Ich finde das phantastisch!

LEDA: Dies alles sind die Zeichen seines Kommens! Hast du dich nicht in letzter Zeit Jupiters Kult mit ganzer Aufmerksamkeit geweiht? Warst du nicht gerade jetzt in seinem Tempel?

ALKMENE *(nachdenklich)*: Ja, es zog mich immer mehr zu seinem Tempel hin.

LEDA: Das ist untrüglich. Ich mußte in den ganzen letzten Wochen immer an dich denken, und es zog mich plötzlich schwesterlich zu dir. Ich muß Alkmene wiedersehen, dachte ich ständig. Und dann, vorgestern nacht, es war schon spät geworden, ich hatte mich zur Ruhe begeben und Euripides hinausgeworfen, da erschien ER mir.

ALKMENE: Jupiter?

LEDA: Wer sonst? Oh – nicht als Schwan, nicht mehr, nein – als eine gewaltige Gegenwart, ein tiefer schwarzer Schatten, der alle Helligkeit in sich verschwinden ließ, als ob er sagen wollte: »Hinter allem Licht bin ich!« Und aus diesem Schatten sprach die wohlbekannte Stimme.

ALKMENE *(atemlos)*: Und was sagte sie?

LEDA: Sie sprach von dir. Sie rollte deinen Namen aus wie eine Fahne und ließ ihn sacht im Winde ihres Atems wehen.

ALKMENE: Aber was sagte sie? Wenn Sie – wenn du doch nur nicht so in Bildern reden würdest.

LEDA: Das ist die einzige Form, in der man von den Göttern sprechen kann, das wirst du selbst bald sehen.

ALKMENE: Gut, aber was sagte denn die Stimme – außer meinem Namen?

LEDA: Du kannst dir vorstellen, ich war fast betäubt. An seine Formulierungen kann ich mich kaum erinnern, nur, daß du erwählt bist und ich zu dir gehen sollte, um ihn dir anzukündigen. »Sei du ihr Zeichen«, das hat er gesagt, daran erinnere ich mich noch genau!

ALKMENE: Aber wie, in welcher Gestalt wird er erscheinen, hat er das nicht gesagt? Wie erkenne ich ihn? Wie war's bei dir? Kann man ihn nicht verwechseln? Stell dir vor, du hättest ihn damals für einen ordinären Feld- und Wiesenschwan gehalten! Ich muß doch wissen, in welcher Form er kommt!

LEDA: Daß du ihn erkennst, ist ja das Zeichen deiner Auserwähltheit. Auserwählt sein, unglücklich und unzufrieden mit den Männern sein, heißt, ihn zu erkennen. Er wird dich prüfen, ja Alkmene, dir hat er eine ganz besonders schwere Prüfung vorbehalten, denn dir macht er das Erkennen schwer.

ALKMENE: Nun sag schon, wie, mach du mir's nicht noch schwerer! Liebste Leda, ich muß es wissen! Ich geb' ja zu, ich sehne mich nach ihm, ich muß ihn erkennen!

LEDA: Er wird kommen als – ach, du errätst es vielleicht selbst. Du ahnst es?

ALKMENE: Vielleicht als Biene?

LEDA: Was, als Biene?

ALKMENE: Ja, ich liebe Bienen.

LEDA: Na, hör mal! Das ist doch absurd! Als Biene! Womöglich gar als Schwarm!

ALKMENE: Nun, es war ja nur so ein Gedanke. Aber doch hoffentlich nicht als großes Tier, als Bulle, das würd' mir nicht gefallen! Oder als Pferd.

LEDA: Wo denkst du hin? Nein, er kommt als Mann.

ALKMENE: Als Mann? Jupiter sei Dank!

LEDA: Ja, aber als ein bestimmter Mann.

ALKMENE: Kenn' ich ihn?

LEDA: Ja, sehr gut!

ALKMENE: Ach, wie aufregend, wer ist es? Es ist bestimmt Polykrates.

LEDA: Nein, er wird sich dir nähern als jemand, den du näher kennst.

ALKMENE: Spann mich nicht auf die Folter. Bitte, sag es mir, als was, als wer wird er kommen?

LEDA: Als Amphitryon!

ALKMENE: Als Amphitryon?

LEDA: Ja, als dein Ehemann. Findest du das nicht eine göttliche Idee? Es wird alles ganz legitim sein. Du betrügst Amphitryon höchstens mit sich selbst und brauchst dir nichts vorzuwerfen. Ist das nicht herrlich! Dein Ehemann verwandelt sich in einen göttlichen Liebhaber. Welche Frau hat schon so viel Glück!?

ALKMENE: Nein, umgekehrt. Mein göttlicher Liebhaber verwandelt sich in einen Ehemann.

LEDA: Oder so herum. Was tut's? Es läuft beides auf dasselbe hinaus. Nun weißt du's, und ich muß fort, denn wenn er kommt, soll er mich hier nicht mehr sehen. Das würde ihn irritieren.

ALKMENE *(entsetzt)*: Was! Kommt er denn jetzt? Schon heute?

LEDA: Ja, heute nacht. Mach dich bereit. Warum, glaubst du, mußte Amphitryon schon heute fort? Dahinter steht ein überlegener, lenkender Wille, und Jupiter hat dafür gesorgt, daß er auch lange genug fort bleibt: Es sind Friedensverhandlungen angesetzt. Und die dauern immer ewig.

ALKMENE: Friedensverhandlungen? Oh, dieser Schuft! Mir macht er weis, er müsse in die Schlacht, um mein Mitleid zu erregen, doch in Wirklichkeit − weißt du, wie diese Friedensverhandlungen aussehen? Das sind endlose Festgelage, und abends treten Mädchen auf, damit die Herren sich entspannen können. Gut, daß du mir das gesagt hast. Nun bin ich ganz bereit. Es wird ein Vergnügen sein, ihn mit sich selbst zu betrügen.

LEDA: Das soll es auch. Das wird es, ich verspreche es dir. Adieu, Alkmene.

ALKMENE: Geh noch nicht! Du mußt mir noch so viel sagen. Ich bin ja so aufgeregt. Hat er bestimmte Vorlieben? Du weißt, was ich meine! Und gibt es da ein Parfüm, das er besonders gern mag? Wie muß ich mich verhalten, sag, wie ist er?

LEDA: Er ist, wie soll ich sagen, ganz wie ein Mann. Er möchte gern glauben, daß er ihr Ekstasen schenkt. Kurzum, sei etwas hemmungsloser, als du's in deinen kühnsten Träumen dir ausmalst, das mag er. *(will gehen)* Und noch eins: Ich würde es Thessala nicht vorher sagen. Sie könnte neugierig werden und euch stören. Wer würde nicht gern einen Gott sehen? Und nun Adieu! Mach dich bereit! Nimm diesen schwesterlichen Kuß zum Abschied. Wenn wir uns wiedersehen, wirst du in deine höchste Form verwandelt sein und endlich wissen, was du wolltest. Adieu! *(Sie will abgehen, wird aber von Alkmenes Antwort noch einmal aufgehalten.)*

ALKMENE: Ist es nicht, was alle Frauen wünschen: das Unmögliche möglich machen?

LEDA: Da hast du recht. Im Wünschen sind wir groß. Darin liegt unsere große Stärke. Und Schwäche, nicht wahr? *(Leda ab.)*

Vorhang

III. Die innere Betäubung

Das Schweigen der Männer

Wenn wir uns nun mit den Konsequenzen beschäftigen, die sich aus der fragilen Identität des Mannes ergeben, tauchen wir aus den Tiefen der Analyse wieder auf und landen prustend an der Oberfläche der Erfahrung. Vieles wird der Leserin vertraut vorkommen, aber erst vor dem Hintergrund der Tiefenanalyse erhält es auch einen Sinn.

Erste Konsequenz: Der Mann kann nicht über sein Inneres – also seine Gefühle und seine seelischen Zustände – sprechen.

Um das zu verstehen, müssen wir einen kleinen Denk-Looping vollführen. Er besteht in folgender Überlegung: Strenggenommen sprechen wir immer von inneren Zuständen, auch wenn wir über den »Sonnenuntergang da draußen« reden. In Wirklichkeit schildern wir unsere Wahrnehmung, also den »Sonnenuntergang hier drinnen«. Dabei erfolgt die Wahrnehmung aber nicht direkt und unmittelbar, sondern in mehreren Stufen. Das Hirn verfährt im Prinzip wie ein impressionistischer Maler: So wie Degas das Gesehene in Tausende von Farbpunkten auflöst, so zerlegt unser Hirn den Sonnenuntergang in Millionen Nervenimpulse, die es dann auf einer höheren Stufe beobachtet, gruppiert und zu einem Bild zusammensetzt. Dabei werden nur zwei Prozent der Hirntätigkeit dem Import der äußeren Reize gewidmet. 98% der Aktivitäten werden für die Selbstbeobachtung des Hirns aufgewendet. Es ist wie bei einer Behörde: Nur wenig Zeit wird dem Besuch des konkreten Menschen Andrea Abromeit gewidmet. Danach wird Frau Abromeit in eine Akte verwandelt. Und von da an nimmt die Behörde nur noch das von ihr wahr, was aktenmäßig ist: Anträge, Bearbeitungen, Entscheidungen, Vermerke, Ablehnungen des Antrags, Widersprüche gegen Entscheide, Revisionen, Genehmigungen etc. Das sind alles schon innerhalb der Behörde entwickelte, sozusagen amtliche Formen, mit denen die Behörde den Zustand beobachtet, in den sie durch den Besuch von Frau Abromeit versetzt worden war. Erst wenn sie auf einer dritten Ebene diesen ganzen beschriebenen Vorgang noch einmal beobachtet, kann die Behörde wieder zwischen innen und außen unterscheiden. Das tut sie, indem sie die lebendige Frau Abromeit der Welt außerhalb der Behörde, die Akte aber ihrem eigenen Innenleben zurechnet und als amtsintern verbucht. In ähnlicher Weise rechnen wir den Sonnenuntergang der Außenwelt, die Gefühle aber, die er in uns erregt, der Innenwelt zu. Wir sagen dann, er mache uns melancholisch, nachdenklich oder wecke in uns eine Sehnsucht nach der Ferne.

Entscheidend ist der Gedanke, daß diese Zurechnung nach innen oder außen nachträglich erfolgt. Wir entscheiden gewissermaßen zum Schluß, was als außen und was als innen gelten soll. Dabei nehmen wir einen Großteil der Binnenvorgänge sowieso nicht wahr. Die neurochemischen Prozesse, die unserer Wahrnehmung zugrunde liegen, müssen uns verborgen bleiben, damit wir überhaupt »Gegenstände« von Wahrnehmungsprozessen unterscheiden können. Darüber hinaus aber verschiebt sich häufig die Innen-/Außengrenze. Wenn wir sagen: »Der Sonnenuntergang ist schön!« projizieren wir ein subjektives Empfinden nach außen, wo wir es dann als Eigenschaft »schön« wahrnehmen.

Damit ist unser Denk-Looping ans Ziel angekommen, und wir können unsere normale Flugbahn fortsetzen. Der Schlußgedanke heißt: Frauen und Männer nehmen die Trennung von innen und außen in unterschiedlicher Weise vor. So haben Frauen die Wahl, ihre Zustände sich selbst oder der Außenwelt zuzurechnen. Das meiste rechnen sie natürlich der Außenwelt zu. Denn der Mensch ist nun mal auf Außenwahrnehmung hin programmiert. Sie arbeitet eben sehr viel differenzierter und trennschärfer als die Innenwahrnehmung. Die Außenwelt unterstützt das Hirn bei der Zerlegung seiner Zustände: dies ist blau, jenes grün, ein drittes wiederum rot. Eine Kuh kann man viel schärfer wahrnehmen als ein Gefühl. Daß wir innen überhaupt etwas wahrnehmen können, verdanken wir der Prägnanz der Sprache in derselben Weise, wie die Behörde für ihre Innenwahrnehmung Akten braucht.

Aber neben der Außenwelt kennen die Frauen auch noch eine Binnenwelt, die man gesondert wahrnimmt. Dort erlebt man unterschiedliche Zustände, die man »Gefühle« nennt. Mit ihnen sind Frauen häufig beschäftigt. Sie beschreiben sie, benennen sie, sprechen über sie

und lassen andere Menschen an dieser Binnenwelt teilnehmen. Die äußere Welt interessiert Frauen häufig nur mit dem Blick darauf, welche Aus-
wirkungen sie auf ihre Innenwelt hat. Deshalb sind sie an Schönheit, Dramatik, Kunst und Liebe interessiert. Frauen lassen sich gern aufwühlen.
Sie genießen die inneren Wetterwechsel, ja, sie geben häufig fortlaufende
Wetterberichte mit Prognosen und Berichten über vergangene Katastro-
phen. Kurzum, Frauen sind auch an den Innenzuständen der Menschen
interessiert, weil nichts so sehr das eigene Innere in Aufruhr bringt wie
der Aufruhr im Inneren der anderen. Weil sie gleichermaßen über eine
Außen- und eine Innenwelt verfügen, unterstellen Frauen, daß das auch
Männer tun. Aber – so unglaublich das klingt – hier irren sie.

Die männliche Angst vor der Innenwelt

Wir kennen inzwischen den Prozeß, der den Mann zum Mann macht:
den Initiationsritus. In ihm lernt der Jungmann, die Gefühle der Angst,
der Verzweiflung und des Schreckens zu überwinden, die mit der Identität
eines Mannes nicht vereinbar sind. Zu diesem Zweck muß er sich gewissermaßen desensibilisieren. Er muß seine Gefühle und Gemütsbewegun-
gen ignorieren. Das gelingt am besten, wenn er die Wahrnehmung seines
Inneren ganz ausblendet. Er konzentriert all seine Aufmerksamkeit auf die
Außenwelt. Da herrscht Eindeutigkeit. In Abwandlung von Friedrich
Schiller könnte man sagen:»Nah beieinander wohnen die Gefühle, doch
hart im Raume stoßen sich die Sachen.« Fortan liebt der Mann klare Verhältnisse. Die verschwommenen Konturen der Innenzustände irritieren
ihn. Sie sind zu flüssig und unfest. Gegen sie muß er einen Damm errichten. Der Damm begrenzt fortan seine Welt. Der Mann vergißt, daß es dahinter noch eine Innenwelt gibt. Würde er sich einen Blick auf sie leisten,
bestünde die Gefahr, daß der Damm bricht und die Gefühle ihn überfluten. Dann würde er wieder zum Kind oder zur Frau. Er wäre weibisch.
Und so gewöhnt er sich daran, sein Inneres zu ignorieren.
    Von nun an äußert er sich mit einer gewissen Herablassung über diejen-
nigen, die sich wie Frauen interessiert über ihre Gefühle beugen. Er ver-

liert alle Fähigkeit, die er mal besessen haben mag, seine Gefühle zu beschreiben. Fragen danach empfindet er als indezent. Sie zwingen ihn, nach innen zu schauen. Und da lauert das Monster der Identitätsauflösung, das immer auf dem Sprung ist, ihn zu verschlingen. Mit Blick auf seine Gefühle wird er praktisch kommunikationsunfähig. Das erhöht für die Frau den Eindruck des Neandertalhaften.

In ihren Augen fehlt dem Mann eine ganze Dimension. Aber nach dem Selbstverständnis des Mannes ist diese Lücke eine Tugend. Im Hinblick auf seine Gefühle ist der wahre Mann wortkarg. Wir sehen das am typischen Westernhelden. Er redet nicht, er handelt. Und wenn die Szene kommt, in der er der Frau, die er vor dem Bösen gerettet hat, seine Liebe gestehen soll, so redet er nicht, sondern scharrt mit den Hufen. Dann räuspert er sich und wirkt, als ob er einem Erstickungsanfall nahe sei, und äußert schließlich eine Plattheit von solch gigantische Banalität, daß man dahinter einen Berg von Bedeutung verstecken könnte.

Um es auf eine Formel zu bringen: Für den Mann ist sein Inneres eine gefährliche Zone. Er betritt sie nur ungern. Für ihn stellt sie ein Minenfeld dar. Und jeden Moment kann er auf eine Gefühlsmine treten, die seine männliche Identität zerfetzt. Also empfindet er einen Widerwillen gegen jeden, der ihn dazu nötigt, diese Todeszone zu betreten.

Die Vorliebe für die Außenwelt

Die Sphäre des Mannes ist also die Außenwelt. Da fühlt er sich wohl. Deshalb ist er ein Fan des Objektiven. Objektiv ist all das, was sich gut gegeneinander abgrenzen läßt: Maße, Gewichte, Zahlen, Fakten, Akten, Gesetze, Regeln, Sachen, Instrumente, Werkzeuge, Maschinen, Ersatzteile, kurzum alles, was sich gut unterscheiden läßt; was konturiert, klar und übersichtlich ist. Mithin alles, was scharfe Grenzen hat und was man inventarisieren, sammeln oder systematisieren kann. Mit der Welt des Objektiven beruhigt er seine Angst vor den fließenden Grenzen des Subjektiven. Im Vergleich zur nebelhaften Innenwelt ist die Außenwelt ein Eldorado an Ordnung, und sie läßt sich leichter kontrollieren.

Auch die Vorstellung der Außenwelt – so haben wir gesagt – wird im Inneren des Menschen hergestellt. Das Hirn entscheidet bei der Beobachtung seiner Innenzustände selbst, was es als Äußeres und was als Inneres verbuchen soll. Sieht es eine sich bewegende, pferdeartige Fläche mit scharf abgesetzten schwarzen und weißen Streifen, entscheidet es:»Zebra« und ordnet den Eindruck der Außenwelt zu. Scharfe Konturen sind also selbst ein Kriterium dafür, um eine Wahrnehmung der Außenwelt zuzuordnen. Daraus schließen wir: Der Mann zieht die Außenwelt vor, weil sie die Innenzustände im Modus der Übersichtlichkeit präsentiert. Die Sachen da draußen helfen ihm, auch seine Innenzustände zu kontrollieren. Der Mann denkt deshalb nicht über seine Befindlichkeit nach, er sortiert nicht seine Gefühle und analysiert sie mit Freundinnen. Statt dessen verleiht er ihnen die Formen der Außenwelt, um sie besser im Griff zu haben. Die Außenwelt ist schlichtweg die Form, mit der der Mann seine Innenwelt ordnet. Denn es geht ihm um Kontrolle. Deshalb hat er stets Angst, die Kontrolle über sich zu verlieren.

In dieser Hinsicht gleicht der Mann einem paranoischen Zwangsneurotiker. Zwangsneurotiker sind Typen, die ständig Angst vor Kontrollverlust haben und deshalb tausend Vermeidungsstrategien entwickeln. Vor allem leiden sie unter der Angst, die Kontrolle über die Grenze zwischen innen und außen zu verlieren. Deshalb sind sie besessen von Phänomenen, die nicht eindeutig zuzuordnen sind: Substanzen, die die Körpergrenzen durchlöchern, lösen Panik aus. Sie leben in ständiger Angst vor der Invasion von Bazillen, Infektionen, Viren und allen Arten von Krankheitserregern, die ins Innere vordringen. Im Extremfall fürchten sie auch, daß ihr Hirn von fremden Gedanken besetzt wird, so wie das dem Leser geht, der augenblicklich dieses Buch liest. Sie fühlen sich dann ferngesteuert.

Gegen alle diese Ängste mobilisiert der Zwangsneurotiker die Hilfsmittel der Kontrolltechniken: er zählt das Geld, er verplant die Zeit, er versklavt seine Mitmenschen, er bestimmt, was sie denken und sagen dürfen, er verbietet, was ihn stört, und er kämpft einen ständigen Kampf gegen das Chaos um sich herum, das in Wirklichkeit das Chaos in seinem Inneren ist.

Durch diese Maskierung des Inneren als Äußeres hat der Mann keine Erfahrung mit der Gestaltung seines Inneren. Der Umgang mit unklaren Konturen ist ihm fremd. Die exakte Beschreibung des Unexakten, die Darstellung solcher wolkigen Gegenstände wie Gefühle sind seine Sache nicht. Und weil er sein Inneres nicht beschreiben kann, erscheint es ihm um so diffuser. Die Konturiertheit der Sprache, die die Frau für die Erschließung des Inneren benutzt, steht ihm aus Mangel an Übung nicht zur Verfügung. Ist der Mann wider seinen Willen gezwungen, doch sein Inneres zu besichtigen, sieht er nur Chaos. Wenn er sich nicht in Panik abwendet und in die Außenwelt der klaren Verhältnisse flieht, neigt er zum Brüten. Er verfällt dann in einen stumpfen Stupor. Wie der Geist vor der Erschaffung der Welt schwebt er reglos über den Wassern und ist nicht mehr ansprechbar.

Männer haben also nicht die Wahl, entweder über die Außenwelt oder ihr Inneres Auskunft zu geben. Ihr Inneres ist ihnen in aller Regel verschlossen. Wenn nicht, reden sie nicht gern darüber. Sie finden es peinlich oder sogar gefährlich. Ihre Innenwelt erscheint ihnen wie die Büchse der Pandora. Einmal geöffnet, steigen aus ihr alle Plagen der Menschheit empor.

Deshalb stoßen Frauen, die ihre Männer über ihre Gefühle befragen, gemeinhin auf Abwehr. Diese können auf die Fragen nicht eingehen. Aber wollen sie ausnahmsweise mal über Gefühle reden, müssen sie sich darauf vorbereiten. Für diese Fälle neigen sie zu Grundsatzerklärungen, die sie vorher auswendig gelernt haben. Solche Statements sind ebensowenig realistische Gefühlsbeschreibungen wie eine Regierungserklärung den Gemütszustand des Regierungschefs darstellt.

Der Mann und sein Hobby

Will man die Gefühlswelt eines Mannes kennenlernen, so muß man beobachten, was er treibt, nicht, was er über sich sagt. Dabei wird man feststellen, daß er auf seiner Flucht vor seiner Innenwelt bis zu den abseitigsten Tätigkeiten vordringt. Man wird ihn dabei entdecken, wie er Kathedralen aus Streichhölzern baut, wie er auf der Suche nach chinesischem Porzellan in gesunkenen holländischen Schiffen bis auf den Grund des Ozeans taucht oder Fußschemel aus dem Frühbarock sammelt. Der Mann ist ein Wesen des Hobbys. Die Briefmarkensammlung oder der Modellflugzeugbau ist ein Abbild der Ordnung. Hier hat jeder Mann sein kleines Reich. Hier kann jeder regieren oder den Lokomotivführer, Kapitän oder Astronauten spielen. Das heißt, hier ist er in Kontrolle. Mit anderen Worten: Das Hobby ist der Ersatz des stummen Inneren der Männer. Dort wird es zum Sprechen gebracht. Dort findet es die Sprache des Bastelns. In seinem Hobby artikuliert sich das Unterbewußte des Mannes.

Das wird durch die Entstehungsgeschichte des Hobbys bestätigt. Bekanntlich ist Hobby ein englisches Wort und heißt eigentlich hobby-horse, also Steckenpferd. Der erste Mensch mit einem Hobby ist die Figur Onkel Toby aus dem Roman »Tristram Shandy« von Laurence Sterne, geschrieben in den Jahren 1759-1767. Onkel Toby war Offizier in der Armee des Herzogs von Marlborough, eines Vorfahren von Winston Churchill, und nahm an der Belagerung von Namur im spanischen Erbfolgekrieg teil. Da traf ihn ein Granatsplitter in der Leistengegend und – ja, das ist das Problem – er entmannte ihn. Dadurch war Onkel Toby gleichsam zur Frau geworden. Nach der Sitte der Zeit war es aber einer Frau verboten, über sexuelle Dinge zu reden. Entsprechend war Onkel Toby so zurückhaltend geworden, daß er die Art seiner Verwundung nicht beschreiben konnte – er hätte dann ja Unbeschreibliches nennen müssen. Da er aber immer wieder gefragt wurde, wo genau er verletzt worden war, zog er sich aus der Affaire, indem er die Stadt Namur im Modell nachbaute. Wenn man ihm dann die bewußte Frage stellte, deutete er auf die Stelle an der Stadtmauer von Namur, an der seine Kastration stattgefunden hatte.

Die Beschäftigung mit dem Modell von Namur steigerte sich bei Onkel Toby zu einer Besessenheit. Er wurde ein Experte der Belagerungskunde. Schließlich überwucherte diese Besessenheit alles andere. Onkel Toby hatte die innere Wunde, die seine Entmannung in seiner Seele geschlagen hatte, durch Verschiebung auf ein äußeres Problem kontrollierbar gemacht und auf diesem Wege das Hobby entwickelt. Die Belagerung ist dabei eine Metapher für die Eroberung einer Frau. Es geht also doch um

Sex. Das wird in dem Wort Hobby maskiert. Da im »Tristram Shandy« das Wort »ass«, also »Esel« (aber auch »Arsch«), als Codewort für Sexualität benutzt wird, steht das Pferd für eine Art sublimierte Sexualität. Ein Steckenpferd ist dann eine Pseudo-Sublimierung durch Verschiebung ins Alberne: eben ein Hobby. Ganz ähnlich konstruiert Freud die Neurose.

Als Pseudo-Inneres ist das Hobby eine rein männliche Domäne. Frauen pflegen keine Hobbys. Sie haben ja ihre Innenwelt. Diese wird durch Gespräche, Lektüre und durch den Konsum von Filmen und Phantasieentwürfen bedient. Treiben Frauen Hobbys, dann selten um des Hobbys willen, sondern um Männer kennenzulernen oder als Ausrede für soziale Kontakte, Gespräche und allgemeinen Seelenaustausch. Aus all dem kann frau ersehen: Es ist sinnlos, den Mann ihres Interesses nach seinen Gefühlen oder seinem Gemütszustand zu befragen. In den Zeiten höchster Erregtheit wird er sich zu der Mitteilung hinreißen lassen: »Ich liebe dich«, weil er weiß, daß das von ihm erwartet wird. Aber weitere Nuancierungen dieser Grundaussage erscheinen ihm unangebracht. Nachfragen werden ihn nur in die Enge treiben. Er erwartet, daß die Frau weiß, daß diese Kernaussage ihn schon Überwindung genug gekostet hat. Er versteht nicht, daß sie das nicht versteht. Ihre Bitte, doch noch mehr über seine Liebe zu ihr zu erzählen, findet er indezent und befremdlich. Vom Reichtum ihres Innenlebens hat er keinen Schimmer. Wenn es ihm enthüllt wird, hinterläßt es ihn verwirrt und ratlos. Er kann auf diese diffizilen Beschreibungen nicht reagieren. Für ihn sind ihre Stimmungsschwankungen feinstufiger als die Börsennachrichten. Dem hat er nichts Gleichwertiges an Differenzierung entgegenzusetzen.

Natürlich gäbe es da die Feinheiten des Modellsegelflugzeugbaus. Aber davon will sie ja nichts hören. Obwohl er sich dabei wesentlich differenzierter artikulieren könnte als bei der Beschreibung seiner Gemütslage. Sie begreift nicht, daß er die höchste Form der Artikulation in einem anderen Feld erreicht als in der Selbstdarstellung der Psyche. Und so gleicht das Verhältnis zwischen Mann und Frau dem eines mitfühlenden Hundes gegenüber seiner Herrin: da er nicht sprechen kann, legt er ihr einen Knochen auf den Bettvorleger. Das ist seine Sprache der Innerlichkeit.

Das Frauchen aber versteht ihn nicht und schimpft, er versaue ihr den Teppich. Darauf verschwindet der Hund mit eingezogenem Schwanz im Keller und nagt am Knochen seines Hobbys.

Ein Hobby neigt zum Wuchern. Mit ihm wächst auch der Mann. Hat er Talent, wächst er über sich hinaus und wird zum Erbauer von Welten. Das ist für uns ein Anlaß für einen Besuch in der Porträtgalerie.

Vierter Abstecher in die Porträtgalerie der Männertypen: Der Hobby-Gott

Was die Welt für Gott ist, ist das Projekt für den Konstrukteur. Ihn fasziniert die Vision eines von ihm geschaffenen Werks. Er möchte der Welt etwas hinzufügen, was so objektiv ist wie sie selbst. Etwas, das selbständig weiterexistiert, das die Welt verschönert, sie abbildet, sie ergänzt oder ein Modell der Welt selbst darstellt. Deshalb gilt sein Studium den Gesetzen der Konstruktion, die einem Werk Stabilität und Lebensdauer verleihen. Sein Interesse richtet sich auf die Eigenschaften der Materialien, die er braucht; seine Liebe aber gilt dem Entwurf. Hier feiert er die Orgien der Weltkonstruktion. Hier ist er zu Hause. Hier ist er Gott dem Schöpfer am nächsten, der eine Welt geschaffen hat und nachher sagte: »Sie ist sehr gut.« Das möchte er auch.

Der Konstrukteur kommt in mehreren Unterarten vor. Es gibt ihn als Erbauer von Türmen und Brücken oder anderen Bauwerken, die der menschlichen Kühnheit gewidmet sind. Oder als Ingenieur, der gewaltige Kraftwerke oder Eisenhütten baut. Oder als Architekt der großen und kleineren Gebäude, die der Mensch selbst bevölkert.

Aber es gibt ihn auch im Reiche geistiger Konstruktion. Da ist der Philosoph, der aus Begriffen Systeme baut, die so durchdacht und stabil sind wie das Empire State Building. Da ist der Schriftsteller, der in einem Roman eine neue Welt erschafft. Da ist der Filmemacher, der Theaterregisseur, der Maler, der Drehbuchautor, der Modeschöpfer, der Designer, der Komponist oder wer immer sich noch zu der Bruderschaft der

Schöpferzunft zählen mag. Sie alle sind genauso Konstrukteure wie der Erbauer des Petersdoms.

Die Konstrukteure fühlen sich selbst als Schöpfergott. Der Glutkern ihres Lebensgefühls ist das Werkbewußtsein. Sie sind deshalb Fanatiker des Objektiven. Für Frauen ist darin kein Raum vorgesehen. Persönliche Dinge kommen erst an nachgeordneter Stelle. Das liegt nicht daran, daß solche Männer kaltherzig wären. Im Gegenteil, die Leidenschaft, die sie ihren Werken widmen, ist geradezu hitzig zu nennen. Nicht wenige Weltenbauer sind die reinsten Fanatiker. Ihre Gefühle sind meist auf dem Siedepunkt. Aber sie gelten eben dem Werk. Das begründet ihren Hang zur Unpersönlichkeit. Sie vergessen nicht nur die Bedürfnisse anderer, sondern auch ihre eigenen.

Als Michelangelo die Sixtinische Kapelle ausmalte, hörte er auf, sich zu pflegen. Er wusch sich nicht mehr, aß nicht mehr regelmäßig, schlief in seinen Kleidern, und als er fertig war, war er vorzeitig gealtert. Es gibt keine Leidenschaft, die größer ist als diese. Aber: In ihr ist für Personen kein Platz. Auch für die Person des Konstrukteurs nicht. Sie geht auf in seinem Werk. Es gibt nichts Selbstvergesseneres als denjenigen, der mit einem Werk beschäftigt ist. Und nichts Rücksichtsloseres: Wenn er andere ausnutzt, dann im Namen des Werkes.

Die Parallele mit dem Schöpfergott führt uns aber in ein Gelände mit eigenartigen Parallelen. Gott der Schöpfer wird auch als Vater angeredet, als »Vater unser«. Wie ein Vater erschafft er neben der Welt seine Kinder, die Menschen. Er nimmt dazu die Erde, die Materie, die mater oder »Mutter Erde«, und der Künstler nimmt sein Material, das Eisen, die Backsteine, die Farben, die Töne oder die Worte. Die Frau ist der Stoff, und der Schöpfergott ist Geist. So ist die symbolische Ordnung, in der der Kosmos dem patriarchalischen Schema der Familie folgt. Aber inzwischen wissen wir, daß es anders ist. Die Schöpferin der Kinder ist die Mutter. Der Vater ist eine spätere Erfindung. Seine wirkliche Parallele findet der Konstrukteur in der Mutter. Denn er ist so selbstlos wie sie gegenüber ihrem Baby. Für ihn ist ein Werk so wichtig wie für sie das Kind. Wie die Mutter ordnet er seinem Interesse alles unter. Auch darin ähneln sich Frauen und Konstrukteure: So wie künftige Mütter letztlich den Vater in den Dienst des Kindes stellen und erwarten, daß er sich für sie aufopfert, so pressen die Schöpfertypen die Frauen ihres Lebens in den Dienst ihres Schaffens. Sie sind darin so skrupellos wie die Frauen, wenn es um ihre Kinder geht.

Weil sie immer am schamlosesten sind, wissen wir das von den Künstlern am besten. Wie ausbeuterisch war Bertolt Brecht gegenüber seinen zahllosen Frauen! Und wie skrupellos Picasso gegenüber seinen Modellen! Zugleich befinden wir uns an einem Punkt, an dem das Verhältnis des Konstrukteurs zu den Frauen in eine andere Dimension tritt, nämlich wenn die Frauen selbst das Material sind, aus dem das Werk entstehen soll. Dann ergibt sich eine Leidenschaft, wie sie wohl merkwürdiger und intensiver, dramatischer und paradoxer kaum gedacht werden kann. Das ist die Pygmalion-Situation.

George Bernhard Shaw hat sie in seinem Stück »Pygmalion«, der Vorlage von »My Fair Lady«, dramatisiert. Ein Professor der Phonetik, also der sprachlichen Artikulation, bringt einem Unterklasse-Mädchen bei, gepflegt zu sprechen, und macht auf diese Weise aus ihr eine neue Frau. Denn in England richtet sich die gesellschaftliche Identität nach der Gepflegtheit der Sprache.

Von dieser Aufgabe ist er so besessen, daß er ihr seine ganze Leidenschaft widmet, aber die Gefühle des Mädchens dabei völlig übergeht. Mit anderen Worten: Seine heftige Zuwendung erregt in ihr eine persönliche Reaktion. Er aber meint nicht sie, sondern sein Werk. Die Frage stellt sich dann: Wer ist sie?

Shaws Stück ist ein Modell für alle Beziehungen der Art, wie sie zwischen Produzent und Filmstar, zwischen Regisseur und Hauptdarsteller, zwischen Photograph oder Modedesigner und Modell oder zwischen Lehrer und Schülerin entstehen können. Ein Mann bringt einer Frau bei, wie sie ein Erfolg wird. Sie mag dann nach außen ein Star werden, strahlend und glamourös, aber im Verhältnis zu ihrem Schöpfer fühlt sie sich nicht gleichberechtigt. Und eben das verhakt sich mit den romantischen Empfindungen, die seine intensive Zuwendung in ihr hervorlockt. Gerade im Theater und Film sind erotische Nebenbedeutungen immer mit im Spiel, weil der weibliche Körper im Mittelpunkt des Schöpfungsaktes steht. Das gleiche gilt für die Mode und die Photographie.

Die Pygmalions dieser Welt, die ihren Schöpferimpuls an jungen Frauen austoben, sind allesamt verfehlte Töchterväter mit inzestuösen Neigungen. Und Frauen, die darauf anspringen, suchen einen Vater. Befriedigend werden solche Verhältnisse nie. Die Spannung zwischen dem Ungleichgewicht von Schöpfer und Geschöpf und der Gleichberechtigung der Liebe kann nie gelöst werden. Vielfach ist die übermächtige Wirkung des Schöpfervaters aber so nachhaltig, daß andere, weniger übermächtige Männer, keine Chance mehr haben.

Andererseits: Nur als Skulptur in seinen Händen können Frauen überhaupt die Aufmerksamkeit solcher Männer erregen. Der Meister schaut sie an und denkt, daraus ließe sich etwas machen: ein Star, ein Vamp, eine Schauspielerin, ein Werk, mein Werk, das die Welt bewegen wird. Wenn sich eine Frau darauf einläßt, wird sie nie einen aufmerksameren Mann finden. Niemals wieder wird sie so genau beobachtet werden wie von einem Regisseur, der sie zur Hauptdarstellerin gemacht hat. Niemals wieder wird jemand so leidenschaftlich ihre Wirkung kommentieren, und niemals wird jemand wieder so entzückt sein von ihrem Charisma, ihrer Ausstrahlung, ihrem Zauber wie er. Man denke nur an den Freudentaumel von Professor Higgins, als Eliza endlich ihren Satz über »The rain in Spain« richtig aussprechen kann. Die Hymnen eines konventionellen Liebhabers sind blaß dagegen. Nichts kann die Hingabe eines Schöpfers an sein Werk übertreffen. Dagegen hat ein Feld-Wald-und-Wiesen-Liebhaber so wenig eine Chance wie gegen einen überwältigenden Vater.

Frauen, denen kein Mann genügen kann, weil sie alle zu banal oder zu impotent wirken, werden sich fragen, ob sie das Schicksal nicht für eine solche Beziehung reserviert hat. Sie ist auf jeden Fall interessant, und sie gibt ihr ein Gefühl dafür, was es bedeutet, für eine Sache zu leben. Sie wird zum ersten Mal eine Beziehung zu einem Mann unterhalten, der ihr imponiert und der sie seelisch beschäftigt. Und sie wird diese Beziehung nie erschöpfen können, weil sie sich nie erfüllt.

Aber nebenbei wird sie vielleicht Karriere machen. Das muß nicht unbedingt als Filmstar sein. Das kann auch als Assistentin eines begnadeten Wissenschaftlers, als Ziehtochter eines überragenden Politikers, als Nachfolgerin eines übermächtigen Wirtschaftskapitäns geschehen. Wer sich auf dieses Drama einläßt, lernt Schöpfertum in der Form der Männlichkeit kennen. Hier sind die Väter, die es mit Müttern aufnehmen können.

Wie alles, gibt es dieses Schema auch im Kleinformat. Dann treffen wir auf einen Typ, der besonders als Ehemann ein Sonderprofil entwickelt: Es ist der Häuslebauer, die menschliche Form des Nestbauers. Je nachdem, ob die Frau mit seinem Geschmack übereinstimmt oder nicht, erlebt sie ihn als beglückende Bereicherung, mit dem sie den Nestbau gemeinsam betreiben kann, oder als Landplage. Er hat ihr z. B. eine spezielle Vorrichtung fürs Wäscheaufhängen gebaut. Sie war wirklich praktisch; eine verbesserte Brotschneidemaschine; einen extra-praktischen Wagen für den Transport von Blumenkübeln und Gartenerde – sie hat es etwas mit dem Rücken –, ein Schuhputzgerät und ca. dreihundert andere Konstruktionen, Apparate und Arbeitserleichterungsvorrichtungen. Zuerst war sie beglückt. Dann merkte sie, daß er nicht für ihren Bedarf, sondern aus innerem Zwang heraus baute. Allmählich begann sie die Vorrichtungen überflüssig zu finden und mußte sie heimlich beseitigen was aber seine Produktion noch mehr anheizte. Schließlich war sie gezwungen, sich harmlose Ausweichfelder auszudenken, auf die sie die Überproduktion umlenken konnte. Das waren vor allem Geschenkvorschläge für Verwandte und Nachbarn.

Ein Leben lang aber mußte sie seine Konstruktionen bewundern. Erst war sie des Lobes voll. Er war ja so geschickt. Und was er sich alles ausdachte! Sie wäre nie darauf gekommen. Dann wurden ihre Hände allmählich müde vom Applaus. Und zum Schluß, nach einer Phase, während der sie die Aufforderungen zum Applaus wie die Folter dritten Grades gefürchtet hatte, war alle innere Lebendigkeit in ihr gestorben, und sie erfüllte die Beifallspflichten so wie die ehelichen – ohne innere Beteiligung. Als er starb, nicht ohne daß er vorher Vorschläge zum Bau eines besonders bequemen Sarges gemacht hatte, sah sie ihr Leben plötzlich in einem anderen Licht. Früher, da hatten sie ihre Freundinnen immer beneidet. Sie hatte wenigstens einen Mann, der Dinge mit ihr gemeinsam tat. Der ihr im Haushalt half. Und immer irgend etwas bastelte. Aber jetzt wurde ihr klar, daß sie gar keinen Mann gehabt hatte, jedenfalls keinen, der sie jemals bemerkt hätte. Sie war nur die Bewunderin seiner Werke

gewesen. Der Anlaß dafür, daß er etwas bauen durfte. Seine wirkliche
Heimat war die Werkstatt. Wenn sie darüber nachdachte, hatte sie ihn niemals in irgendeinem Zimmer sitzen sehen. Er war immer unterwegs oder
in seinem Bastelkeller. Und in der Woche nach der Beerdigung schreckte
sie nachts auf, weil sie sich einbildete, von unten das Klopfen eines Ham-
mers gehört zu haben. Wahrscheinlich hämmerte er jetzt in der Hölle
weiter.

Dieser Held des Aufbaus ist seit der Do-it-yourself-Bewegung weit
verbreitet. Er ist ein besonders deutscher Typ. Möglicherweise hat der
Wiederaufbau nach dem Krieg zu seiner Verbreitung beigetragen. Aber
auch die Öko-Bewegung hat dem Hang zum Selbstgebauten, zur Konstruktion von alternativen Häusern und Kleingartenutopien weiter Auf-
trieb gegeben. Sie hat nämlich Fragen der Wärmedämmung, der Abfall-
entsorgung und der Nutzwasserspeicherung eine moralische Bedeutung
von weltweiter Reichweite verliehen. Wo die Verwendung von Styropor
für die Schonung von zehn Tonnen Balsaholz sorgte und für hundert Familien sowie 230 Arten die Lebensgrundlage erhielt, wurde aus einer
technischen Frage ein ethisches Problem. Da konnte man an der Heizung
den moralischen Status eines Menschen ablesen. Unter Nachbarn wurde
die Verwendung von Holz oder Kunststoff eine Frage der Weltanschau-
ung. Da lohnte es sich, auch ins kleine große Energien zu investieren.
Und so gelang es dem Manne, aus seinem Eigenheim ein Welttheater zu
machen und in ihm als Do-it-Yourselfer ein Held zu werden. Und damit
verlassen wir die Porträtgalerie wieder und machen weiter im Text.

Die Coolness des Mannes

Die Betäubung des Inneren bei den Männern hat eine unangenehme Nebenwirkung.

Man kann vom Äußeren des Mannes nicht auf seinen inneren Zustand schließen. Seine Gemütsverfassung läßt sich an nichts Äußerem ablesen. Männer täuschen stets Gleichmut und Unbeeindruckbarkeit vor. Sie geben sich cool. Aber während sie immer mehr Kraft aufwenden, ihre stoische Fassade aufrechtzuerhalten, kann sich hinter ihr ein gewaltiger Druck aufstauen. Überschreitet der Druck einen gewissen Punkt, geht es dem Mann wie jedem überbeanspruchten Druckbehälter: er explodiert. Es gibt zwei Typen von Explosionen: die aggressive, die sich nach außen wendet und die auto-aggressive Variante, die sich nach innen richtet. Im ersten Fall wird der Mann wütend oder gar gewalttätig, im zweiten Fall ergreift er die Flucht.

Während Frauen den ständigen Druckausgleich zwischen innen und außen durch einen gleichbleibenden Pegel von Mißfallensbekundungen vornehmen, die man früher »Meckern« und »Nörgeln« nannte, lassen Männer hohe Druckunterschiede zwischen innen und außen entstehen: Schließlich wollen sie ja ihr Inneres ignorieren. Das geht so lange, bis sie den Siedezustand ihres Inneren beim besten Willen nicht mehr übersehen können. Und dann bricht sich der Innendruck gewaltsam nach außen Bahn.

Man könnte versucht sein, hier eine Parallele zu den unterschiedlichen Erregungskurven beim Geschlechtsakt zu sehen: Während die männliche Kurve mit ihrem orgasmischen Höhepunkt und dem scharfen Abfall eine explosive Dramatik aufweist, ist die weibliche stetiger und gleichmäßiger und schwingt länger aus. Und so hören sich ihre Lustgeräusche wie anhaltendes Protestgeschrei an und seine wie ein kurzer Wutanfall.

Weil das Innere bei Männern nicht am Äußeren ablesbar ist, können sie sich ändern, ohne daß man es bemerkt. Das macht sie zu Zeitbomben, die in jedem Augenblick hochgehen können. Frauen, die es gewohnt sind, Wetterumschwünge bei sich selbst und bei anderen Frauen an sicheren Zeichen zu identifizieren, fühlen sich von den plötzlichen Eruptionen ihrer Männer immer wieder überrascht. Sie haben vergessen, daß Männer unsichtbare Fässer mit sich herumtragen, die jeder Tropfen zum Überlaufen bringen kann. Aber wann das geschieht, wissen sie selber nicht. Auch sie werden davon überrascht.

Allerdings ist es gefährlich, im Zustand dieser Unkenntnis den Druck von außen zu erhöhen. Die Frau, die ihrem Partner durch Foppen und Necken eine Reaktion zu entlocken sucht, fühlt sich häufig dadurch verblüfft, daß einer sich vertiefenden Reaktionslosigkeit, die wie Müdigkeit wirken mag, ein plötzlicher Ausbruch folgt. Und dann stellt sie sich ratlos die Frage, wie solch eine harmlose Irritation einen so heftigen Vulkanausbruch auslösen konnte. Und sie hält ihren Lebensgefährten für nicht ganz normal.

In Wirklichkeit ist die Voraussetzung ihrer Frage falsch. Sie unterstellt ihrem Mann ein direktes Verhältnis zwischen ihrer Irritation und Reaktion, wie sie für Frauen typisch ist. Dabei entgeht ihr, daß er nicht auf diese kleine Irritation reagiert, sondern auf den Ärger der letzten drei Wochen, von dem er bis jetzt nichts gezeigt hat. Denn nörgeln und meckern, nein, das tut er nicht. Nicht bei solchen Kleinigkeiten!

All das mündet in ein Mißverständnis zwischen den Geschlechtern, das sich zu einem Fluch auswachsen kann. Die Frau glaubt, der Mann könne über seine Gefühle nicht reden. Er sei unfähig zur Kommunikation. Deshalb befragt sie ihn. Sie will ihm auf die Sprünge helfen, es ihm erleichtern, sich auszudrücken – weil sie nichts sehnlicher wünscht, als einen Blick zu tun in seine verborgene Seele, um nachzuschauen, wo sie selbst darin wohnt und wie sie darin untergebracht ist. Wollen Männer stets die nackten Körper der Frauen sehen, wollen Frauen immer die nackten Seelen der Männer besichtigen.

Aber der Mann schweigt. Freiwillig. Ja, er investiert unendliche Energien in die Anstrengung, sein Inneres zu ignorieren; seine eigenen Leiden und Seelenregungen nicht ernst zu nehmen. Würde er alles wahrnehmen, was ihn schmerzt und bedrückt, würde er über dieser Fülle der Leiden in Tränen ausbrechen. Die Arbeit des Verdrängens ist schon schwer genug. Da macht sie es ihm durch ihre Befragung noch schwerer: »Wie fühlst du dich? Wie sehr liebst du mich? Hast du mich sehr sehr, gern oder nur sehr

gern? Magst du meine Mutter? Gib zu, daß du deinen Bruder benei-
dest...« Diese Fragen wirken wie der Gesang der Sirenen bei der Vorbei-
fahrt des Odysseus. Sie stellen eine ständige Versuchung dar, die Panze-
rung der männlichen Identität aufzugeben, sich einer seligen Auflösung
zu überlassen, mit der Welt zu verschmelzen und sich vom Dauerdruck
dieser Anstrengung zu erholen. Denn an sich ist der Mann der Frau sehr
viel ähnlicher, als er wahrhaben will. Er hat Schwächen und Emotionen.
Er ist mal vergnügt und mal verstimmt. Und wie die Frau hat er seine
Tage und seine Mondphasen. Aber all das muß er leugnen. Er muß es ignorieren, solange er ein Mann bleiben will. Er muß es dahin verschieben,
wo sich Leidenschaft mit Ordnung paart: in die Außenwelt. So blendet er
sein Inneres aus der Wahrnehmung aus und läßt seine Gefühle inkognito
gehen – in der Außenwelt entdeckt er sie wieder als Eigenschaften von
Dingen, die er interessant findet.

Der Widerstand gegen Reformversuche

Der Mann ist reformresistent – und zwar vor allem gegen Versuche, die
von seiner eigenen Partnerin unternommen werden.

Für diese Problematik hat sich in der einschlägigen Forschung der Begriff »Sekundärer Ödipuskomplex« eingebürgert. Bekanntlich besteht der
primäre Ödipuskomplex aus dem unterdrückten Wunsch des kleinen
Knaben, seinen Vater zu erschlagen und mit seiner Mutter zu schlafen. Er
möchte also so groß und stark wie sein Vater sein, um ihn bei seiner Mutter ersetzen zu können.

Der sekundäre Ödipuskomplex ist gewissermaßen die Kehrseite des
primären. Wenn seine Frau an ihm herumnörgelt, ihn ermahnt und ihm
Manieren beibringen will, fühlt der Mann sich wieder als Kind behandelt.
Statt daß seine Mutter zu seiner Frau wird, verwandelt sich seine Frau in
seine Mutter und bringt ihm Manieren bei. Auch das bedroht seine fragile Identität als Mann. Er wird dann zwar nicht zur Frau, sondern zum
Kind. Deshalb ist er gegen jeden Erziehungsversuch allergisch. Das gilt
besonders, wenn die Erziehungsversuche die grundlegenden Kulturtech-

niken betreffen, die man in der Kindheit lernt: Körperbeherrschung, Körperpflege, Sauberkeit, Manieren, Geschmack etc. Wird der Mann in diesen Bereichen einer Dauerkritik ausgesetzt, fühlt er sich unwillkürlich wieder in seine Kindheit zurückversetzt.

Eine Frau wird diese Allergien nicht begreifen. Sie selbst wird Verbesserungsvorschläge hinsichtlich ihrer Selbstinszenierung durchaus begrüßen. Sie bittet ihre guten Freundinnen sogar um Tips, ja, ein Großteil der Kommunikation unter Frauen dreht sich geradezu um die Möglichkeiten, die Technik der Selbstdarstellung immer weiter zu perfektionieren. Frauen können sich da mit einer Inbrunst über technische Details verbreiten – welcher Rock zu welcher Bluse mit welcher Farbe und welchem Duft und welchem Lippenstift getragen wird –, die sonst Männer nur bei der Diskussion über Autos aufbringen. Für sie ist das ein lustvolles Thema. Deshalb glauben sie, den Männern gehe es im Prinzip genauso. Da ein Mann in diesem Punkt anders reagiert, halten sie ihn für eine merkwürdige Ausnahme und meinen, ein wenig Seelenmassage werde ihn da schon umstimmen. Man müsse ihm nur vor Augen führen, wie unangenehm er wirke, wenn er sich nicht ändere. Sie nimmt an, er habe das noch nicht richtig verstanden, sie müsse es ihm noch einmal ganz genau erklären. Wenn er das dann endlich verstünde, würde er sich schon ändern.

Damit hat sie ihm unterstellt, daß er wie eine Frau reagieren könne. Sie vergißt, daß sie mit solchen Vorstößen seine Identität bedroht. Wenn er eins nicht ertragen kann, ist es, wie ein Kind behandelt zu werden. Da verläßt er fluchtartig das Haus. Oder er wird wütend und verbittet sich derartige Eingriffe in seine Souveränität.

Die Allergie gegen Hausarbeit

Hier ist nun auch der Ort, endlich das Geheimnis zu lüften, das Millionen von Frauen wissen wollen: warum es ihnen so schwer fällt, die Mitarbeit ihres Lebensabschnittsgefährten bei der Hausarbeit zu gewinnen. Der Grund hierfür besteht in einem Dilemma. In der Hausarbeit sind Frauen

Experten. Arbeitet der Mann mit, spielen sie notgedrungen den Chef. Sie geben die Anweisungen. Sie sagen, was zu tun ist. Und sie kritisieren. Sie kontrollieren. »Sind die Fensterscheiben auch wirklich sauber? Hier, siehst du nicht die Schlieren? Das geht so nicht! Bist du blind oder was? Das kann man doch nicht putzen nennen! Mach das noch mal, aber diesmal bitte gründlich! Und dann mach dich ans Badezimmer! Es ist schon spät, und du mußt noch die Waschmaschine ausräumen und die Wäsche aufhängen!« Da steht der Mann wie ein begossener Pudel da. Er hat dem nichts entgegenzusetzen. Wiederholt sich diese Szene des öfteren, oder wird sie gar typisch, wird der Mann seine Frau immer so erleben, als wäre sie seine Mutter. Und er wird sich der biblischen Prophezeiung erinnern: »Er wird Vater und Mutter verlassen und einem neuen Weibe anhangen, das nicht so wirkt wie seine Mutter.«

Will also eine Frau die Mitarbeit ihres Mannes bei der Hausarbeit gewinnen, tut sie gut daran, jede Erinnerung an den Kommandostil ihrer Schwiegermutter zu vermeiden. Selbst wenn sie seine Beiträge, gemessen an ihrem eigenen Sauberkeits- und Perfektionsstandard, mehr als dürftig findet, sollte sie sich verkneifen, daraus die Berechtigung für Befehle und pädagogische Maßnahmen abzuleiten. Statt dessen empfiehlt es sich, trotz des niedrigen Niveaus seiner Arbeit einen strikt kooperativen Stil beizubehalten.

Dabei muß sie bedenken, daß Männer einen anderen Arbeitsstil haben. Sie verabscheuen das Sisyphushafte an der Arbeit, also gerade das, was die Hausarbeit ausmacht: das sich ewig Wiederholende, das Alltägliche, das Zyklische und das Unverdrossene, das Emsige (das Wort kommt von »Ameise«). Ein Mann will immer ein Held sein. Also liebt er das Ereignishafte, die große Tat, den heroischen Einsatz. Er ist deshalb gerade nicht dazu bereit, eine Arbeit in der bewährten Manier auszuführen, die seine Frau ihm als Destillat ihrer langen Erfahrung vormacht. Kaum hat sie ihm das bewährte Verfahren vorgeführt, ändert er es ab. Er hat eine Idee, wie man die Sache viel arbeitssparender erledigen kann.

Wenn sie das sieht, wendet sie sich mit Grausen. Trotzdem sollte sie ihn seine Erfindung entwickeln lassen. Taugt sie nichts, wie in der Mehrzahl der Fälle, wird er sie selbst aufgeben. Bewährt sie sich, um so besser! Aus diesen Änderungen holt er sich seine Motivation. Hier liegt die Quelle seiner Arbeitsfreude. Verbietet sie ihm solche Abweichungen und erwartet sie die strikte Nachahmung ihrer Arbeitsmethoden, degradiert sie ihn zum Haussklaven. Kein Mann, der etwas auf sich hält, wird sich das lange bieten lassen. Eher bringt er das Opfer und verzichtet ganz auf die häusliche Mitarbeit.

Für die Frauen bedeutet das Ganze eine Zwickmühle: das sicherste Mittel, einem Mann die Hausarbeit zu verleiden, ist es, ihn dazu anzuhalten. Also: Was tun? wie ein heute vergessener Klassiker sagte. Nun, die Frau mit einem Sinn für Psychologie nutzt seinen heroischen Stil für die Motivation. Sie akzeptiert, daß er alles anders macht als sie. Er wird schon selbst lernen, wie es richtig geht. Sie bewundert seine Innovationen, wenn sie nicht direkt katastrophal sind. Sie läßt ihm das Vergnügen, die Routine in Pseudoereignisse zu verwandeln, wie »den großen Hausputz«, »das große Aufräumen«, »die neue Art, das Geschirr zu stapeln«, »die ultimative Technik, durch Einsparung von Wegen den Tisch rational zu decken«. Ihren Freundinnen gegenüber wird sie das als »verspielt« abbuchen und bestenfalls »süß« finden, obwohl es sie »wahnsinnig« macht. Aber sie hat es als notwendige Bedingung seiner Mitarbeit verstehen gelernt. Das hindert ihren Mann daran, angesichts der Alltagsroutine der Hausarbeit depressiv zu werden.

Eine Frau ist Chefin eines Betriebs, der nur einen Mitarbeiter hat. Dieser Mitarbeiter hat eine Monopolstellung. Entschließt er sich zum Streik, muß die Chefin die Arbeit allein machen. Um das zu vermeiden, braucht sie ein Minimum an Betriebspsychologie. Sie muß über Motivationsverstärker nachdenken. Sie darf ihre Kontrollen nicht zu kleinschrittig anlegen. Sie muß Raum für Innovationen und eigene Beiträge des Angestellten bereitstellen. Und sie darf das Betriebsklima nicht durch Klagen, Nörgeln und Meckern verderben. Vor allem aber sollte sie die natürlichen Neigungen, Antriebe und Interessen des Angestellten nutzen und ihn nicht zu ändern versuchen. Denn das ist der sicherste Weg, ihn zur Kündigung zu drängen oder zum Dienst nach Vorschrift. Schließlich ist der Angestellte ein Mann, und der leidet bekanntlich am sekundären Ödipuskomplex.

Kinder und Geld

Die Vision einer gerechten Verteilung der Hausarbeit wird durch eine Entwicklung genährt, die auf den ersten Blick sehr ermutigend erscheint: der Wandel in der jungen Generation von Männern, zumal bei den modebewußten jungen Städtebewohnern. Bei ihnen scheint es sich um Mutanten zu handeln, die Frauen ähneln. Sie pflegen ihre Körper und kleiden sich sorgfältig. Sie legen auf eine ästhetische Erscheinung Wert und achten auf ihre erotische Ausstrahlung. Diese leiten sie nicht mehr von ihrer Macht, sondern von ihrem körperlichen Appeal ab. Nicht so sehr die Unterschiede zwischen den Rollenprofilen und dem sozialen Verhalten von Mann und Frau werden betont, sondern die Unterschiede der Anatomie. Wie die Frauen demonstrieren die Männer nun Männlichkeit an der Schönheit ihres Körpers.

Das alles setzt auch einen Rollenwechsel auf seiten der Frauen voraus. Sie beziehen ihr Identitätsgefühl nicht mehr nur aus der Rolle als Mutter und Hausfrau an seiner Seite. Vielmehr finden sie ihre Ego-Bausteine jetzt in ihrem Job. In all dem werden sie den Männern ähnlicher und verwandeln sich von passiven Beutetieren in aktive Raubtiere des Begehrens, die selber jagen.

Dabei teilen sie sich mit den Männern die Hausarbeit und die Kinderbetreuung. Auch wenn es auf diesem Gebiet noch hapert – kein Mann ist sich mehr zu schade, die Wohnung zu putzen. Sein persönliches Reinlichkeitsbedürfnis steigt mit seiner äußerlichen Gepflegtheit. Kurzum – es scheint, als habe sich eine neue Art entwickelt, die auf der Leiter der Evolution den Frauen eine Stufe nähergekommen ist.

Und das wäre sie auch, wenn man sie nur ließe. Aber ach – da saust die eiserne Faust der Ökonomie nieder und zermalmt das zarte Pflänzchen der Hoffnung: Es ist das Gesetz, daß ein kleiner Unterschied vervielfältigt wird, wenn er sich mit einem anderen Unterschied verbindet. Dieser verstärkende Unterschied nimmt hier die Form der Konkurrenz zwischen Kindern und Geld um die Zeit der Partner an. Beide wollen Aufmerksamkeit und Hingabe: Geld will verdient sein, und Kinder wollen gepflegt, versorgt und geliebt werden.

Wie verteilt man die Zeit zwischen ihnen? Gleichmäßig, hieße die gerechte Antwort. Ja, gerne, und das wäre auch so lange kein Problem, wie beide Partner genau gleich viel Geld verdienen. Denn dann ist die Zeit von beiden genau gleich viel wert. Aber stellen wir uns vor: Der Mann bekommt einen besseren Job mit Aussichten auf eine glänzende Karriere. So eine Gelegenheit darf er nicht vorübergehen lassen. Aber er kann sie nur ergreifen, wenn er bei der Hausarbeit Abstriche macht. Denn seine Zeit ist plötzlich sehr viel mehr wert als ihre, und wenn er jetzt nicht die Schürze abbindet und abends noch Akten studiert und am Wochenende auf Tagungen geht, verliert die ganze Familie Geld. Dann zahlen alle dafür, daß Mama auf der Halbierung der Hausarbeit besteht. (Natürlich gilt dasselbe umgekehrt genauso, wenn s i e die Besserverdienende ist. Nur: In der Mehrzahl der Fälle ist das eben der Mann, weil die Frau wegen der Kinder eine Auszeit nimmt.)

Aber nicht genug damit, daß die ganze Familie für die gleiche Verteilung der Hausarbeit zahlen muß, sie muß auch einen Bremseffekt in der Karriere des Geldbeschaffers in Kauf nehmen. Denn wenn dieser nicht noch bis in den späten Abend im Büro bleiben kann, sich Akten mit nach Hause nimmt und auch an Wochenenden an seinen Projekten sitzt, bekommt sein Konkurrent den Job. Fazit: Derjenige Mann hat im Wettbewerb um die Spitzenjobs einen Vorteil, der sich nicht auch noch um die Hausarbeit kümmern muß. Je höher man in der Hierarchie von Behörden, Firmen, Parteien und Korporationen kommt, desto mehr hat sich der Geschlechtsunterschied wieder durchgesetzt.

Solange es auch nur einen geringfügigen Unterschied in den Karriereaussichten, dem Ehrgeiz oder den Verdienstmöglichkeiten zwischen den Partnern gibt – und es wird ihn immer geben – wird er durch diesen Mechanismus zur Schere erweitert. Er ist dann ein Unterschied, der einen Unterschied macht.

DIE KOMÖDIE DER FRAUEN:
AMPHITRYON ODER: ALKMENES DILEMMA

Szene 3: Die äußere Betäubung

Wir befinden uns auf dem Olymp. Jupiter ißt eine Weintraube und starrt auf ein Schachspiel, das vor seiner Liege auf einem Tischchen steht. Merkur kommt auf einem Fahrrad herein, und danach unterhalten sich die beiden über Jupiters Behauptung, er müsse von Zeit zu Zeit den Menschen erscheinen, um in ihnen angesichts der neuen Naturphilosophie den Glauben an die Götter zu erhalten. Er begründet, warum er dazu immer Frauen aussucht, und danach verwandelt ihn Merkur mit Hilfe der plastischen Chirurgie in einen Menschen.

JUPITER: Bei den Hinterbacken Kallipygos! Was hast du da für ein häßliches Instrument, Merkur?

MERKUR: Ein Bicycle, Majestät.

JUPITER: Na, das seh' ich auch, daß es zwei Räder hat. Aber wie du da drauf sitzt, so gekrümmt und unansehnlich wie ein thrakischer Sklave. Das ist eines Gottes nicht würdig! Der technische Fortschritt darf nie auf Kosten unserer Würde gehen, da waren wir uns im hohen Rat der Götter immer einig, das kannst du im Protokoll nachlesen.

MERKUR: Ich weiß. Das ist die offizielle Version.

JUPITER: Was meinst du damit, offizielle Version? Eine andere gibt es nicht.

MERKUR: Das nicht, aber eine andere Begründung. Der eigentliche Grund ist doch, der technische Fortschritt könnte unter den Sterblichen die Illusion verbreiten, sie seien selber Götter und könnten nun wie Sie mit Donnerkeilen um sich werfen. Nicht auszudenken wäre das! Sie würden nur noch donnern, nichts als donnern. Wie zornige Schimpansen würden sie sich so phantastisch aufführen, daß wir uns über eine solche Parodie der Götter alle sterblich lachen müßten.

JUPITER: Nun gut, dann verhindere, daß sie dieses Ding *(zeigt auf das Fahrrad)* erfinden. Von so einem Rad bis zum Blitzeschleudern ist es

nicht mehr weit. Mir geht die jetzige Naturphilosophie in Griechenland schon viel zu weit.

MERKUR: Wieso? Mir scheint sie ganz harmlos.

JUPITER: Harmlos? Sie denken sich den Kosmos als ein lückenloses Netz
von Ursachen und Wirkungen, und das nennst du harmlos? Wo ist
denn da noch Platz für uns, frag' ich dich? Wir müssen uns schon jetzt,
damit wir halbwegs glaubhaft bleiben, in unseren Wirkungen den Na-
turgesetzen anpassen. Und was sind das für Gesetze? Nur die Gewohnheiten der Natur. Das ist das Ende aller Wunder, sag' ich. Verstehst
du, das macht es so besonders wichtig, daß ich von Zeit zu Zeit den
Sterblichen erscheine: das reißt ein Loch in ihre Kausalität.

MERKUR: Aber müssen Sie sich dafür immer Frauen aussuchen?

JUPITER: Ich weiß, du magst sie nicht besonders; aber sie sind nun mal
viel aufnahmefähiger, längst nicht so pedantisch; nicht Sklaven einer
sklavischen Vernunft, sondern inkonsequent und frei, so wie wir Götter. Und außerdem – ich verstehe nicht, warum du das nicht auch so
siehst – ein viel angenehmeres Geschlecht, auch körperlich, weich,
sanft und schmiegsam. Und wenn ich so dran denke, werde ich langsam ungeduldig. Hast du alles vorbereitet für meinen Besuch bei Alkmene?

MERKUR: Ja, deshalb bin ich hier. Es ist soweit.

JUPITER: Na endlich! Du arbeitest ja schon seit Wochen dran.

MERKUR: Nun, Sie sagten ja selbst, man muß heute mit göttlichen Ein-
griffen sparsam sein und alles ganz natürlich erscheinen lassen. Da geht
das nicht so schnell. Also: Amphitryon ist wieder abgereist und kommt
auch nicht so schnell zurück. Ich habe extra einen Frieden arrangiert,
und das heißt langwierige Verhandlungen.

JUPITER: Gut. Verbinde sie zur Sicherheit mit Abrüstungsverhandlungen,
die sind endlos.

MERKUR: Schon geschehen.

JUPITER: Ah, Merkur, der Gleichklang zwischen uns tröstet mich über
manches hinweg. Sieh selbst, alle anderen haben mich auf dem Olymp
allein gelassen. Vor Langeweile spiele ich schon Schach mit mir selbst.
Ein neues Spiel, ich hab's aus Persien mitgebracht, und sehr realistisch:

der König kann sich kaum bewegen, und die Dame hat am meisten Macht. Sieh her, was sie alles kann *(macht die Züge auf dem Schachbrett vor)*.

MERKUR *(ist unbeeindruckt)*: Wenn das alles ist, was eine Dame kann?!

JUPITER: Na ja, von Damen verstehst du eben nichts. Also, Alkmene ist bereit?

MERKUR: Ja, ich habe eine Ehekrise inszeniert. Sie ist mit ihrem Mann tief unzufrieden und wünscht ihn in den Hades.

JUPITER: Ah, das ist aber gar nicht gut. Wie stehe ich denn da, wenn ich als Amphitryon erscheine? Sie wird mich wieder hinauswerfen, wenn sie mich überhaupt hineinläßt.

MERKUR: Ja, wollen Sie denn, daß sie den Unterschied gar nicht bemerkt? Wenn Sie sich in der Gestalt Amphitryons ihr nahen, muß sie doch den Gott vom Ehemann unterscheiden können!

JUPITER: Ja, da hast du recht. Das ist mein neues Programm: Wenn die Sterblichen uns schon mit ihrer lückenlosen Normalität verdrängen wollen, dann tauchen wir im Normalen wieder auf und machen es erstaunlich. Ja, ich werde es ihr zeigen, was ein Amphitryon sein kann, der ein Gott ist, so daß ihr Hören und Sehen vergeht. Sie wird den Liebhaber schon von ihrem Ehemann zu unterscheiden wissen, und wenn sie's nicht tut, bin ich kein Gott mehr. Dann kann ich wirklich abdanken, wie dieser Sokrates schon überall verkündet.

MERKUR: Ich glaub', er meint es nicht bös.

JUPITER: Er meint es nicht bös? Aber er löst uns in Prinzipien auf, so daß wir im Schönen, Guten, Wahren ganz verschwinden. Das ist der Untergang!

MERKUR: So kann man vielleicht auch überleben. Das könnte einmal unsere Rettung sein, wenn wir in Existenznot kommen. Sie verschwinden ja auch in Amphitryon.

JUPITER: Ja eben nicht! Das hast du doch grad selbst gesagt. Ich will darin ja grad den Unterschied der Götter von den Sterblichen zur Geltung bringen.

MERKUR: Aber Sie tun es im Gewande des Gewöhnlichen, dessen, was sowieso erwartet wird. Es gibt nichts Gewöhnlicheres als einen Ehe-

mann. Er ist die Prosa dieser Welt. Die ganze Langweiligkeit eines Na-
turgesetzes, so regelmäßig wie ein Uhrwerk und so gnadenlos wie die
Zeit, so ein kalter, bleicher Morgen nach einer Nacht voll bunter
Lichter, der aschengraue Rest einer entzauberten Welt, das ist ein Ehemann.

JUPITER: Ah, Merkur, ich glaub', du beginnst mich zu verstehen. Ja, du
hast recht, ein Ehemann ist das Symbol einer Welt ohne Götter, wo das
Naturgesetz und die Gewohnheit herrschen, was sowieso dasselbe ist.
Deshalb ist er der Ansatz, wo ich das Gewohnte unterwandern will. Da
muß mein Guerillakrieg beginnen, damit ich sagen kann, seht her, vergleicht und staunt über den Kontrast. Was meinst du, kannst du mich
so hinkriegen, daß ich Amphitryon wirklich gleiche?

MERKUR: Das wird nicht leicht sein. Als Sie als Stier oder als Schwan auf-
traten, mußten Sie nur der ganzen Gattung im Ungefähren gleichen,
das war nicht schwer. Aber einem Individuum? Es wäre leichter, wenn
Amphitryon irgendein unveränderliches Kennzeichen hätte, wenn er
hinkte oder schielte, oder wenn ihm ein Finger fehlte. Aber er sieht
irgendwie aus wie alle Welt. Da geht es um Nuancen.

JUPITER: Auch darin ist er also ganz gewöhnlich.

MERKUR: Ein Zeichen hat er, es ist eine Narbe.

JUPITER: Ah ja? Wo?

MERKUR: In der Leistengegend, die Spur von einem Speer.

JUPITER: In der Leistengegend? Das nutzt nicht viel. Wenn wir erst mal so
weit sind, erkennen wir uns sowieso. Also komme ich um eine Ge-
sichtsoperation nicht herum.

MERKUR: Nein, ich hab' schon alles vorbereitet. Wir können anfangen,
gleich hier. Sind Sie bereit?

JUPPITER: Na ja, es muß wohl sein. Aber ohne Narkose bitte, ich spüre
keine Schmerzen.

MERKUR: Also, legen Sie sich hin. Ich hole Nephrosyne, sie wird mir as-
sistieren. *(Er geht zur Tür und ruft)* Nephrosyne, bitte zur Operation!
Meinen Kittel und meine Instrumente! *(Zurück zu Jupiter, der sich auf
der Liege ausgestreckt hat)* Wenn Sie Amphitryon sind, dann werden Sie
den Schmerz schon spüren. So, ich decke Sie jetzt hier zu. *(Nephrosyne*

kommt, in der Tracht einer Krankenschwester, mit Merkurs Chirurgenausrüstung, also dem Kostüm und den Instrumenten) Ah, da sind Sie ja! Stellen Sie die Instrumente dorthin. *(Er zeigt auf einen Tisch. Nephrosyne beginnt ihn als Chirurgen einzukleiden, wobei er die Hände ihr entgegenstreckt und die Kommandos gibt)* Handschuhe, Mütze, Kittel, Mundschutz, *(zu Jupiter)* es wird ganz schnell gehen.

JUPITER *(hat sich wieder aufgestützt und Merkur staunend zugesehen)*: Merkur, haben wir uns mißverstanden? Ich soll doch verwandelt werden, nicht du. Was soll denn der Hokuspokus? Du siehst ja albern aus. Und dieses Feigenblatt da vor dem Mund, als ob du dich genierst.

MERKUR: Das muß sein. Als Merkur trauen Sie mir eine solche schwierige Operation nicht zu, darum mach' ich mich zu einem Medizinmann, dann habe ich höhere Kräfte. So, jetzt legen wir uns zurück. *(Zu Nephrosyne, die Jupiters Gesicht reinigt)* Nehmen Sie bitte Alkohol zur Reinigung. *(Zu Jupiter)* Man merkt, Sie verstehen nichts von Humanmedizin, und ich muß Sie doch zu einem Menschen machen. Der Geist der Medizin ist leicht zu fassen: er liegt in der richtigen Darstellung. Das ist wie auf dem Theater, man braucht Kostüme. Das ist das Geheimnis des Hippokrates. *(Zu Nephrosyne)* So, das genügt! Kauterisator! *(Sie reicht ihm das Instrument; er beginnt zu operieren und plaudert dabei weiter, wobei er zwischendurch an Nephrosynes Adresse kurze Kommandos ausspricht, während diese ihm assistiert)* Wußten Sie, daß Hippokrates früher Schauspieler war? Er hält es geheim, aber sein Erfolg belegt es. Er arbeitet mit Galvanokaustik, da kann er ohne Blutverlust operieren. Doch die Krone der Kunst ist immer noch die plastische Chirurgie, finden Sie nicht? Durch Transplantation der Haut vom Gesäß oder von der Stirn können wir Lider, Nase, Lippen, Wangen, alles ersetzen. Ich sehe den Tag, an dem man den Alternden wieder ein junges Gesicht gibt. Das kleine Skalpell, bitte. Wir wollen unter die Nasenflügelchen hinein. Aber darin ist die Chirurgie von der Kriegskunst abhängig: je schlimmer die Wunden, desto größer die Herausforderung. In den Perserkriegen wurden die kühnsten Operationen durchgeführt, und schließlich hat Hippokrates das alte Glüheisen durch die aseptischen Messer ersetzt. Er hält sie in strömenden Dampf, das war ein wirklicher Fortschritt. Wenn einmal ein langer Friede herrschen sollte, wird das die Chirurgie hart treffen, aber da hab' ich eigentlich wenig Befürchtungen, im Gegenteil, ich sage der Chirurgie einen großen Aufschwung voraus. Den Spiegel, bitte. Vor allem aber muß der Operationsraum warm sein, sonst kühlt der Patient leicht aus. Nein, hierhin mit dem Spiegel, wir wollen doch etwas sehen. Entscheidend ist natürlich die Betäubung, Alkohol taugt da nichts, weil der Patient nüchtern sein muß. Wäre es anders, könnte man sich vor Patienten nicht retten. Aber lieber ein berühmter Säufer als ein anonymer Alkoholiker, sage ich immer. So, jetzt wollen wir mal sehen, aha, die Nadel. Danke. Die Spannung steigt, und wir stechen zu. Die Drainagenadel, schnell! Ja, jetzt haben wir's. Und dann noch hier. So, das wäre geschafft. Nun eine kleine Äskulap, und dann brauchen wir Klammern. So, ja, jetzt haben wir die kleinen, süßen Hämostate zugeklammert. Und nun etwas Antiseptikum. Nein, das ist zuviel! Wir wollen doch nicht den ganzen Olymp sterilisieren, wie, Schwester?

NEPHROSYNE: Bei Jupiter würde das kaum gelingen.

JUPITER *(grunzt).*

MERKUR: Beim großen Äskulap, bringen Sie ihn jetzt nicht zum Lachen, sonst ist alles für die Katz. Die Wundhaken. Aha, das geht ja wunderbar. Eins, zwei, drei, und wie viele Nähte haben wir jetzt? Ich glaube, das sollte halten. So. *(Zu Nephrosyne)* Jetzt gehört er Ihnen. *(Während Nephrosyne Jupiters Kopfverband arrangiert, der das ganze Gesicht bedeckt, tritt Merkur zurück und reißt mit einer Mischung aus Ermüdung, Kraft und Widerwillen die Handschuhe ab und dann den Mundschutz herunter)* Das hätten wir. Wir lassen jetzt den Verband noch ein paar Minuten dran, inzwischen geben Sie ihm die Injektion. Haben Sie sie fertig?

NEPHROSYNE: Ja, sie ist hier. Drei Kubikmilliliter Heparin in Zehnmillimeterlösung.

MERKUR: Gut. Das macht ihn zu einem Menschen. Injizieren Sie! Die Schmerzen sind jetzt nicht mehr schlimm. *(Sie tut es, Jupiter brüllt auf)* Sehr schön. Es wirkt. Er wird jetzt tatsächlich ein Mensch, der Ärmste. Und dann wollen wir mal sehen, Schwester. Ich danke Ihnen, Sie haben wundervolle Arbeit geleistet.

NEPHROSYNE: Danke. Darf er sich schon aufrichten?

MERKUR: Er muß sogar! *(Sie hilft Jupiter auf, so daß er auf dem Bettrand sitzt. Er hat einen völlig bandagierten Kopf)* Das Problem ist, der Verband darf nicht zu lange dran bleiben, sonst gibt's Gewebespuren. Und bringen Sie einen Spiegel, damit er sich gleich sehen kann! *(Sie tut es)* Am besten da, ins Licht. *(Sie trägt ihn nach vorne und holt dann einen Stuhl, den sie schräg hinter den Spiegel stellt)* Als erstes müssen wir alle Muskeln des Gesichts probieren. Die kleinste Lähmung könnte ja das Mienenspiel entstellen, und er wirkt wie ein Idiot. *(Merkur und Nephrosyne stützen Jupiter auf beiden Seiten, so daß er zum Stuhl gehen kann, auf den sie ihn sich setzen lassen)* Nun, jetzt geht's los! So, das geht ja wunderbar! Noch ein paar Schritte, und wir sind da! Jetzt wollen wir ihn enthüllen. *(Nephrosyne wickelt den Verband ab. Zum Vorschein kommt Amphitryon, in den sich Jupiter verwandelt hat)*

NEPHROSYNE: Phantastisch!

MERKUR: Tatsächlich, nicht schlecht! Aber wir wollen doch erst mal sehen, wie er sich bewegt. Wie fühlen Sie sich, Majestät?

JUPITER *(Sein Gesicht ist zunächst ganz starr, und er spricht durch die Zähne, dann vollführt er eine Pantomime, mit der er nach und nach alle wichtigen Gesichtsmuskeln in Gang setzt und prüft; sieht sich im Spiegel)*: Wer ist das?

MERKUR: Das sind Sie. Stimmt's, Nephrosyne?

NEPHROSYNE: Ja, Majestät, ich kann's bezeugen, Sie sind es.

JUPITER: Redet etwas lauter, ich kann euch kaum verstehen.

MERKUR *(lauter)*: Die menschlichen Ohren können die Stimmen der Götter so schlecht hören. Ihr Gehör wird sich gleich umstellen. Versuchen Sie jetzt, Ihre Gesichtsmuskeln zu bewegen. Können Sie lachen?

JUPITER *(probiert ein entsetzliches Grinsen, übt dann die Mundmuskulatur, schaut wieder in den Spiegel)*: Ich kann nicht lachen, es gibt nichts zu lachen. Erzähl was Lustiges, damit ich lachen muß!

MERKUR *(denkt nach, während Jupiter weiter vor dem Spiegel grimassiert)*: Mir fällt nichts ein. Erzählen Sie einen Witz, Nephrosyne!

NEPHROSYNE: Kommt ein Kreter nach Theben und sieht da einen ganz kleinen Jupiter-Tempel. Fragt er den Priester, wie eine so große Stadt mit einem so kleinen Jupiter-Tempel auskommen kann. Ja, sagt der

Priester, wenn alle reingingen, gingen sie natürlich nicht alle rein, aber da nie alle reingehen, gehen sie natürlich alle rein. *(Schweigende Reaktionen)*

JUPITER: War das der Witz? *(Jammernd)* Ich hab' ihn gar nicht verstanden! Merkur, ich kann nicht mehr denken, in meinem Kopf ist alles dumpf und schwarz.

MERKUR: Sie müssen sich eben daran gewöhnen, daß Sie jetzt ein Mensch sind. Außerdem war der Witz auch nicht komisch.

JUPITER *(lacht plötzlich und schreit dabei vor Schmerz auf)*: Oh, oh, oh, mein Gesicht, es zerspringt!

MERKUR *(zu Nephrosyne)*: Wir müssen ihn massieren. Nehmen Sie seinen Kopf! *(Sie tut es von hinten und beginnt zu massieren)* Vorsichtig, ganz sanft, ja, so, milde, milde! Was denken Sie jetzt?

JUPITER: Wie furchtbar es ist, ein Mensch zu sein. Ich spüre die Sterblichkeit, das Herz pocht, der Kopf rauscht, die Schulter zieht.

MERKUR: Können Sie aufstehen?

JUPITER: Ich will's versuchen. *(Steht mühselig und steif auf)*

MERKUR: Machen Sie ein paar Schritte. *(Jupiter springt in ein paar Sätzen durch den Raum)* Halt, halt, Sie müssen sich bremsen. Sie haben noch zu viel Kraft. *(Jupiter geht mühselig gemessen)* Ja, so ist's besser. Wo ein Fuß ist, folgt der andere, Schritt für Schritt. Wir werden das üben.

JUPITER *(bleibt plötzlich stehen und schaut Merkur merkwürdig an)*: Merkur, weißt du was?

MERKUR: Nein, was ist?

JUPITER: Ich merke, wie in mir ein übler Mißmut gegen dich emporsteigt. Mir schieben sich Gedanken in den Kopf wie: er spielt sich auf, er will mich schulmeistern, er meint wohl, weil er ein Gott ist, könnte er mich herumkommandieren. Woher kommen solche Gedanken?

MERKUR: Alles menschlich. So sind sie nun mal.

JUPITER: So mies und kleinkariert?

MERKUR: Ja, mißgünstig. Ich glaube, wir haben es geschafft.

JUPITER *(treibt Gymnastik)*: Und dann hab' ich so ein Ziehen, hier. *(Er zeigt auf seine Leiste)* Mir scheint, mein Bein fällt ab.

MERKUR: Das ist Amphitryons Narbe an der Leiste. Sie macht ihm noch manchmal zu schaffen. Nephrosyne, wir können uns gratulieren: die Verwandlung ist gelungen.

JUPITER: Es scheint, aus Göttern Menschen zu machen, ist doch leichter als aus Menschen Götter. Nein, nein, das ist wieder so ein häßlicher, mißgünstiger Gedanke. Ich will eure Leistung nicht verkleinern. Was ihr getan habt, ist phantastisch. Ich muß mich nur auf meine Göttlichkeit besinnen und darf diesen menschlichen Impulsen einfach nicht nachgeben. Ah, allmählich durchdringe ich diesen sterilen Leib. Er wird mir wohnlich. *(Er springt elastisch und sportlich herum)* Ja, man kann sich in ihm einrichten, und wenn man sich wohl fühlt, wird man auch angenehmer im Gemüt. *(Lacht plötzlich vergnügt)* Ha, Nephrosyne, du siehst so frisch aus heute, so attraktiv.

NEPHROSYNE: Danke, Majestät.

JUPITER *(schaut sie an)* : Merkst du denn noch, daß ich Jupiter bin und nicht Amphitryon?

NEPHROSYNE: Für mich sind Sie Jupiter, ganz gleich wie Sie aussehen.

JUPITER: Ach ja, und woran merkst du das?

NEPHROSYNE: An der Ausstrahlung, die ist unverkennbar, die Mächtigkeit der Gegenwart, eine Frau spürt das; und am Blitzen Ihrer Augen. *(Nephrosyne räumt nun die Instrumente ab)*

JUPITER: Wirklich? *(Zu Merkur)* Merkst du das auch?

MERKUR: Ich spür's vielleicht anders, aber ich spür's auch. Es ist unverkennbar, eine massive Präsenz. Die Atmosphäre um Sie herum ist stets geladen.

JUPITER: Ah, Kinder, ihr beruhigt mich. Ich hab' doch einen Schreck gekriegt. Mir war, als könnte ich in der Menschlichkeit von Amphitryon mich verlieren. Doch jetzt hab' ich mein Selbstvertrauen wieder. Mich drängt's, Alkmene zu erscheinen.

MERKUR: Noch heute nacht?

JUPITER: Warum nicht? Ich spür' in mir das Wachsen meiner Wünsche, und du mußt mich begleiten, und zwar in der Gestalt des Sosias, du weißt, Amphitryons Adjutanten. Er ist immer bei ihm. Es wäre unplausibel, wenn er nicht mit ihm kommt.

MERKUR: Und wer soll mich verwandeln? Nein, das geht nicht.

JUPITER: Das kommt ja nicht so genau drauf an. Du brauchst dich nur zu verkleiden. Du siehst ihm sowieso schon ähnlich, und wenn du dann noch sprichst wie er und gehst wie er, wird es schon reichen.

MERKUR: Aber er hat eine Frau. Sie wissen, ich tue alles für Sie, aber das nicht! Das können Sie nicht von mir verlangen. Mich in ein schwitzend, stöhnend Ungeheuer zu verwandeln und mir Entzückungsschreie von entsetzlicher Banalität ins Ohr schmettern zu lassen, die so gellen, als ob man im Begriff wär', eine Greisin zu ermorden, das ist barbarisch.

JUPITER *(schaut ihn traurig an):* Weißt du, Merkur, daß ich erst immer nachher so empfinde? Komisch; na ja, das alles ist jetzt gleichgültig. Du kannst ja einen Streit vom Zaun brechen, der dich schützt.

MERKUR: Aber heute nacht geht es nicht mehr. Ich muß mich doch vorbereiten.

JUPITER: Dann halt die Nacht an, daß sie länger dauert.

MERKUR: Eine Winternacht mitten im Sommer, das fällt auf!

JUPITER: Dann such mir Helios! Ich will ihn sprechen. Und nimm das Instrument da *(zeigt auf das Fahrrad)* wieder mit! *(Merkur auf dem Fahrrad ab)* Nephrosyne, komm her. *(Sie kommt zu ihm, und er umarmt sie)* Ich muß prüfen, ob das funktioniert.

Licht aus; Szenenende

IV. Die Männerhorde

Der Mann als Mitglied

In diesem Kapitel gilt es, uns einen Einblick in die Sphäre zu verschaffen, in der die Männer unter sich sind eine Welt, die die Frauen in der Regel gar nicht zu sehen bekommen. Frauen leiten ihr Urteil über Männer naturgemäß aus der Art ab, wie sie ihnen gegenüber auftreten. Oder sie schließen gar von ihren eigenen Einstellungen auf die der Männer und halten sie für normal. Doch das ist das Tor zur großen Illusion. Denn sie lassen außer acht, daß das Verhalten der Männer durch nichts so sehr bestimmt wird wie durch andere Männer.

Um uns das klarzumachen, müssen wir zurück zum Initiationsritus und zur Urhorde. Man könnte nun meinen, all das gebe es heute nicht mehr. Stammeskrieger und Mannbarkeitstests seien in unserer Zivilisation ausgestorben. Wer das glaubt, kennt keine Jugendgangs, keine Sportgruppen, keine Knabenrudel, keine Klassenmeuten. Natürlich versucht man, sie durch Koedukation weichzuspülen. Aber statt die Knaben zu zivilisieren, bietet man höchstens den Mädchen einen Vorgeschmack der Barbarei, die sie in der Ehe später erwartet. Und das kann eine heilsame Wirkung haben.

Auf jeden Fall ändert sich mit der Pubertät das Verhalten der Knaben dramatisch. Niedliche Buben werden durch eine chemische Metamorphose, in der die Hormone eine große Rolle spielen, in schauerliche Höhlenbewohner verwandelt. Nicht nur, daß ihnen das Schamhaar und der Bart sprießen und die Stimme bricht. Sie setzen von nun an alles daran, besonders grob, roh und barbarisch zu wirken. Zu diesem Zweck hat ihnen die Natur den Instinkt eingepflanzt, sich jedem zivilisierenden Einfluß zu entziehen und nur noch miteinander umzugehen. Mit anderen Worten: sie bilden Gangs. Sie formieren sich zu Horden. Wie Wölfe streunen sie in Rudeln. Und tatsächlich hat man in vielen Ländern beobachtet, daß Knaben und Hunde gemeinsame Rudel bilden. (Das bildet den Hintergrund zu den Geschichten über Wolfskinder von Romulus und

Remus bis zu Kiplings Mowgli aus dem »Dschungelbuch«). In unserer
Gesellschaft wird die Gang zum Ersatz der Wildnis, in die die Knaben der
Stammesgesellschaft geschickt wurden. Jugendgangs sind kulturfreie Zonen. Die Gesetze der Zivilisation sind in ihnen außer Kraft gesetzt. Hier
herrscht nur ein Gesetz, das aber absolut: das Gesetz der Konkurrenz.

Es bezieht sich auf die Hierarchie der Horde. Jeder konkurriert um einen besseren Platz in der Rangordnung der Gruppe. Eben deshalb muß
die Gruppe durch hierarchische Ränge gegliedert sein. Das Prinzip hat
William Golding in seinem Roman »Der Herr der Fliegen« sehr anschau-
lich geschildert. Die Geschichte handelt von einer Gruppe Knaben, die
nach einer Notlandung ihres Flugzeugs auf einer tropischen Insel in einen
urtümlichen Zustand der Barbarei zurückzusinken droht. Es gibt unzählige weitere Schulromane, in denen die Meutenbildung von Knaben immer wieder dargestellt wird.

In dieser Horde lernt der Knabe, daß die Aggression, der er ausgesetzt
wird, nicht ihm persönlich gilt, sondern zur Struktur der Gruppe gehört.
Er begreift, daß diese Aggressivität durch die Konkurrenz in ein überper-
sönliches Prinzip verwandelt wird. So wie man mit ihm konkurriert, so
wird von ihm erwartet, daß er den Wettbewerb annimmt und mitspielt. Je
erfolgreicher er dabei ist, desto mehr Beifall erntet er von der Gruppe.
Dagegen ahndet die Gang Friedlichkeit und die Weigerung zu kämpfen.
Sie empfindet das instinktiv als Angriff auf den Zusammenhalt der Gang.
Offiziell bestraft sie es als Spielverderberei. So handelt nur jemand, der
sich nicht an die Regeln hält. Das kennzeichnet die Konkurrenz als Spiel.
Darin reproduziert die Gruppe die Regeln von Mannschaftssportarten,
bei der eine Mannschaft gegen die andere kämpft. Eine Mannschaft ist
eine Gang, und um die Plätze in ihr herrscht rege Konkurrenz.

Die Gang ist also der Ort, in der der Jungmann es lernt, die Aggressivität zu zeigen und auszuhalten, die ihn zu einem Mitglied der Gruppe
macht. Dabei steht hinter jeder besonderen Mitgliedschaft letztlich die
allgemeine Mitgliedschaft im weltweiten Club der Männer. Wer von
Männern in ihre Gang eingeladen wird, ist selbst ein Mann. Wer ihre Anerkennung verliert, verliert seine männliche Identität. Deshalb sind Männer für andere Männer so wichtig. Ihre Achtung entscheidet über die ei-

gene Selbstachtung. Und deshalb haben es Söhne von alleinerziehenden Müttern so schwer.

Das führt zu einer weiteren Kernaussage:

Der Mann an sich ist von Natur aus ein Mitglied.

Und zwar ist er ein Mitglied im Club der Mitglieder. Das prädestiniert ihn für die Politik. Das trainiert ihn für das Verhalten in Gremien. Das macht ihn zu einem Wesen, das sich in Ausschüssen wohlfühlt, und befähigt ihn, Freundschaftszirkel, Seilschaften und Klüngel zu bilden, ein Vorgang, der Frauen vielfach verschlossen bleibt. Die Auswahl der politischen Freunde erfolgt nämlich nicht nach persönlicher Sympathie. Private Vorliebe hat nichts damit zu tun. Vielmehr erfolgt sie nach dem Kriterium des Bündniswerts. So können zu den Freunden auch ehemalige Gegner gehören. Ja, es kommen sogar solche in Frage, die einem in der Vergangenheit erhebliche Verletzungen zugefügt haben. Ihre Gefährlichkeit macht es empfehlenswert, sie zum eigenen Lager zu zählen. So wie man in alten Kriegergesellschaften das Herz des besiegten Feindes aß, so fügt man die Kraft des ehemaligen Gegners der Stärke der eigenen Gruppe hinzu.

Der Pflege dieser Seilschaften, Freundschaftszirkel und Klüngelrunden widmet der Mann außerordentlich viel Zeit. Seine Frau ist in aller Regel außerstande, die Faszination zu teilen, die von den endlosen Strategiebesprechungen und Planungsrunden ausgeht. Sie sieht nicht, daß sich hier die Jagdgesellschaften formieren. Hier wird abgesprochen, welches Wild erlegt wird und wer zum Schuß kommt und wer die Signale gibt und wer die Meute führt. Weil die Komitees und Gremien in der Regel in rauchgeschwängerten Hinterzimmern tagen, kann sie sich kaum ein Bild von ihnen machen. Will sie sich das veranschaulichen, sollte sie auf dem Sportkanal des Fernsehers ein amerikanisches Football-Spiel suchen und trotz des Durcheinanders eine Weile zusehen. Da sieht sie, wie die Spieler der ballführenden Mannschaft – der Ball ist erkennbar daran, daß er wie ein Ei aussieht – periodisch mit ihren Leibern eine Art Iglu bilden. Das heißt, die Spieler stellen sich in konzentrischen Kreisen auf, beugen sich vor, verflechten ihre Arme und stecken die Köpfe zusammen, so daß sie alle miteinander ein flaches Kuppelgewölbe bilden. Diese Haltung, in der sie sich unter anderem über die Strategie für den nächsten Spielzug verständigen, bietet die Illustration eines Klüngels, der die nächste Komiteesitzung vorbereitet.

Im Ausschuß gewinnt die Horde ihre höhere Form. Viele Ausschüsse bilden zusammen ein Biotop, in dem sich zahlreiche männliche Arten und Unterarten gebildet haben. Ein Blick auf ein paar von ihnen rechtfertigt einen Sprung in die Porträtgalerie. Deshalb betreten wir für einige Minuten die Porträtgalerie der Männertypen, wo ein Gruppenbild auf uns wartet.

Fünfter Abstecher in die Porträtgalerie der Männertypen: Gremienmitglieder und Stammtischbrüder

Durchmißt man das Land der Gremien, auch bekannt als das Reich der Goldenen Horde, folgt man einer Stufenlandschaft, für die der Grundsatz gilt: Je höher das Niveau, desto größer der Einfluß und desto weiter entfernt von der ursprünglichen Gestalt der Horde. Es beginnt unten in der Tiefebene der Fanclubs der Fußballvereine, der Kegelclubs und der Saufbrüderschaften, erhebt sich von da zum Stammtisch als der Form des plebejischen Krakeelparlaments, klettert weiter auf die Hochebene der zahlreichen Vereine, vom Taubenverein über den Gemeinnützigen Verein zur Unterstützung der Lesekultur bis zum Interessenverband der Grundstücksbesitzer. Darüber türmt sich das Hochgebirge der politischen Gremien. Über ihnen sieht man die schneebedeckten Gipfel der Partei-, Parlaments- und Regierungsausschüsse, überragt vom Mount Everest des Kabinetts.

Das Gremium ist die Horde im Zustand der Veredelung. Trotz der bahnbrechenden Forschungen des großen Northcote Parkinson ist es noch immer ein vergleichsweise rätselhaftes Soziotop, und Frauen werden selten ganz in ihm heimisch. Das liegt an einer tiefverankerten Paradoxie: Obwohl es ein Instrument der Konkurrenz ist, führt es zur sozialen Einigung. Durch diese Paradoxie wird das Gremium zu einem Röntgenapparat der Männlichkeit: Es bringt alles zutage, was der Mann an Schwächen in sich trägt. Und das ist eine ganze Menge.

So begünstigt es den Nichtstuer gegenüber dem Macher. Denn nur wo etwas geschieht, kann sich das Gremium auch damit befassen. Da es große Machtbefugnis mit der Unverantwortlichkeit jedes einzelnen verbindet, kann der Nichtstuer alles verhindern. Dies zu demonstrieren liegt in seinem Interesse, damit die anderen sehen, daß seine Zustimmung etwas wert ist. Das zwingt die Macher dazu, sich sein Wohlwollen dadurch zu erkaufen, daß sie ihn in ihre Freundschaftszirkel, Seilschaften und Interessenkartelle aufnehmen.

Deshalb bietet das Gremium eine rational begründete Dauerversuchung, sich mit Berufung auf wolkige Grundsätze und Prinzipien von großer Erhabenheit ungebremst aufzuspielen. Dabei bilden sich je nach charakterlicher Neigung unter den Gremienmitgliedern verschiedene Typen heraus, die wie Röntgenbilder wirken. Sie erlauben den Durchblick auf das innere Charakterprofil, das die Männlichkeit in jedem Mitglied angenommen hat. Wer ihren Lebensabschnittsgefährtenkandidaten testen möchte, könnte deshalb nichts Besseres tun, als ihn unter dem Vorwand des Interesses in einem Gremium beobachten, falls das technisch möglich ist. Sie wird ihn dann in der männlichsten aller Beleuchtungen sehen. Wenn sie sich dann noch während der Debatte in seine Gegner hineinversetzt, kann sie einen Blick in ihre Zukunft tun und sie deshalb gleich vermeiden. Insofern die Gremien in den Männern das Übelste hervorlocken, eignen sie sich besonders als Basis für realistische Prognosen. Die Forschung hat bis jetzt zehn Gremientypen identifiziert.

1. Der Verhinderer

Er ist ein Feind aller Leistungswilligen. Sein oberstes Ziel besteht darin, jede Aktivität zu ersticken. Für ihn ist das Gremium das Äquivalent eines Bermudadreiecks, in dem alles, was sich bewegt, verschwindet. Psychologisch leidet er am I-plus N-Syndrom, der Kombination von Inkompetenz und Neid. Ideologisch ist er radikal egalitär. Er warnt vor den Gefahren der Selbstprofilierung und predigt die Tugenden der Unauffälligkeit. Seine eigentliche Utopie ist die endgültige Stagnation, der Zustand der Entropie, in dem der Ausgleich zwischen allen Energieunterschieden ein für allemal verbirgt, daß er sich schwächer fühlt als sein Konkurrent.

2. Der Chaot

Für ihn ist das Gremium eine Maschine zur Produktion von Turbulenzen. Mit ihrer Hilfe kann er seine anarchistischen Instinkte ausleben. Deshalb ist er auf die Zerstörung von Sinn spezialisiert. Ein dunkler Einwand des Chaoten, eine quer zur Tagesordnung liegende Frage, eine unklare Unterstellung – und schon breiten sich Wellen der Finsternis aus. Erst wenn alles in nachtschwarze Dunkelheit gehüllt ist und nur noch die Hilferufe der Umherirrenden zu hören sind, hält der Chaot mahnende Reden über mangelnde Disziplin und fehlende Klarheit.

3. Der Gesellige

Für ihn ist das Gremium der Ersatz des Freundeskreises, den er nicht hat. Während der Ausschußsitzung lebt er auf. Er plaudert, er meldet sich, er erläutert, er erweitert die Fragestellung, er hinterfragt, er gibt zu bedenken, er macht darauf aufmerksam, und er schließt sich dem Vorredner an. Seine größte Angst ist, daß die Gremiensitzung je zu Ende gehen könnte. Deshalb behandelt er jeden Tagesordnungspunkt wie eine Zitrone, aus der man das Maximum an Problematik herauspressen muß. Und wenn er dann doch zum nächsten Tagesordnungspunkt übergehen muß, sieht man ihn vor Abschiedsschmerz vergehen.

4. Der Betroffene

Für ihn ist das Gremium eine Plattform für Appelle, eine Gelegenheit, seine Wut und Trauer zu zeigen und seine Betroffenheit vorzuführen. Hier werden die Prinzipien formuliert, deren Verletzung beklagt wird, und die Resolutionen zur Bekräftigung anderer Prinzipien beschlossen. Hier wird der Schmerz der Welt beschworen und das Pathos des Allgemeinen gepflegt. Fühlt der Betroffene sich in der Sachkompetenz auch unterlegen, macht er das in Gefühlsintensität wieder wett. Hier läßt er sich von niemandem übertreffen. Davon leitet er das Bewußtsein seiner moralischen Überlegenheit ab. Und so spielt er bei jeder Gelegenheit das Gewissen der Welt.

5. Der Inquisitor

Er lenkt die Wut und die Trauer des Betroffenen in die verfahrenstechnischen Bahnen der heiligen Inquisition. Wo moralische Prinzipien sind, sieht er Ketzer. Und wo er Leiden spürt, sucht er nach Schuldigen. Er ist der Hohepriester der politischen Korrektheit, der mit seinen Bannflüchen und Tribunalen eine wahre Anschuldigungsindustrie betreibt, um den Glauben mit dem Blut der Schlachtopfer zu nähren. Für ihn ist deshalb das Gremium immer schon eine Inquisitionsbehörde, an der er den Formalismus des Verfolgungsapparats schätzt. Ihn kennzeichnet die unpersönliche und entfesselte Verfolgungswut der Befragungsexperten, die vom Großinquisitor Torquemada bis zu Stalins Folterknecht Berija immer nur auf eins hinarbeiteten: die Selbstbezichtigung als letzte Erniedrigung des Opfers.

6. Der Theatraliker

Für ihn ist das Gremium eine Bühne, auf der er sich für seine Wählerschaft und seine Fangemeinde sichtbar machen kann. Ihrer bedienen sich deshalb vor allem die Mitglieder, die sich als Delegierte von großen Interessengruppen empfehlen müssen. Sie brauchen den großen Auftritt, den spektakulären Prinzipienstreit, die demonstrative Geste, die außerordentliche Gelegenheit. Sie haben ein Bewußtsein von dem Showwert solcher Demonstrationen und erwarten deshalb von den anderen Mitgliedern ein augenzwinkerndes Verständnis für das Inszenatorische ihrer Dramen einschließlich ihrer latenten Verachtung des Publikums, das auf eine Weise getäuscht werden will, die den Betrug zum Genuß macht.

7. Der Schlichter

Er ist der Moralist der zweiten Ebene, sozusagen der Parasit des Gremiengezänks. Während der Debatte hält er sich so lange zurück, bis die Argumente sich wiederholen und die Beleidigungen zunehmen. Dann tritt er auf den Plan wie der Erzengel Gabriel nach dem Sündenfall. Er trauert über die betrübliche Tatsache, daß Politiker nicht besser miteinander umgehen können. Er ist entsetzt über die Abgründe an Bosheit, in die er hat blicken müssen. Er denkt an das betrübliche Bild, das sich den anderen

Bürgern bietet. Damit gewinnt er sowohl den Beifall des Publikums, dem
sich beide demoralisierten Parteien mit der Unterstellung anschließen,
der jeweils andere sei schuld, als auch den moralischen Vorteil, seine eigene Neuformulierung der Abstimmungsvorlage zugleich als friedensstif-
tende Maßnahme anbieten zu können.

8. Der Pedant

Er ist der Virtuose der Anfrage und der Kontrolleur des Protokolls. Für ihn
ist die Zügigkeit der Verhandlung gleichbedeutend mit Oberflächlichkeit.
Deshalb hat er ein feines Ohr für Timing. Erst wenn der Zug sich in Bewegung gesetzt und Fahrt gewonnen hat, stellt sich der Genuß ein, der
von einer Vollbremsung im Dienste der Genauigkeit ausgeht. An den
quietschenden Rädern spürt der Pedant die Macht, die ihm das Diktat des
Tempos mit dem Pathos der Zuverlässigkeit zuspielt. Er ist im Sozialen,
was die Gravitation im Bereiche der Materie ist. Er sorgt dafür, daß niemand abhebt und daß, wer zu laufen versucht, auf jeden Fall stolpert.

9. Der Erzähler

Er ist der Repräsentant des Lebensstoffs, der jeden Formalismus überwu-
chert wie der Dschungel die Mauern der Ruinenstadt. Deshalb wird jede
Problemlage für ihn zum Exempel, zum Kasus, ja, zur Novelle. Darin sind
alle Fragen durch das Leben selbst schon gelöst. Meistens ist es sein eigenes Leben, das er in Form der Erzählung als vorbildlich anbietet. Seine
Dimension ist die Vergangenheit, für die es keine Probleme mehr gibt.
Dadurch ist er zugleich allen anderen voraus, denen er seine Erzählung –
so wie er mit der Sache fertig geworden ist – als Tor zu ihrer Zukunft anbieten möchte. Zwischen ihm und dem Rest des Gremiums herrscht die
gleiche Beziehung wie zwischen Troubadix und den Galliern: entweder
sie bringen ihn sofort zum Schweigen oder sie leiden.

10. Der Spieler

Er liebt Gremien, wie andere den Fußball lieben. Er verfolgt die Dramaturgie einer Sitzung mit der gleichen fachlichen Hingabe, die ein Fuß-
ballanhänger dem Spiel seines Vereins widmet. So wie Fußballfans den

Schwung eines Angriffs mitempfinden und die Eleganz einer Bananen-
flanke nachschmecken, können sich Gremienfans für die strategische Ra-
finesse eines Geschäftsordnungsantrags begeistern und die Subtilität eines
Rückkommensantrags auskosten. Die Loyalität zur eigenen Gruppe ist
dabei weniger eine Frage der Überzeugung als eine Bedingung des Spiels.
Auch die verhandelte Sache bedarf keiner anderen Eigenschaft als der
Fußball. Sie muß so makellos rund sein, daß sie sich dazu eignet, in jede
Richtung getreten zu werden. Der Gremienfan führt zwar seine politischen Parolen im Munde, trägt aber eine Geschäftsordnung im Herzen.
Ihn treibt nicht die Überzeugung für die Sache, sondern die Funktions-
lust bei der Beherrschung der Spielregeln.

Stammtischbrüder ...

... sind Männer, die nicht Mitglieder eines Ausschusses oder eines Komitees sind. Sie gründen informelle Runden, zu denen sie sich regelmäßig
versammeln. In den meisten Gegenden Deutschlands wird diese Runde
als Stammtisch bezeichnet. Der Stammtisch ist eine Einrichtung, in der
Männer bei parallellaufendem Konsum von Alkohol zwanglos Dinge des
öffentlichen Lebens besprechen. Die Organisation ist lockerer als bei einem Ausschuß. So gibt es keinen Vorsitzenden, keine Tagesordnung und
kein Protokoll. Zum Ausgleich können sich aber die Lautstärke und die
Nachdrücklichkeit der Rede durchsetzen. Der Stammtisch hat also eine
größere Freiheit, seine Zustände von Moment zu Moment selber zu bestimmen. Statt sich an vorher auferlegte Regeln halten zu müssen, hat der
Stammtisch sich dem Gesetz von Kommunikationsformen unterworfen,
die zwar typisch männlich sind, aber in formellen Gremien selten so flä-
chendeckend zur Anwendung kommen. Das sind das sogenannte Sprücheklopfen und das Witzeerzählen.

Im Sprücheklopfen wird die verbale Konkurrenz zur Kunstform. Ein
Spruch bezieht sich in der Regel in satirischer Absicht auf ein Mitglied
der Runde und rückt ihn in ein komisches Licht. Er ist gelungen, wenn er
sich durch eine witzige Form rechtfertigt. Dann erntet der Sprücheklopfer den Beifall der Runde. Schlichte Aggression ist also verpönt. Das Opfer hat nun die Gelegenheit, sich durch eine noch witzigere Bemerkung

über den Spötter zu rächen. Gelingt ihm dies und kann er gar den Spruch
des Spötters gegen diesen selbst wenden, erntet er den doppelten Beifall
und zieht die Runde auf seine Seite. Stellen wir uns vor, Helmut Kohl
sagt zu Joschka Fischer:»Wenn man Sie ansieht, muß man denken, es sei
eine Hungersnot ausgebrochen.« Darauf Joschka:»Und wenn man Sie ansieht, denkt man, Sie seien dran schuld.« Damit hat sich Joschka Fischer als
jemand ausgewiesen, der vor der symbolischen Erniedrigung nicht ein-
knickt oder beleidigt reagiert, sondern Humor mit Selbstbewußtsein und
Geistesgegenwart verbindet. Die anderen Mitglieder möchten auch so
sein wie er. Sie werden ihm johlend Beifall zollen. Sprücheklopfen ist
zwar wettbewerbsorientiert, fördert aber den Zusammenhalt der Gruppe
durch einen Test. Wer den Test besteht, gehört weiterhin zur Gruppe. Und
diese definiert sich dadurch, daß sie nur aus Personen besteht, die den Test
bestehen. Wer sich immer wieder beleidigt fühlt, gehört nicht mehr dazu.
Dieser Kommunikationsform können Frauen selten etwas abgewinnen.
Werden sie in Form von Frotzeleien in solch eine Testgemeinschaft mit-
einbezogen, mißverstehen sie das häufig als eine vulgäre Aggression, die
ihnen persönlich gilt. In Wirklichkeit ist es das Kompliment einer ver-
kappten Beitrittsaufforderung.

Komplementär zum Sprücheklopfen ist das Witzeerzählen. Es dient der
Integration der Gruppe ohne den Streß der Konkurrenz oder der Aus-
schlußdrohung. Statt dessen dürfen die einzelnen ihre Unterhaltungsqua-
litäten vorführen, ohne eigene Reden halten zu müssen. Dabei kommt jeder an die Reihe, wobei die Gruppe das Publikum spielt. Auch in dieser
Disziplin sind Frauen unterrepräsentiert. Sie scheinen es schwierig zu finden, während der Erzählzeit die Aufmerksamkeit der Zuhörer zu beanspruchen und die Spannung der Erzählung bis zuletzt aufrechtzuerhalten.
Statt es zu genießen, die Aufmerksamkeit aller so lange fesseln zu dürfen,
scheinen sie die Erzählung der Sache nicht für wert zu halten. Sie wissen
nicht, daß es nicht um die Story geht, sondern um die Performance. So
lassen sie häufig mitten im Witz die Spannung zusammenbrechen, kommentieren ihre eigene Performance (»Ich kann keine Witze erzählen ...«,)
entschuldigen sich und vermasseln so die Pointe.

Die mangelnde Übung in dieser Disziplin hat einen Grund: Frauen kennen den Notstand nicht, der das Sprücheklopfen und Witzeerzählen der Männer erst ermöglicht: Wenn sie nicht politisieren oder sonstige Debatten führen, stehen die Männer plötzlich vor der schrecklichen Aussicht, sich über persönliche Dinge unterhalten zu sollen. Das aber würde ihre Gefühle berühren, die sie peinlich finden. Um diese Art Gespräch zu vermeiden, dreschen sie Sprüche und erzählen sich Witze. Da Frauen diesen Notstand nicht kennen, bleibt ihnen der Sinn dieser Exerzitien verschlossen.

Das Sprücheklopfen kann manchmal zur Mythenbildung führen. Einige Stammtische haben es zu richtiger Berühmtheit gebracht. Denken wir an die Tafelrunde von König Artus und seinen Rittern oder Shakespeares Stammtisch in der Mermaid Tavern. Oder auch an den Literary Club eines der bedeutendsten Sprücheklopfer der Kulturgeschichte: Dr. Samuel Johnsons. Auch der Begriff »Das letzte Abendmahl« deutet darauf hin, daß sich die Runde regelmäßig traf.

Am Stammtisch bilden sich noch stärker als in den Gremien die Profile der Selbstdarstellung heraus. Entsprechend gibt es den Wortführer, den Imponiertyp, den Wadenbeißer, den Besserwisser, den Fanatiker, den Belehrer, den Moralischen, den Empfindlichen und den Aufgeblasenen schlechthin. Und nach dieser Inventur kehren wir zum Hauptteil zurück.

»Männlich« und »Weiblich« sind Dialekte

Während die Knaben in ihren Gangs ihre Initiationsriten und Härtetests durchleiden – was tun da die Mädchen? Weitgehend sich selbst überlassen, betreiben sie ihr eigenes Konkurrenzspiel: sie konkurrieren um Intimität. Sie buhlen um die beste Freundin. Sie lernen, sich zu zweit oder in Minicliquen von den anderen abzusondern und durch Geheimsprachen, Pseudogeheimnisse und generelles Gewisper und unverständliches Gelächter die Aura von Exklusivität zu verbreiten. Ihr Ziel ist nicht die Zugehörigkeit zu einer mächtigen Horde wie bei den Knaben, sondern die Mitgliedschaft in einer exklusiven Intimgemeinschaft. Sie üben schon für die Sonderbeziehung.

Dieser Unterschied in der Sozialisation von Mädchen und Knaben hat die Linguistin Deborah Tannen dazu veranlaßt, in ihrem vielbeachteten Buch »Du kannst mich einfach nicht verstehen« eine Theorie der Mißverständnisse zwischen den Geschlechtern zu entwerfen.

Die Originalität von Deborah Tannens These besteht in der Annahme, daß die Ausdrücke »männlich« oder »weiblich« ungefähr in dem Sinne gebraucht werden sollten wie »holländisch« oder »bayerisch«. Das sind Dialekte oder, wie Tannen sagt, »Genderlects« (von »gender« = Geschlecht und Dialekt), die sich dadurch herausgebildet haben, daß Mädchen und Knaben in verschiedenen Sprachwelten aufwachsen. Diese Dialekte teilen zwar das Vokabular und die Grammatik, nicht aber die Regeln des Sprachgebrauchs.

Während der Pubertät, in der beide Geschlechter in gleichgeschlechtlichen Gemeinschaften groß werden, lernen die Mädchen eine Beziehungssprache. Sie sehen die Welt als Netzwerk von Gemeinschaften, in denen es gilt, durch Sprechen Nähe zum Gesprächspartner zu schaffen, Sympathie zu wecken und seine Aussage zu bestätigen. Deshalb führen Frauen fast nur symmetrische Gespräche. Sie dienen dazu, Bindungen zu stiften.

Männer dagegen erleben die Welt als System von Hierarchien, in dem es gilt, einen guten Platz zu erobern. Bei ihnen dient die Kommunikation der Konkurrenz und dem Imponiergehabe. Ihnen geht es darum, klarzustellen, wer der Überlegene ist. Sie übertrumpfen sich verbal und kämpfen um den höheren Rang. Sie führen deshalb vorzugsweise asymmetrische Gespräche. Ihnen geht es nicht darum, Nähe herzustellen, sondern den eigenen Rang zu behaupten und die anderen auf ihre Plätze zu verweisen. Sie bedienen sich deshalb einer Feststellungssprache im Dienste des Imponierstils.

Die Mißverständnisse setzen ein, wenn beide Dialekte aufeinandertreffen. Da die Beteiligten nicht wissen, daß sie zwei verschiedene Sprachen sprechen, übersetzt jedes der beiden Geschlechter die Aussagen des anderen Geschlechts in die eigene Sprache. Nun gebrauchen Frauen zur Herstellung von Nähe und Intimität häufig Rückfragen, Bestätigungen, Zustimmungsäußerungen und Entschuldigungen. Übersetzt in die Imponiersprache der Männer aber bekommen sie einen anderen Stellenwert. Sie wirken dann wie Gesten der Unterwürfigkeit und der Unsicherheit.

Aber auch in entgegengesetzter Richtung stellen sich schwerwiegende Mißverständnisse ein. Auf Frauen, die die Konkurrenzsprache der Männer in ihren Intimstil übersetzen, wirkt das so, als würde ein Wolf in eine Schafherde einbrechen. Die Intimität wird nicht respektiert. Statt dessen wird die Nähe zu einer Aggressivität ausgenutzt, die um so verletzender wirkt, als sie in der Intimität verboten ist. So erleben die Frauen die Attacken als persönlichen Affront und werden sich gegebenenfalls durch einen Gegenaffront rächen.

Damit aber verkennen sie die Eigenart der Imponier- und Konkurrenzsprache. Männer konkurrieren nicht nur mit einer bestimmten Person, sondern mit allen. Und nicht nur mit Frauen, sondern auch und primär mit Männern. Daß Frauen sich ständig unfair attackiert fühlen und alles als Diskriminierung auslegen, liegt daran, daß sie den männlichen Dialekt nicht verstanden haben. Männer diskriminieren jeden, nicht nur Frauen. Für sie ist die Konkurrenz ein Spiel, dessen Beherrschung sie auch Frauen unterstellen. Sie erwarten, daß auch sie das als eine Art Ritual verstehen. Dieses Ritual dient nicht nur der Eroberung besserer Positionen in der Hierarchie, sondern auch der Bestätigung der eigenen Identität.

Frauen gehen also fehl, wenn sie den konkurrenzorientierten nieder-

machenden Stil der Männer nur auf sich beziehen und übelnehmen. Die
Männer sprechen einfach nur »Männlich«. Breitet sich dieses Mißverständnis in der Kommunikation aus, führt das in der Regel zur Eskalation.
In einer Diskussion etwa beantwortet die Frau die vermeintlich unprovo-
zierte Aggressivität des Mannes mit einer emotionalen Attacke von solcher Heftigkeit, daß diese wiederum den Mann überrascht, da er doch
nur das übliche Konkurrenzritual hat ablaufen lassen. Weil er sich nun seinerseits unfair behandelt fühlt, legt er den dritten Gang ein und teilt jetzt
erst richtig aus.

In der gleichen Weise halten Männer und Frauen, die in der öffentlichen Sphäre aufeinandertreffen, sich wechselseitig für besonders aggressiv. Die Frauen erleben die Männer als brutal, weil sie ständig ihre Versuche, Nähe herzustellen, als Unterwerfungsgesten mißdeuten; und die
Männer halten die Frauen für Mimosen, weil sie sich ständig diskrimi-
niert fühlen, die Spielregeln der Konkurrenz nicht begreifen und alles
persönlich nehmen. Dabei haben sie nur das Spiel nicht gelernt.

Da der Intimstil der Frauen zum Privaten paßt, der Konkurrenzstil der
Männer aber die öffentliche Kommunikation beherrscht, kommt es darauf an, wo die Begegnung zwischen den beiden stattfindet: in der Öffentlichkeit oder in der Privatsphäre.

Öffentlich und privat

Seit dem 18. Jahrhundert gibt es die zwei Sphären des Öffentlichen und
des Privaten. Bis dahin war gewissermaßen alles öffentlich. Die Verständi-
gung zwischen den Menschen wurde durch die gesellschaftliche Hierarchie geregelt. Sie verlief von oben nach unten. Der Höherstehende durfte
den unter ihm Stehenden spontan anreden und mit ihm kommunizieren,
wie es ihm paßte. Umgekehrt galt das nicht. Da war die Anrede an komplizierte Voraussetzungen der Etikette gebunden. Erst nach dem Ablauf eines windungsreichen Zeremoniells konnte der sozial Tieferstehende mit
dem Hochrangigen in Beziehung treten. Am augenscheinlichsten war das
im Falle des Königs oder Gottes. Da mußte man sich bestimmter Formeln

bedienen und durfte sich der Hoheit nur zu bestimmten Zeiten nähern. Aber im Prinzip galt das gleiche für jeden Höherstehenden in der Gesellschaft.

Ein solches Verhalten war nicht spontan, sondern folgte einem Skript, das für verschiedene Positionen verschiedene Rollen vorsah: Ein Herzog verhielt sich anders als ein Lakai und ein Kaufmann anders als ein Fuhrknecht. In einer solchen hierarchischen Gesellschaft bestand die Rolle eines jeden Menschen in seiner sozialen Position. Diese Position war eingebettet in seine Familie. Diese bot ihm seinen sozialen Ort.

Dabei bestand die Familie nicht wie heute nur aus Eltern und Kindern. Vielmehr war sie ein großer Verband, der sich um einen großen Haushalt gebildet hatte. Zu ihm gehörten alle Haushaltsangehörigen, also auch Knechte und Mägde, Dienstleute und Lehrlinge, Lakaien und Butler, unverheiratete Onkel und Tanten, Geschwister und Vettern. Und sie umspannte mehr als nur zwei Generationen: sie umfaßte auch die Ahnen und die Familienmitglieder, die schon gestorben waren.

Mit der bürgerlichen und der industriellen Revolution im 18. Jahrhundert wurde die Gesellschaft plötzlich mobil. Die Hierarchien wurden abgeschafft, und die Menschen traten sich fortan als grundsätzlich gleich gegenüber. Das Prinzip der hierarchischen Schichtung wurde ersetzt durch eine Unterteilung nach funktionalen Sphären: es gab die Sphäre der Politik, der Justiz, der Wissenschaft, der Erziehung, der Wirtschaft, der Religion etc.

Auch die Familie änderte sich. Der die Zeiten überdauernde Sippenverband löste sich auf. Die soziale Beweglichkeit verlangte, daß die Familie in jeder Generation neu gegründet wurde. Man wurde nicht mehr mit jemandem verheiratet, indem die Familienoberhäupter im Dienste der Familienpolitik einen Kuhhandel abschlossen. Vielmehr gab es jetzt ein neues Suchprogramm, das der Freiheit beider Partner entsprach: die Liebe. Nur diejenige oder derjenige kamen als Partner in Frage, der liebte und wiedergeliebt wurde.

Zugleich änderte sich auch die Funktion der Familie. Die Gesellschaft war jetzt so komplex geworden, daß jeder Mensch immer eine andere Rolle spielen mußte, je nachdem, in welcher Sphäre der Gesellschaft er

sich bewegte: in der Justiz, in der Wirtschaft, als Handelsherr oder als
Beichtkind oder als Student etc. Aber weil man sie wechseln mußte,
konnte man sich mit keiner dieser Rollen ganz identifizieren. Als Basislager brauchte man dann etwas, was man später Psyche oder Ich-Identität
nannte.

Als Ergebnis dieser Entwicklung teilte sich der Mensch in sein Ich und
seine vielen Rollen. Und die Gesellschaft teilte sich in privat und öffentlich. Das Terrain des Privaten besetzte die Familie. Sie spezialisierte sich
auf Intim-Kommunikation. Hier endlich konnte sich der Mensch spontan
verhalten. Hier zählte nicht die offizielle Rolle, hier zählte allein die private Person. Der zugehörige Sozialstil wurde im Englischen »familiar«,
»familiär«, genannt, was soviel wie »vertraut« oder »intim« heißt. Die
Herrscherin über die Privatsphäre wurde die Frau. In der Öffentlichkeit
aber etablierte sich der Mann oder, genauer gesagt, die Horde und ihre
Mitglieder.

Die Politik und die Horde

Natürlich war die Politik nicht von Anfang an die Domäne der Männerhorde. Bevor sie alle anderen Formen der Politik verdrängte, gab es Für-
stenhöfe, Stadtrepubliken, Priesterherrschaft und Bauernrepubliken. Aber
heute hat sich die Männerhorde fast überall durchgesetzt. Ihr Siegeszug
beginnt mit den englischen Parteien. 1688 hatte das Englische Parlament
zum zweiten Male seinen König weggejagt (beim ersten Mal hat es ihn
gleich geköpft) und sich einen neuen geholt. Dann aber kam es zum
Bruch zwischen den Rebellen: die konservativen Legitimisten verlangten,
der neue Herrscher dürfe lediglich als Regent an Stelle des verjagten regieren; die progressiven Revolutionäre aber setzten den alten König ab
und machten den neuen Herrscher zum König. Die Konservativen wurden Tories genannt und die Progressiven Whigs. Die Whigs setzten sich
durch, und das war der Beginn einer wunderbaren Erfindung: der Dauer-
konkurrenz zweier Parteien im Parlament.

Bis 1688 galten Parteien als Pest des Gemeinwesens. Von ihnen ging stets die Gefahr des Bürgerkriegs aus. Und tatsächlich hatten die Engländer in der Generation vor 1688 einen blutigen Bürgerkrieg geführt. Jetzt aber war eine paradoxe Situation eingetreten: Die königstreuen Tories bekämpften den König, den sie hatten. Die antiroyalistischen Whigs aber mußten ihren König verteidigen, weil sie ihn eingesetzt hatten. Und da die undemokratischen Tories in der Opposition waren, mußten sie sich gegen ihren Willen all der demokratischen Mittel bedienen, die sie an sich verabscheuten: Appelle an das Volk, Kampagnen, Mobilisierung der Presse und Agitation im Parlament. Die undemokratischere Partei war also gezwungen, sich demokratischer Mittel zu bedienen, während die demokratischere Partei die Regierung verteidigte. Auf diese Weise handelten beide Parteien gegen ihre eigentlichen Überzeugungen und wurden so kompromißfähig. Die Formel, die sich dafür fand, hieß: »We agree to disagree.« (»Wir sind uns einig, uneinig zu sein«). Die gegenwärtige Opposition wurde durch die Hoffnung auf künftige Regierungsübernahme friedlichgehalten. Und so wurde der Bürgerkrieg durch den Konkurrenzkampf der Parteien ersetzt und die Einheit des Gemeinwesens im Parlamentarismus paradoxerweise auf den dauernden Parteienstreit gegründet.

Diese Form der Politik hat in der Gestalt des von Parteien getragenen Parlamentarismus einen Siegeszug durch die ganze Welt angetreten und fast überall die Fürsten, die Adelsrepubliken oder die Stadtstaaten beerbt. Sowohl Parteien als auch Parlamente sind nach dem Prinzip der Horde organisiert.

Die Politik ist die Sphäre der Öffentlichkeit schlechthin. Sie ist das Terrain, auf dem die Gangs der Parteien gegeneinander antreten. Wer mitmachen will, muß Mitglied einer Gruppe werden. Dieses Feld wird von einem Prinzip beherrscht: dem Prinzip der Konkurrenz. Die Art der Konkurrenz ist weitgehend verbal. Es geht um die dominante Rhetorik. In der Politik zählt die öffentliche Rede. Es kommt darauf an, der anderen Partei die wertvollen Begriffe wegzunehmen und für sich selbst zu reklamieren. Wer für sich selbst die Konzepte Solidarität, Fortschritt, Gerechtigkeit, Wohlstand und Gleichberechtigung in Anspruch nehmen kann, der hat dem Gegner nicht viel übriggelassen.

Will man also die Sprache »Männlich« lernen, muß man eine Reise in das Land »Politik« unternehmen und die Dialekte studieren, die dort gesprochen werden.

Der Fußball

Die Politik ist der vornehme Zwilling des Fußballs. Die Mannschaften sind die Parteien; die Arena ist das Parlament. Und wie beim Fußball gibt es auch in der Politik die Aktiven, die Fanclubs und die normalen Zuschauer. Jede Partei besteht aus der Mannschaft der Abgeordneten, den Parteimitgliedern und den ideologischen Unterstützerclubs. Ihr Ziel ist es, das allgemeine Publikum der Wählerschaft durch ein überzeugendes Spiel zu gewinnen. Die Mannschaften werden durch Ärzte, Masseure und Psychologen betreut, durch Manager und Trainer geleitet und von Werbestrategen und Pressereferenten angepriesen.

So wie im Fußball die Vorbereitung im Trainingslager in die Zeit einmündet, da am Samstag die Massen in das Stadion strömen und die Mannschaften sich in ihren Kabinen die Trikots überziehen, so gipfelt die hohe Zeit der Politik im Wahlkampf. Dann laufen die Politikermannschaften auf. Dann legen die Generalsekretäre der Parteien letzte Hand an ihre Wahlkampfstrategie. Dann versammeln sich die Fanclubs in den Wahlkampfveranstaltungen und die Zuschauer vor den Fernsehern, um die Spitzenspieler dabei zu beobachten, wie sie ihre Flanken treten und den Gegner durch einen gekonnten Fallrückzieher überraschen.

Und wie in der Fußballmannschaft sind auch in den Wahlkampfteams die Rollen verteilt. Der Parteivorsitzende ist als Kapitän auch oft der Spitzenkandidat. Daneben gibt es die Stürmer, die den Gegner angreifen, die Verteidiger, die ihn abwehren, den Ausputzer, der notfalls den durchgebrochenen Gegner durch ein Foul zur Strecke bringt, den Libero, der die Abwehr mit dem Angriff verbindet, und die Flügelläufer, die die Abwehr des Gegners durch Angriffe über die Flanke ausmanövrieren.

Der Lärm

Die Fluktuationen des Wahlkampfs werden vom auf- und abschwellenden Bocksgesang des Publikums begleitet. Jede Mannschaft verfügt über eigene Fanclubs, die mit ihren Schlachtgesängen und ideologischen Musikinstrumenten um die Herrschaft im Reich der Akustik kämpfen. Sie sind im Wahlkampf häufig daran zu erkennen, daß sie die Farben und Embleme ihrer Mannschaften tragen, sei es in Form eines Stickers oder eines Buttons, eines Logos oder einer Wahlkampfparole. Dabei feuern sie ebenso ihre Mannschaften an, wie sie die gegnerischen Fanclubs niederbrüllen. Der Schlachtenlärm, der während eines Wahlkampfspiels aus der Arena zum Himmel aufsteigt, ist so gewaltig, daß sich die Vögel in die Lüfte erheben und die Maulwürfe sich tiefer in die Erde wühlen. Er hebt lange vor dem Spiel an, wenn Trupps von Anhängern und Fans durch die Straßen zur Arena ziehen und sich mit lautem Gejohle auf den Kampf vorbereiten. Und er hallt noch lange nach, wenn bei den Siegesfeiern die Fans im Alkohol ertrinken und die Anhänger der besiegten Mannschaft ihre Frustration in Orgien der Zerstörungswut abreagieren.

Der Lärm ist keineswegs als zufälliges Nebenprodukt der kollektiven Aufregung zu verstehen. Im Gegenteil, er ist wesentlich. An seiner Lautstärke erlebt der einzelne Mann nämlich die Größe seiner Gruppe. Und dieses Größenerlebnis ist das eigentliche Ziel, auf das er zustrebt. Das motiviert ihn dazu, sich seines Verstandes zu berauben, seine Individualität über Bord zu werfen und sich zum Bestandteil einer brodelnden Masse zu machen. Es ist der Kampf, der ihm das Erlebnis verschafft, mit einer starken Horde zu verschmelzen. Erst durch ihn rückt eine Gruppe so eng zusammen, daß sie wie ein einziges großes Individuum wirkt. Indem er in diesem Monster aufgeht, erlebt der Mann seine neue Stärke wie im Rausch. Dann durchpulst ihn das Adrenalin in Strömen. Er begibt sich auf einen Trip des Größenwahns. Er fühlt sich, als ob er es mit jedem Gegner aufnehmen könnte. Er ist am Ziel seines Daseins angekommen. Da, wo ihn keine Frau mehr erreicht und keine ihn verstehen kann. Er ist zu einem Riesen geworden, der seine Größe an seinem Lärm wahrnimmt.

So kommen wir zu der folgenden Kernaussage:
Der Mann ist im Prinzip ein lärmendes Wesen.
Die Forschung spricht in diesem Zusammenhang auch vom »homo tonans«. Jede Frau wird diese Eigenschaft schon an ihren Söhnen bemerken. Sie lieben es, Krach zu machen. Sie spüren dann ihre potentielle Stärke. Der Schall füllt den Raum. Keine Gruppe von Knaben bringt es fertig, durch einen Tunnel zu gehen, ohne ein hallverstärktes Gebrüll ertönen zu lassen. Kein Junge schafft es, an einer Trommel vorüberzugehen, ohne draufzuhauen.

Natürlich lieben auch Mädchen den Krach. Aber diese Vorliebe verläßt sie in der Pubertät. Da kommt ihnen ihre Stimme im Vergleich zu dem sonortönenden Organ ihrer männlichen Altersgenossen angestrengt schrill vor. Sie verlegen sich lieber auf Gewisper und beschränken sich fortan auf schrilles Gelächter. Von nun an gehen Männer und Frauen stimmlich getrennte Wege, wie jede Lehrerin weiß. Während ihre männlichen Kollegen von Zeit zu Zeit ihr imponierendes Löwengebrüll ertönen lassen, um den Lärm der Klasse beiseite zu fegen, erregt ihr schrilles Gekeife höchstens Mitleid. Der Lärm, den Frauen verursachen können, kann auf die Nerven gehen. Aber imponieren kann er nicht.

Der Alkohol

Sowohl beim Fußball als auch in der Politik fließt der Alkohol in Strömen. Fußballfans sind häufig Quartalssäufer. Ihre Exzesse vollziehen sich synchron mit den wochenendlichen Kampforgien der Spiele. Während der Woche sind sie normale Bürger, die nüchtern ihrem Beruf nachgehen. Für sie ist das Fußballspiel wie eine Rave-Party. Politiker dagegen sind häufig chronische Alkoholiker, weil sie ständig unter Kampfstreß stehen und dabei Unterstützung oder Entspannung benötigen. Für den eigentlichen Alkoholiker aber, der als hauptberuflicher Säufer in Erscheinung tritt, ersetzt der Alkohol die Kampfdrogen Politik und Fußball ganz und gar. Denn Alkohol hat eine Eigenschaft, die eine Versuchung für den Mann darstellt: Sie unterhöhlt die Fähigkeit zur Selbstkritik. Das aber ist

die Voraussetzung für den Durchbruch des Größenwahns. Im Alkoholrausch wird der Mann so vollständig von einem Gefühl der Verschmelzung mit der ganzen Natur, dem Erdenrund, dem Weltall, ja, dem Kosmos
überschwemmt, daß er sich allmächtig vorkommt. Das ist ein großartiges
Gefühl, das sich durchaus zu einer göttlichen Haltung der Großzügigkeit
und der generösen Heiterkeit aufschwingen kann. In diesem Allmachtsgefühl vergibt der Mann dann all seinen Feinden und lädt Fremde ein,
sich mit ihm zu freuen.

Bei Männern allerdings, die von dauernden Minderwertigkeitsgefühlen
geplagt werden oder an latentem Verfolgungswahn leiden, legt der Alkohol die verborgene Illusion eines Kampfszenarios frei. Da nimmt die Grö
ßenphantasie eine bösartige Färbung an: Dabei ersetzt gewissermaßen die
Wirkung des Alkohols die Horde, mit der der Mann in seiner Phantasie
verschmilzt. Und dann fühlt sich der sonst so Minderwertige stark genug,
um sich an all seinen Gegnern zu rächen. Seine Gegner – das sind die, die
ihn ständig klein zu machen versuchen, die ihm seine Größenphantasien
und Höhenflüge nicht gönnen und die ihm den Alkohol wegnehmen
wollen. Zu diesen Kleingeistern gehört auch seine Frau.

Ja, wenn er sie in dieser vom Alkohol beförderten Klarsichtigkeit so ansieht, wie sie dasitzt und ihn traurig betrachtet, als ob er eine bedauerliche
Ruine wäre – ja, er weiß es wohl, daß sie ihn für einen Versager hält –
dann steigt in ihm die Erbitterung hoch, und er denkt an die unzähligen
Anlässe, bei denen sie ihn erniedrigt hat. Jedesmal, wenn er sich nach einem »Gläschen« etwas wohler fühlt, kommt dieser bedauernde Blick, so
als ob er krank wäre. Er ist nicht krank. Er möchte nur mal diesen dauernden Druck loswerden. Er möchte auch einmal das Gefühl der Freiheit
und der Großzügigkeit kosten, das das Leben eines Mannes erst lebenswert macht. Wie kommt er dazu, sich ihre Quertreiberei überhaupt gefallen zu lassen? Das sieht ja fast so aus, als ob er unter dem Pantoffel stünde!
Was bildet die Schlampe sich eigentlich ein? Jeden Spaß muß sie ihm verderben! Ja, seitdem er sie geheiratet hat, hat er überhaupt keine Freude
mehr am Leben. Noch einmal so eine stimmungstorpedierende Laune
wie neulich, dann setzt es aber was – verdammt, hat sie etwa den Whisky
weggeschlossen? Das ist doch nicht zu fassen! Hör mal, Maria... wo ist

das verdammte Weib denn? Maria, hast du den Whisky weggeschlossen? Was, du hast ihn ausgegossen, den teuren Whisky? Ja, du glaubst wohl, mit mir – wang! zack! bumm! – jetzt liegst du da, aber das kannst du mit mir nicht machen! Nicht mit mir! Mit mir nicht! Also spricht der Alkoholiker zu seinem Weibe. Aber es spricht nicht der einzelne Mann, das Individuum, sondern die Urhorde, in die sich der Mann mit Hilfe des Alkohols verwandelt hat.

Wenn die Wirkung des Alkohols nachläßt, verwandelt er sich wieder zurück in den Einzelmenschen. Dann kann er nicht mehr begreifen, was er in seiner Gestalt als »Urhorde« getan hat. Seine Frau geschlagen, die nur sein Bestes will! Er sinkt ihr zu Füßen. Er fleht um Verzeihung. Er winselt und bettelt und schwört, daß er keinen Tropfen mehr anrühren werde. Denn es war ja nicht er selbst, der zugeschlagen hat, sondern sein Dämon, der »böse Alkohol«.

Doch insgeheim ist ihm klar: Es ist nicht der Alkohol. Sein wahrer Dämon ist die Sucht, diese wunderbare Kraft in sich zu spüren, endlich dieses Gefühl der Mickerigkeit loszuwerden, das ihn zur Erde drückt und jeden seelischen Aufschwung verhindert. Jene zermürbende Dauerempfindung der Selbstverachtung, die alle seine Gemütsregungen und sein ganzes Dasein vergiftet. Und wenn seine Frau das nicht versteht und ihn auf kleinliche Weise an seine Versprechungen erinnert, wird er sie wieder schlagen.

Der Alkoholiker, der seine Frau körperlich angreift, hat einen Zwilling, der sie seelisch versklavt. Seine Besichtigung lohnt einen Besuch in der Porträtgalerie.

Sechster Abstecher in die Porträtgalerie der Männertypen: Der Guru als Führer der Frauenhorde

Dieser Typ ist der lebendige Widerspruch. Er vereint männliche Kontrollsucht mit der Fähigkeit, weibliche Entgrenzungserfahrungen nachzuvollziehen. Die Entgrenzung vollzieht er gegenüber der Gruppe, die er anführt. Sie besteht meist aus Frauen. Er ist für Frauen äußerst gefährlich, weil er eine große Versuchung darstellt.

Diese Versuchung besteht darin, daß er sich als Führer in das unwegsame Gelände der Jenseitserfahrung anbietet. Jenseits ist alles, was hinter der Grenze der Normalerfahrung liegt: der eigene Körper, das eigene Bewußtsein, das eigene Unbewußte, das eigene Gedächtnis oder die übersinnliche Welt, die Welt der Zwischenwesen und der Geister und Energien, der Erdströme und magnetischen Kräfte, der Vibrationen und Strahlen; und das Reich der Natur, der vegetativen und animalischen Wachstumskräfte, die Welt fremder Kulturen mit ihren magischen Praktiken und schließlich die Sterne, der Kosmos und das All. Dahin drängt es die Frauen. Sie haben das Gefühl, daß die gegenwärtige Kultur – männlich geprägt, wie sie ist – der weiblichen Erfahrung keinen Raum gewährt. Und deshalb müssen sie bestehende Grenzen überschreiten. Das aber kommt der weiblichen Tendenz zur Entgrenzung sowieso entgegen. All dies hat eine buntscheckige Bewegung esoterischer Kulte hervorgebracht, die unter dem Begriff »New Age« zusammengefaßt werden. Ihre Anhänger sind fast ausschließlich Frauen. Die meisten Anführer dagegen sind Männer.

Sie sind in der Regel psychologische Eroberer und Besatzer. Anders als Normalmänner haben sie keine Angst vor dem Chaos, also auch nicht vor ihrem eigenen Inneren. Sie machen es sich zugänglich über eine von ihnen erfundene Heilslehre, in der die Entgrenzungserfahrung der Frauen eine extravagante Fassung erhält. Zugleich wird ihre Erlösungshoffnung durch rituelle Praktiken dramatisiert und durch abgestufte Beweise der Selbstunterwerfung, durch Drogenkonsum und körperliche Übungen in ein Programm verwandelt, dessen Ziel die Geburt eines neuen Menschen ist. Dieser wiedergeborene Mensch ist zu einem höheren Wesen erlöst. Das erkennt er daran, daß er sich dem Guru unterworfen hat. Diese Selbstauslieferung gipfelt häufig in psychischer und sexueller Hörigkeit.

An Stelle von Männern führt der Guru also Frauen an. Sie sind in der Regel in der Mehrzahl. Ein Guru gehört folglich niemals einer Frau allein. Sein Mana, seine übernatürliche Kraft, muß allen Frauen der Gruppe zur Verfügung stehen. Für diese Verteilungsgerechtigkeit sorgt in der katholischen Kirche der Zölibat der Priester. Wenn sie in der Beichte die sexuellen Geheimnisse aller Frauen teilen, dürfen sie keine privilegierte Beziehung zu nur einer Frau haben. Und wenn sie sie durch die Verabreichung des Abendmahls erlösen, darf nicht eine Ehefrau Sonderrechte für sich beanspruchen. Im Grunde steht der Priester über der Differenz zwischen den Geschlechtern. Er vereint in sich beider Erfahrungen. Deshalb tritt er in Frauenkleidern auf und nimmt niemals das Schwert in die Hand. Er ist vielmehr der Himmelspförtner, der die Grenzen zur Erfahrung des Jenseits bewacht.

Beim Zölibat geht es nicht primär um die sexuelle Enthaltsamkeit der Priester, sondern um die Vermeidung von Sonderintimitäten auf Kosten der Gruppe. Promiskuität wäre genausogut wie Keuschheit, wenn sie nicht so leicht in eine Wirtschaft von Favoritinnen und Lieblingsfrauen ausarten würde.

Dem Guru geht es in seiner Beziehung zu Frauen in erster Linie um Macht. Darin ist er klassisch-machistisch. Aber statt auf die Kontrolle des Körpers zielt sein Ehrgeiz auf die Okkupation ihrer Seele. In ihr ist für ihn primär die Geschlechtlichkeit der Frau beheimatet. Ihr gegenüber hat er Visionen der Vergewaltigung und der Übermächtigung. Anders als beim Körper genügt da nicht der bloße Zwang. Die Psyche ist reflexiv. Man muß sie dazu bringen, sich selbst auszuliefern. Das erhält seine gewalttätige Einfärbung aber nur, wenn er ihr klarmacht, daß er sie versklaven wird. Wenn sie weiß, daß er sie psychisch quälen wird, und sich trotzdem freiwillig ausliefert – das erst verschafft ihm den Genuß der höchsten Macht, die es gibt: der Macht der Priester über die Seelen.

Dieses Szenario war immer religiös: Der Gegner im Kampf um die Herrschaft über die Seelen war der Teufel. Ihm wurde unterstellt, daß er die Seelen versklavte und in Besitz nahm. Eine ganze Theorie über die Okkupation durch den Teufel wurde entwickelt. Der Teufel besetze die Seele der Frau mit Hilfe der Sexualität. Er penetriere sie als Inkubus im Schlaf. Oder sie treffe ihn bei nächtlichen Ausritten im Wald, wo sie ihm in wüsten Orgien huldige. Die Hexe war die Frau, deren Seele vom Teufel besetzt war. Und die Heilige hatte sich Gott ausgeliefert. In beiden Fällen wurde das Verhältnis sexuell definiert. Der Reinheit der Heiligen stand die exzessive Sexualität der Hexe mit dem Besen zwischen den Beinen gegenüber. Bei der Besessenen half dann nur noch der Exorzismus.

Das Erbe dieses Szenarios haben neben dem Guru auch der Therapeut und der Psychoanalytiker angetreten. Im Gegensatz zum Guru entwickelt der Therapeut aber zu seiner Patientin ein individuelles Verhältnis. Wenn er auch mehrere Patientinnen hat, so treten sie ihm doch, außer in der Gruppentherapie, in der Regel einzeln gegenüber. Dabei ist ihre Kommunikation mit dem Therapeuten dermaßen intim, daß sie sich von Liebeskommunikation kaum unterscheidet. Da sie aber einseitig ist, kommt sie einer Selbstauslieferung der Frau an den Therapeuten gleich. Auch er kontrolliert sie seelisch. Es wäre ihm ein leichtes, sie dazu zu bewegen, sich ihm auch sexuell auszuliefern. Und deshalb muß das von den Standesorganisationen der Psychologen strengstens verboten werden. Trotzdem: zahlreich sind die Nachrichten über die Übertretung des Verbots.

Spiegelverkehrt dagegen ist die Position des Arztes. Er ist der Kenner des Körpers der Frau. Und da der privilegierte Zugang zu ihrem Körper sehr leicht die seelische Selbstauslieferung auslöst, wird der Arzt häufig zum Guru stilisiert. Der Mythos vom »Halbgott in Weiß« hat seinen Niederschlag in den Arztromanen der Heftchenliteratur gefunden.

In die Kategorien der Gurus, Therapeuten und Psychologen, die sich der Seelen der Frauen bemächtigen, gehört auch der Typ des raffinierten Verführers. Zwar ist er eher eine literarische Figur, aber diese wurde durchaus zum Modell für reale Imitatoren. (Gemeint ist der Typ des Vicomte de Valmont aus Choderlos de Laclos' »Gefährliche Liebschaften« oder der Verfasser von Kierkegaards »Tagebuch des Verführers«.) Ihm geht es um seelische Schändung, um den exquisiten Machtrausch, sich eine Psyche völlig zu unterwerfen. Für ihn gilt, was die Parallele zwischen der schönen Helena und der Stadt Troja ausdrückt: Als die Belagerung nichts fruchtete, sorgte die List des Odysseus dafür, daß sich die Stadt selbst ihren Feinden auslieferte. Das Trojanische Pferd war eine Metapher für die Usurpation der Seele durch eine fremde Macht. Und nachdem sie ihre Tore geöffnet hatte, erfolgte die Schändung der Stadt.

Entsprechend beginnt die Geschichte der Psychoanalyse auch mit der Hypnose. Die Krankheit, die es zu heilen galt, war die Hysterie. Sie äußerte sich darin, daß die Patientin ihre verdrängte Sexualität in einem körperlichen Drama ausagierte, für das sie wegen seiner Unwillkürlichkeit und Zwangshaftigkeit die Verantwortung ablehnte. Im hysterischen Anfall schien sie besessen. Der Hypnotiseur ersetzte dann den Dämon durch sich selbst. Das Verfahren unterschied sich kaum vom traditionellen Exorzismus.

Gurus sind auf die seelische Verführung von Frauen spezialisiert. Sie sind Falschmünzer des Seelischen, begnadete Hysteriker, die ihre Herrschsucht durch die Vortäuschung ekstatischer Verschmelzungserlebnisse befriedigen, mit denen sie sich die Psyche der Frauen unterwerfen. Die Intensität ihrer Zuwendung und die Extravaganz ihrer Sinnentwürfe geben vielen Frauen zum ersten Mal das Gefühl, daß ihre seelischen Reichtümer endlich zur Geltung kommen. So sind sie überzeugt, daß sie ihm ihr neues Lebensgefühl verdanken; daß er ihrem Leben einen legitimen Ort gegeben hat, einen Ort von hoher Bedeutung in dem Heilsplan, in den der Guru dank selbstaufopfernder Kasteiung und göttlicher Inspiration einen kurzen Blick hat werfen dürfen.

Die Religion hat sie als Teufel stilisiert, als dämonische Wesen, die durch Simulation des Göttlichen die Seelen verführen. Sie locken mit mystischen Erfahrungen und außerordentlichen Gefühlsexzessen. Sie verschaffen sich ein perverses Machtgefühl, wenn sie sich an den Qualen derer weiden, die in ihre Hörigkeit geraten sind.

Solche inspirierten Gurus im Großformat sind natürlich eher selten. Aber an ihnen kann frau studieren, was auch die gewöhnlichen Psycho-Vampire und spirituellen Hochstapler dazu befähigt, Frauen immer wieder zu fesseln: Es ist die Kombination von Einfühlung und Freiheitsberaubung, von Verführung und Unterwerfung. Solche seelischen Kannibalen scheinen fast ebenso verbreitet zu sein wie die seelisch unterernährten Frauen, die sich von ihnen in ihre düsteren Dramen verwickeln lassen. Und erst diejenigen, die dieses Schema durchschauen, können die psychischen Ausbeuter und Parasiten, die gewöhnlichen Schmarotzer und seelischen Falschmünzer im Kleinformat rechtzeitig erkennen.

DIE KOMÖDIE DER FRAUEN:
AMPHITRYON ODER: ALKMENES DILEMMA

Szene 4: Die Verschwörung der Männer

Es ist tief in der Nacht in Amphitryons Haus. Es erscheinen Sosias und, von diesem gestützt, der betrunkene Amphitryon. Als Alkmene ihn sieht, erscheint er ihr wie verwandelt. Dadurch erscheint sie ihrerseits dem Amphitryon auch wie verwandelt.

AMPHITRYON *(grölt ein Sauflied)*: Wein her, Wein her, oder ich fall' um ...

SOSIAS: Nun reißen Sie sich gefälligst zusammen. So geht das nicht. Zeigen Sie Haltung und Würde. Wenigstens etwas Contenance. Sie müssen ihr imponieren, sie erwartet das.

AMPHITRYON *(betrunken)*: Das siehst du ganz falsch, Sosias. Ich weiß jetzt genau, was ich tun muß. Ich habe nachgedacht. Man muß die Frauen verstehen, Sosias. Verstehst du, wir verstehen sie nicht, aber man muß sie verstehen, das verstehe ich jetzt. *(Sieht sich um)* Das Haus kenne ich doch. Ah, ja, es ist mein eigenes. Wo ist Alkmene?

SOSIAS: Sie wird gleich kommen, und wenn sie kommt, denken Sie nur an eins und machen ihr das klar: Sie sind Amphitryon.

AMPHITRYON: Ich bin Amphitryon.

SOSIAS: Ja, Sie sind Amphitryon. Nicht Jupiter!

AMPHITRYON *(in tiefer Meditation)*: Ich bin Amphitryon, nicht Jupiter.

SOSIAS: Das müssen Sie sich immer wieder sagen.

AMPHITRYON: Ich bin Amphitryon, nicht Jupiter. Ich bin Alkmenes Ehemann und will mich ihr zu Füßen werfen.

(Alkmene tritt auf, und sie und Amphitryon sehen sich an)

SOSIAS: Fürstin von Theben, mit Flügeln an den Füßen wie Merkur bin ich vorausgeeilt, um ihnen die Rückkehr Ihres Göttergatten anzukündigen. Doch wie der Blitz in Jupiters Faust war er noch schneller und hat mich eingeholt, um meine Meldung zu bestätigen.

AMPHITRYON: Ich bin Amphitryon, nicht Jupiter. *(Zu Alkmene)* Und du bist Alkmene? Erkennst du mich?

ALKMENE: Ja, ich erkenne Sie, mein Gebieter.

AMPHITRYON: Ich erkenne dich auch. Obwohl, du siehst so anders aus.

ALKMENE: Ich sehe anders aus? Wie denn?

AMPHITRYON: So freundlich und so zärtlich, und du duftest gut.

ALKMENE: Ich habe lange auf Sie gewartet.

AMPHITRYON *(zu Sosias)*: Waren wir so lange weg, daß sie mich jetzt siezt? Weil wir uns fremd geworden sind?

SOSIAS: Im Gegenteil. Sie waren so lange zu Hause, daß Sie sich fremd geworden sind.

AMPHITRYON: Mir war, als wären wir erst heute abgereist. *(Zu Alkmene)* Aber natürlich kann ich mich irren. Ich habe mir geschworen, dir nie mehr zu widersprechen.

SOSIAS: Amphitryon ist heute abgereist, das steht fest. Und in sein höheres Selbst verwandelt, kehrt er nun zu Ihnen zurück.

AMPHITRYON: Was soll das heißen, »in mein höheres Selbst verwandelt«? Man ist immer der, als der man behandelt wird. Das ist mir jetzt klargeworden. Und wenn ich hier plötzlich als Amphitryon willkommen bin, dann will ich auch Amphitryon sein! *(Umarmt Alkmene und küßt sie leidenschaftlich)* Jetzt fühle ich mich wie … wie … wie …

ALKMENE: Wie Jupiter?

AMPHITRYON *(denkt nach)*: Ich muß es noch mal prüfen. *(Küßt sie erneut)* Ja, göttergleich!

ALKMENE: Oh, mein Gebieter!

AMPHITRYON: Alkmene, ich habe nachgedacht. Du hast in allem recht. Was du als Frau beanspruchst, steht dir zu. *(Mit verzögerter Reaktion)* Dein Gebieter, sagst du? Ich glaube, ich träume. Ja, ich schlafe, und dies alles ist ein Traum. *(Setzt sich schwer auf einen Stuhl und schläft fast ein)*

SOSIAS *(schnell intervenierend, versucht ihn wachzuhalten)*: Doch in den Träumen, da schläft man nicht, sondern ist wach und munter. *(Zu spät – Amphitryon schläft nun völlig ein)*

ALKMENE: Ich finde es göttlich, wie er ihn nachmacht. Genauso, wie wenn Amphitryon betrunken ist.

SOSIAS: Finden Sie's nicht scheußlich?

ALKMENE: Bei Amphitryon ist es abscheulich. Aber so täuschend nachgemacht, ist es hinreißend. Er will damit seine Menschlichkeit betonen, stimmt's? Er versteckt seine Vollkommenheit in einer Schwäche?

SOSIAS: Oh, Sie versteh'n ihn ja so gut!

ALKMENE: Und auch Sie als Sosias! Täuschend echt! Eine Maske für Merkur, nicht wahr?

SOSIAS: Ich könnte es leugnen, wenn ich wollte, aber würden Sie mir glauben?

ALKMENE: Nein.

SOSIAS: Dann leugne ich's nicht.

ALKMENE *(betrachtet wieder liebevoll Amphitryon)*: Und wie er mir in allen Punkten recht gab! Das brächte Amphitryon niemals fertig! Nur ein Gott kann sich so weit erniedrigen.

SOSIAS: Ein Gott kann alles! Selbst sich selbst entmächtigen. *(Kneift Amphitryon, daß er aus dem Schlaf fährt. Er sieht Alkmene)*

AMPHITRYON: Oh, du bist doch kein Traum! *(Erhebt sich)* Komm, Geliebte, stürzen wir uns in die Nacht! Ich fühl' in mir die Kraft, die Sonne aufzuhalten, daß die Dunkelheit uns umarmt wie eine Ewigkeit. *(Beide gehen ab)*

THESSALA *(tritt auf)*: Ich habe Stimmen gehört. War das nicht Amphitryon?

SOSIAS: Warst du noch wach?

THESSALA: Ja. Warum seid ihr schon wieder zurück?

SOSIAS: Thessala, sieh mich an! Dann weißt du: Hier spricht die Stimme des Olymp. Also, hör zu: Jupiter hat sich in Alkmene verliebt. Bitte, unterbrich mich nicht! Deshalb hat er Merkur gebeten, ein Zerwürfnis zwischen Alkmene und Amphitryon anzubahnen. Entnervt reist Amphitryon wieder ins Lager ab, und, um ihn länger fernzuhalten, läßt Jupiter einen Frieden ausbrechen, der komplizierte Verhandlungen mit sich bringt. Kurz nach Amphitryons Abreise erscheint er selbst in der Gestalt Amphitryons. Er ist jetzt bei ihr. Und ich, der ich dir das sage, bin Merkur.

THESSALA *(prustet los)*: Du – Merkur?

SOSIAS: Wieso nicht?

THESSALA: Du bist so ganz und gar ungöttlich!

SOSIAS: Wie müßte denn deiner Meinung nach ein Merkur wirken, der die Gestalt von Sosias angenommen hat?

THESSALA *(leicht irritiert, denkt nach, wischt dann die Irritation weg)*: Na, dann könnte es mir ja völlig gleich sein, ob du Sosias bist oder Merkur, der Sosias imitiert, wenn ihr doch gleich seid.

SOSIAS: Eben!

THESSALA *(begreift)*: Oh, ihr Teufel!

SOSIAS *(unschuldig)*: Wieso, was meinst du?

THESSALA: Ich hätte es wissen müssen! Du und Leda!

SOSIAS: Leda?

THESSALA: Als Leda hier war, habt ihr Alkmene eingeredet, Jupiter hätte sich in sie verliebt. Ledas Besuch sei ein Zeichen, daß Jupiter in der Gestalt Amphitryons sich bei Alkmene einschleichen würde. Und nun ist Amphitryon gekommen. Und sie glaubt, sie läg' in Jupiters Armen! Das ist infam! Ich muß sofort zu ihr!

SOSIAS *(hält sie fest)*: Wieso? Sie ist nur glücklich, wenn sie glaubt, ihr Ehemann sei ein Gott.

THESSALA: Aber es ist eine Täuschung! Wenn sie's merkt, wird sie's ihm nie verzeih'n! Ich muß zu ihr! *(Sie geht auf die Tür zu und bleibt bei Sosias' Replik stehen)*

SOSIAS: Wie willst du das wissen? Alkmene ist eben anders als du! Du bist nicht begabt, die Götter wahrzunehmen.

THESSALA *(pikiert)*: Wieso soll ich die Götter weniger gut spüren können als Alkmene?

SOSIAS: Was weiß ich, warum! Du hast eben keinen Sinn dafür. Doch für Alkmene sind sie sehr real. Und nun geh und ruinier ihre schönste Liebesnacht seit langer Zeit! *(Thessala zögert)* Na, siehst du, jetzt bist du doch nicht mehr sicher. Vielleicht bin ich sogar tatsächlich Merkur. *(Geht auf Thessala zu)* Na, würdest du Sosias mit mir betrügen?

THESSALA *(entzieht sich ihm irritiert)*: Bleib mir vom Leibe! *(Sosias lacht)* Gleichgültig, ob Götter oder Ehemänner, beide sind Betrüger, und wir Frauen sind immer die Betrogenen.

SOSIAS: Es sind Sprüche von dieser Plattheit, die meinen Göttergeist am meisten quälen.

THESSALA *(höhnisch)*: Ha, deinen Göttergeist! Daß ich nicht lache! Immer ist es der gleiche Trick, den ihr versucht! Ihr Männer wollt uns glauben machen, ihr wärt Götter!

SOSIAS: Nein, ihr wollt das glauben! Und mit Hilfe der Liebe schafft ihr es auch. Sie ist die große Taschenspielerin, die aus Menschen Götter macht. Auch du hast von mir verlangt, daß ich ein Gott sei, und strafst mich dafür, daß ich Sosias bin.

THESSALA *(auf einen Impuls hin)*: Armes Hascherl! Du fühlst dich bestraft? Dafür, daß du Sosias heißt? Komm in mein Bett! Da mach ich's wieder gut und werde dich belohnen. *(Ab)*

SOSIAS: Hält sie mich plötzlich doch für einen Gott?

AMPHITRYON *(tritt leise aus seinem Gemach)*: Pst, bist du noch hier? *(Mit Bezug auf Alkmene)* Sie schläft jetzt. Ein Wunder ist gescheh'n. Ich merke erst jetzt, was ich entbehrt habe. Sie ist völlig verwandelt, so hingebungsvoll wie nie zu unseren besten Zeiten. Und ich war gar nicht drauf gefaßt und taumel noch, Klotz, der ich bin, halb betrunken ihr ins Bett. Und weißt du, was sie so verwandelt hat?

SOSIAS: Nein, keine Ahnung.

AMPHITRYON: Sie glaubt... du wirst es nicht für möglich halten.

SOSIAS: Was denn? Was glaubt sie?

AMPHITRYON: Sie glaubt..., nein, wenn ich es so sagen soll, kommt es mir selbst unglaublich vor. Vielleicht hab' ich da etwas mißverstanden. Und doch, es war ganz eindeutig...

SOSIAS: Was denn?

AMPHITRYON: Du wirst auch nicht lachen?

SOSIAS: Ich schwör' es!

AMPHITRYON: Sie glaubt..., ich sei Jupiter!

SOSIAS *(ernst)*: Tatsächlich?

AMPHITRYON *(betrachtet ihn mißtrauisch)*: Du lachst nicht? Nun lach schon! Ich merke doch, daß du es unterdrückst. Komm, laß es raus! Du findest es allzu albern.

SOSIAS: Ein Wunder ist es!

AMPHITRYON: Nicht wahr? Und doch kann ich damit nicht zufrieden sein.

SOSIAS: Warum denn nicht? Die Liebe hat Sie in einen Gott verwandelt. Mehr kann ein Mensch nicht verlangen.

AMPHITRYON: Sie liebt nicht mich, sondern Jupiter. Ich bin doch nicht mal ich selbst!

SOSIAS: Nicht mehr Sie selbst?

AMPHITRYON: Nein! Ich fühle, ich hab' alle Natürlichkeit verloren. Ich überlege jeden Schritt. Mir ist, als müßt' ich den Jupiter spielen, wie er den Amphitryon spielt. Sieh her, ich kann mich gar nicht mehr richtig bewegen! *(Macht eine linkische Bewegung)*

SOSIAS: Gehen Sie einfach wie Amphitryon!

AMPHITRYON: Ich soll mich selber imitieren?

MERKUR: Ja. Das tut Jupiter auch!

AMPHITRYON *(jämmerlich)*: Aber er kann es besser!

SOSIAS: Ach was, das kann kein Gott – mehr mit Ihnen übereinstimmen als Sie selbst!

AMPHITRYON: Dann sag mir, wie ich bin, damit ich weiß, wie ich sein soll! Ich will mich selbst verwirklichen.

SOSIAS: Das sagen die Frauen auch immer. Vielleicht fühlen die sich so, wie Sie jetzt.

AMPHITRYON: Ich fühl' mich gräßlich!

SOSIAS: Das muß es sein, das sagen sie auch.

AMPHITRYON: Hilf mir!

SOSIAS: Das ist doch absurd. Um sich selbst zu verwirklichen, kann man doch keine Hilfe brauchen!

AMPHITRYON: Aber was mach' ich jetzt?

SOSIAS: Ich sag' ja – seien Sie spontan!

JUPITER: Wenn du das sagst, fühl' ich mich gehemmt. Könntest du nicht etwas genauer sein?

SOSIAS: Bewegen Sie sich ganz locker, leicht, natürlich.

AMPHITRYON: Gut. *(Zögert und vollführt dann einen gewaltigen Sprung aus dem Stand)*

SOSIAS: Beim Barte Jupiters, was soll denn das?

AMPHITRYON: Das war spontan!

SOSIAS: Nein, das war ja entsetzlich verkrampft. Kein Mensch springt so grundlos in der Gegend herum! Man darf seine Spontaneität nicht beweisen wollen, die hat man einfach. Seien Sie einfach, der Sie sind. Erst wenn Sie das sind, verwirklichen Sie sich selbst. Gute Nacht! *(Geht durch die Tür ab, durch die auch Thessala verschwunden ist)*

AMPHITRYON *(hilflos)*: Sosias! *(Er macht ein paar gymnastische Übungen, um wieder spontan zu werden; währenddessen tritt Alkmene auf, im Nachtgewand und verschlafen)*

ALKMENE: Warum bist du nicht bei mir – willst du schon gehen? Halt doch die Nacht an und laß sie ewig dauern! Komm zurück ins Bett!

AMPHITRYON: Sie sind der ganzen Welt geraubt, die Augenblicke, die ich der Liebe opfernd dargebracht. Würdest du mich ganz für dich privatisieren, wäre ich kein Gott, und doch wollte ich das gern – ich würde auf mein hohes Amt verzichten und würde nur bei dir sein, das wär' mir Götterexistenz genug.

ALKMENE: Geliebter, das würdest du für mich tun?!

AMPHITRYON: Ja, aber dann würde ich ganz, als was ich dir erscheine. Ich würde gerade so wie Amphitryon. Wir würden tauschen: Ich würde Amphitryon, und er wird Jupiter. Es steht in deiner Macht, den Tausch gleich durchzuführen, denn ich leihe meine Allmacht deinem Willen.

ALKMENE: Ich wähle dich, mein Geliebter!

AMPHITRYON: Das macht mich vom Gott zum Ehemann. *(Sehr erleichtert)* So, jetzt fühle ich mich erst richtig göttlich! *(Umarmt sie und küßt sie leidenschaftlich)*

ALKMENE: Du würdest ohne Unterschied so wie Amphitryon und Amphitryon so wie du?

AMPHITRYON: Ja, so würde es sein.

ALKMENE: Weißt du, eine Besorgnis erregst du mir, die ich, so scherzhaft sie auch klingt, dir nennen muß: Du weißt, daß es ein Gesetz der Ehe ist, Liebe aus Pflicht zu bieten, und daß, wer Liebe nicht erwirbt, sie vor dem Richter auch nicht fordern kann. Dies Gesetz – es stört mein höchstes Glück! Mir, meinem Herzen, möchte ich allein alles Gefühl, das ich dir schenke, danken. Ich möchte einen Geliebten, keinen Ehemann – oder, daß der Ehemann sich ganz im Geliebten auflöst. So treffe ich meine Wahl: Das, was ich habe, soll so sein wie du, nämlich göttlich, und göttlich ist nur ein Geliebter.

AMPHITRYON: Das wird nicht gehen, Geliebte. Das, was du hast, ist immer ein Ehemann, und was man nicht hat, nennt man göttlich. Deshalb muß ich dir sagen, sei realistisch! Entwöhne, Geliebte, von dem Gott dich und unterscheide zwischen ihm und dem, was du hast.

ALKMENE: So wären die Götter unsre Feinde, die uns hindern zu genießen, was wir haben? So eifersüchtig können sie nicht sein!

AMPHITRYON: Wir Götter sind dazu da, den Menschen ein Maß zu geben, auf das sie sich und alles an einem Besseren messen können. Aber das soll nicht dazu führen, daß man das Gute um des Besseren willen ablehnt. Amphitryon als Gatte ist kein Gott, aber er ist nicht schlecht. Ich fühle mich in seiner Haut ganz wohl. Gib zu, du liebst mich auch um seinetwillen etwas. Deine Liebe macht mich großzügig, und von dieser Götternacht verdient er auch ein Stück.

ALKMENE: Wenn du einen Teil seiner Liebe entbehren kannst, gab ich dir zuviel, du brauchst nicht alles!

AMPHITRYON: Ich brauche doppelt viel, für mich als Gott und für Amphitryon dafür, daß ich ihm seine Gestalt entwendet hab'! Im Ernst, Alkmene, Amphitryon steht hoch in meiner Gunst. Er ist ein nobler Mann. Ich kenne seine Seele wie mich selbst. Er liebt dich rückhaltlos und ehrlich, und wenn er manchmal etwas täppisch ist und unsensibel, so sind das nur die Schattenseiten von Tugenden wie Standfestigkeit und Zuverlässigkeit. Er täte alles, um dich zurückzugewinnen, ja, er forderte selbst meinen Zorn heraus …

ALKMENE: Wollen wir unsere Zeit damit vertun, über Amphitryon zu diskutieren? Man könnte beinah' meinen, du kämst um seinetwillen, um bei mir für ihn zu plädieren und mich in seiner Gestalt mit ihm zu versöhnen. Aber das Gegenteil passiert: du entwöhnst mich eher, Geliebter, von dem Gatten und lehrst mich, in deine Uneigennützigkeit zwischen deinem göttlichen Zartgefühl und seinem Egoismus zu unterscheiden. Das sind ganz und gar verschiedene Erfahrungen, und nichts ist sicherer als die Erfahrung, die man hat. Drum will ich diese

Götternacht, wie du sie nennst, Geliebter, nicht mit meiner weiteren Ehe gemeinem Tageslauf durcheinanderwerfen und will immer an dich denken, wenn Amphitryon einst zurückkehrt.

AMPHITRYON: Dann wollen wir diese kurze Nacht, Geliebte, die mit zehntausend Flügeln fliegt, bei dir vollenden! *(Beide ab)*

V. Die Kommunikation als Wettbewerb

Der Monolog

Bei der Behandlung der Sprache »Männlich« und »Weiblich« haben wir gesehen: die Kommunikation der Frau ist symmetrisch, die des Mannes asymmetrisch. Sie liebt den Dialog, er liebt die einseitige Darbietung. Verständlicherweise bringen Frauen für die bevorzugten Kommunikationsformen des Mannes kaum Verständnis auf. Sie eignen sich aber ausgezeichnet für die Konkurrenz in der politischen Arena.

Hier steht an erster Stelle der Monolog. Er kann die Form einer großen Rede, eines Vortrags oder einer Tirade annehmen. Der Hauptvorteil des Monologs besteht darin, daß er die anderen daran hindert, etwas zu sagen. Während er dauert, sind alle übrigen zum Schweigen verurteilt. Der Mann hat deshalb einen natürlichen Widerwillen dagegen, seine Rede je beenden zu müssen. Die sowjetischen Führer drückten ihre diktatorische Machtfülle damit aus, daß sie bis zu siebenstündige Reden hielten. Westlichen Beobachtern erschienen diese Exzesse als völlig sinnlos, weil ihr Inhalt sowieso vorhersehbar und in sich selbst höchst langweilig war. Dabei hatten sie die sowjetische Machtsymbolik verkannt. Indem sie diesen endllosen, staubigen Monologen lauschen mußten, wurde den Parteigenossen ihre eigene Hilflosigkeit vor Augen geführt. Die Langweiligkeit war daher kein Defizit, sondern gewollt. Ja, sie wurde zu hoher Kunstfertigkeit ausgebildet. Je langweiliger, desto größer die Qual für die Zuhörer. Und desto deutlicher wurde den Beteiligten klargemacht, daß, wer das aushielt, alles ertragen würde. So wurden aus den Parteitagsreden Wettbewerbe der Langweiligkeit. Und ein Politiker konnte mit einer Rede von tödlicher Trockenheit direkt seinen Führungsanspruch begründen.

Das ist in der Demokratie natürlich anders, wo die Zuhörer freiwillig lauschen. Sie müssen durch Kurzweiligkeit bei der Stange gehalten werden. Allerdings gewinnt auch hier der Monolog den Wert einer Waffe, wenn es sich um die Auseinandersetzung mit dem Gegner handelt. Wie man an jeder Talkshow beobachten kann, besteht das Ziel für den Redner darin, das Wort zu ergreifen und es nicht mehr herzugeben. Da das aber für beide Gegner gilt, gehören zur hohen Schule des Monologs auch die Kunst, sich gegenseitig zu unterbrechen, und die Kunst, dem Gegner nicht zuzuhören. Denn geht man auf ihn ein, gibt man ihm die Chance, das Thema zu diktieren. Und damit hat er in der Regel schon gewonnen.

Die Argumente des Gegners stellen also eine arge Versuchung dar. Aber der Könner zeigt sich in der Kunst, sie zu ignorieren. Richtige Virtuosen ernähren ihren Monolog sogar mit der Vernichtung von Argumenten, die der Gegner überhaupt nicht vorgebracht hat. Da muß er dementieren und protestieren. Wenn er das tut, hat man ihn da, wo man selbst das Thema bestimmen kann.

Darüber hinaus bietet die Rede aber dem Manne Gelegenheit, sich in der Form der Prächtigkeit darzustellen. Sie ist die Form, in der der Imponierstil am besten zur Geltung kommt. Das drückt sich schon in der Choreographie der Rede aus. Der Mann steht vorne und erhöht. In ihm kreuzen sich die Blicke aller. Was er zu sagen hat, betrifft alle. Deshalb muß er auch so sprechen, daß sich alle angesprochen fühlen. Mit gehobener Stimme, im Stile allgemeiner Geltung. So spricht der Führer der Gruppe oder derjenige, der Wesentliches zu sagen hat. Das muß nicht neu sein oder besonders originell. Es kann sogar äußerst platt sein. Aus Seminardiskussionen weiß man, daß Studentinnen sich häufig darüber wundern, wie ihre männlichen Kommilitonen um eines geringfügigen Erkenntniswerts willen umständliche Vorträge halten und sich aus Anlässen zu Wort melden, die für sie lächerlich wären. Das zeigt, daß sie die Funktion der Rede mißverstanden haben. Der Mann redet nicht in erster Linie, um neue Erkenntnisse bekanntzugeben; er redet, um sich selbst darzustellen und sein Band mit der Gruppe zu stärken. Dazu muß er nichts Originelles sagen, sondern das Selbstverständnis der Gruppe bestärken. Das tut er, indem er sagt, was sowieso alle denken.

Ist die Kunst des Monologs die eine Seite der Medaille, besteht die andere in der Fähigkeit, den Monolog des Gegners zu torpedieren oder ganz zu zerstören. Dafür gibt es neben der Unterbrechung den Zwischenruf, die Störung, den Witz und die Beleidigung sowie die tückische

Frage. Das sind die Künste, die die Parlamente züchten. Und der gekonnte Abschuß einer gegnerischen Idee geht in die Mythologie der Abgeordnetenkammern ein.

Die Ideologie

Welche Frau hat sich nicht schon darüber gewundert, mit welcher Leidenschaftlichkeit sich Männer abseitigen Fragen zuwenden? Zum Beispiel kann ihr Lebensgefährte sich entsetzlich darüber aufregen, daß ihr Bruder sich zu Niklas Luhmann bekennt. Und Habermas ablehnt. Man könnte meinen, daß es sich bei diesem Luhmann um einen Apostel des organisierten Verbrechens handelt. Aber in Wirklichkeit ist er nur ein unverständlicher Soziologe. Und so kann sie nur staunen über die Ströme von Emotionen, die von Debatten über Probleme ausgelöst werden, die nicht die geringste Auswirkung auf ihr eigenes Leben haben werden. Ihr ist unbegreiflich, was es für einen Unterschied macht, ob ihr Bruder nun an Niklas Luhmann, Karl Marx oder den Weihnachtsmann glaubt – die Entwicklung der Gesellschaft wird er sowieso nicht bestimmen –, und so versteht sie nicht, wieso ihr Lebensabschnittsgefährte – wie lange noch? – ihn immer wieder so wütend angreift. Und das zeigt, daß sie in ihrem Verständnis von Theorien noch nicht über das erste Stadium hinausgelangt ist.

Da sieht man politische Ideologien unter dem Gesichtspunkt ihres Gehalts: Was rücken sie in den Mittelpunkt, was erklären sie, von welchem Problem gehen sie aus, welche Frage suchen sie zu beantworten, was ist ihr Ziel, und welche Vorstellung von Gemeinwesen liegt ihnen zugrunde? Kurzum, da fragt man sich, ob sie stimmen und was an ihnen plausibel und was unplausibel ist.

Doch mit dieser Frage wird man das eigentliche Wesen der Ideologie verfehlen. Dies erschließt sich uns erst, wenn wir unser Augenmerk auf ihre Funktion für die Kommunikation lenken. Da die Kommunikation das Biotop ist, in dem die Ideologien überleben müssen, müssen sie ihr etwas bieten, damit sie sich ihrer annimmt. Sie müssen die Kommunikation animieren und reizen, damit sie sie immer wieder aufgreift.

Sieht man die Sache unter diesem Blickwinkel, erkennt man sofort, daß Ideologien für die Kommunikation in der Tat einen starken Reiz bereithalten: Sie begründen Meinungen mit der Annahme, daß der Gegner ein Schurke, ein Dummkopf oder ein Verblendeter ist. Jede Ideologie hat sofort einen unangenehmen Platz für den, der widerspricht. Wer früher etwas gegen den Marxismus einwandte, war ein Klassenfeind und ein kapitalistisches Schwein, das die Arbeiter ausbeuten wollte; oder ein Idiot, der dem Verblendungszusammenhang des Warenfetischismus zum Opfer gefallen war. Wer Zweifel an den Lehren Sigmund Freuds zu äußern wagt, enthüllt damit, daß er ein schwerer Neurotiker ist, der all seine Abwehrkräfte in den Dienst der Verdrängung stellt, um nicht zugeben zu müssen, daß er mit seiner Frau Mutter schlafen möchte. Mit einem Wort: Ideologien reizen die Kommunikation dadurch, daß sie konfliktnah sind. Und derjenige gewinnt in einem politischen Disput sofort das Übergewicht, der über eine Theorie mit einer starken Verdachtsabteilung verfügt. Die Verdachtsabteilung nimmt die Meinung des Gegenübers gar nicht mehr ernst, sondern führt sie auf seine Interessen zurück: Die klassische Nationalökonomie maskiert nur die Interessen der Ausbeuter. Die Kulturtheorie des Freundes ist nur ein Nebenprodukt der ungemein heftigen Tätigkeit seiner Hormone. Seine Meinung zur Justizreform entspringt der Angst vor den Fremden.

Theorien mit starken Verdachtsabteilungen verfügen über ein Immunsystem. Wer sie ablehnt, bestätigt sie. Daß der Neurotiker Freud für einen Scharlatan hält, ist in der Theorie der Verdrängung schon miteingebaut.

Die Meinung

Für den Konflikt eignen sich also solche Theorien, die den Mann mit eindeutig konturierten Meinungen beliefern. Und von denen ist diejenige wieder im Vorteil, die einen Platz für den Gegner hat. Sie statten den Mann zugleich mit einer Rüstung und einem Schwert aus. Er wird unverwundbar und dadurch doppelt gefährlich. So gerüstet, kann er sich in jede Debatte werfen. Er braucht keine Wortschlacht mehr zu scheuen. Er fühlt sich fortan wie ein Schlachtroß. Schon die Aussicht auf eine Bataille läßt ihn mit den Füßen scharren und vor Ungeduld schnaufen. Dann blickt er wild um sich und sucht nach jemand, über den er herfallen kann. Die Gruppen, die sich aus diesem Theoriearsenal bedienen, bilden Meinungsclubs, Weltanschauungsgesellschaften, Theoriekartelle und Überzeugungszirkel. Meinungen sind also nicht nur unverbindliche Weisen des Dafürhaltens. Das würde die Leidenschaftlichkeit des Engagements nicht erklären, die Frauen an Männern immer wieder verblüfft. Vielmehr ist die Meinung ein Erkennungssignal für die Gruppe. Sie verleiht dem einzelnen das Gefühl der Zugehörigkeit. Hinter jeder Überzeugung steht ein unsichtbares Heer von Anhängern. Mit dem leidenschaftlichen Bekenntnis zu einer Meinung reiht sich der Mann in dieses Heer ein. Daß er dabei immer lauter wird, hat damit zu tun, daß er sich in diesem Heer immer stärker fühlt. Es ist das Heer der Intellektuellen.

Um den Typ des Intellektuellen zu besichtigen, betreten wir wieder einmal die Porträtgalerie.

Siebter Abstecher in die Porträtgalerie der Männertypen: Der Intellektuelle

Zunächst müssen wir ein leidiges Mißverständnis ersticken: Obwohl es naheliegt, hat der Begriff »Intellektueller« sowenig mit überlegener Intelligenz zu tun wie die Genietruppe im alten Österreich mit Genialität. »Genie« war ein altertümliches Wort für »Ingenieur«. Ebenso bedeutet »Intellektueller« nicht, daß er intelligenter ist als andere, sondern daß er seine Aufgabe darin sieht, über die Belange der Gesellschaft öffentlich nachzudenken, ohne irgend jemandes Interessen zu dienen. Zu den Intellektuellen gehören also vor allem freie Autoren, freie Journalisten, Kommentatoren, Künstler, Schriftsteller, Redakteure, Satiriker und alle, denen es um den Zustand der gesamten Gesellschaft geht. Ein Professor der Geologie, der nur für ein kleines Fachpublikum schreibt, ist kein Intellektueller, und sei auch sein Intelligenzquotient 160 oder mehr. Ein Professor

der Kulturtheorie, dessen Schriften das Selbstverständnis der Öffentlichkeit verändern könnten, ist einer. Ein Intellektueller muß frei sein, um die
Gesellschaft kritisch kommentieren zu können. Deshalb hat man früher
auch von der »freischwebenden Intelligenz« gesprochen. Wer dazu gehörte, wurde zum Teilnehmer an einem öffentlichen Gespräch. Daß es einen
engen Kontakt zur Politik hatte, wurde durch den französischen Begriff
»république des lettres« ausgedrückt: Nur eine Republik hat eine Öffentlichkeit.

Was für die ernüchterte Ehefrau ihr Ehemann ist, ist für den Intellektuellen die Gesellschaft: ein Gegenstand ständiger Reformbemühungen
und Kritik. Er kann nicht von ihr lassen, aber möchte, daß sie eine andere
sei. Er ist von ihr in Haßliebe besessen. Er muß sie verändern, ersetzen,
umbauen oder erziehen. Er muß sie kritisieren, ihr ins Gewissen reden
und Predigten halten. Er stimmt nicht mit ihr überein, fühlt sich aber als
Treuhänder ihres eigentlichen Wesens. Er hütet die Feuer, die in der Gesellschaft erloschen sind, um sie ihr, nach ihrer Wiedergeburt, zurückzuge-
ben. Er ist der Typ, der zwar von der Horde abhängig, aber mit der, die er
hat, völlig unzufrieden ist. Er verbringt deshalb sein Leben damit, sich seine eigene Horde zu suchen.

An sich ist das nichts Besonderes. Die meisten Männer tun dasselbe,
wenn sie mit ihrer Bezugsgruppe unzufrieden sind. Oder sie versuchen es
wenigstens. Wenn ihnen die Kollegen nicht passen, suchen sie sich einen
neuen Job. Passen ihnen die Freundeskreise nicht mehr, ziehen sie in eine
andere Stadt. Wollen sie den Typ ihrer Horde wechseln, suchen sie sich
eine andere Tätigkeit und wechseln vom Journalismus in die Politik und
von der Politik in die Wirtschaft. So sucht sich jeder die Horde, die ihm
liegt.

Für den Reformer aber ist die Horde die ganze Gesellschaft. Sie kann
er nicht auswechseln. Zu ihr gibt es keine Alternative. Also wünscht sich
der Reformer seine eigene Gesellschaft zurecht. Im Geiste verändert er
sie so, daß er darin einen idealen Platz finden würde. Seine gesellschaftlichen Sehnsüchte entspringen dem Wunsch, endlich die ihm gemäße
Stellung in der Horde zu finden. Dazu muß aber die Horde erst mit seinen Augen sehen lernen.

Solch ein Typ mag ein Außenseiter sein. Er steht mit den anerkannten Werten auf Kriegsfuß. Er ist ein Kritiker und ein Oppositioneller. Er sieht also ziemlich unabhängig aus. Vielleicht ist er das auch in vielen Punkten. Er ist trotzdem hordenabhängig. Wählt jemand die ganze Gesellschaft zu seiner Horde, bedient er damit seine Größenphantasien. Da er sie in seiner Phantasie ständig umbaut, ist er im Geiste auch an der Regierung. Wenn er redet, entwickelt er Gedanken, die sich auch als Regierungserklärung eignen würden. Wenn er diskutiert, könnte man meinen, er bereite die nächste Kabinettssitzung vor. Seine Welt ist die Welt selbst. Es gibt kein Problem zwischen der Erwärmung der Ozeane und der Frage des computergestützten Unterrichts, das vor ihm sicher wäre. Er könnte von heute auf morgen Regierungschef werden und wüßte, was zu tun wäre.

Vor seiner historischen Mission verblaßt alles andere. Da er sich eine neue Welt zurechtlegt, ähnelt er ein bißchen dem Konstrukteur. Mit der Wichtigkeit seiner Anliegen kleidet er seine eigene Wichtigkeit ein und macht sie vor sich selbst unkenntlich. Hinter seinen Prinzipien steht immer das Gewicht des Ganzen. Er ist ein Vertreter der Interessen der Menschheit. Er fühlt sich als Parlamentsabgeordneter der ganzen Welt. Deshalb liebt er auch Wortzusammensetzungen mit »Welt«: weltweit, Weltinnenpolitik, Weltfriede, Weltmaßstab, Weltwirtschaft, Weltbevölkerung etc.

Wie immer, wenn es um Politik geht, geht es auch bei den Intellektuellen zu wie beim Fußball: Die Vereine bilden als Meinungsclubs rivalisierende Mannschaften. Nur in den oberen Vereinsligen spielen die Profis. Unterhalb gibt es nur noch das Heer der Amateure. Sie alle leben in einer Gesellschaft, zu der sie eine Alternative wünschen. Einige nennen sich bereits selbst »Alternative«.

Für den Träger einer historischen Mission kann eine Frau allenfalls zeitweise eine gewisse Bedeutung annehmen. Vor allem, wenn sie ihn in seiner Mission bestärkt. Aber an erster Stelle geht es ihm um seine Vision der idealen Horde. Darin ist er ein typischer Mann. Als Repräsentant des öffentlichen Diskurses repräsentiert er die Sphäre der Männer selbst. Er ist die lebende Opposition zur Intimität. Jede Frau, die versucht, ihn von der

Bühne der Öffentlichkeit herunterzuzerren, wird scheitern. Sie würde ihn von der Quelle seiner Eigenliebe abschneiden. Ihr bleibt nur noch die Alternative: aufgeben oder mitmachen.

Soll er sich um die Familie oder den Haushalt kümmern, sieht er im Einzelproblem sofort den gesellschaftlichen Mißstand: Er kann deshalb nichts im kleinen Maßstab machen. Soll er eine Wohnung suchen, gründet er erst eine Wohnungsvermittlungsgesellschaft. Muß er sich um einen Kindergartenplatz kümmern, schreibt er einen Artikel über die Fehler der Familienpolitik. Alles, was ihm begegnet, wird ihm zum Beispiel für die Notwendigkeit der Reform. Und bekommt er Ärger mit seiner Frau oder Freundin, klärt er sie erst einmal über ihre objektiven Interessen und subjektiven Irrtümer auf. Sein eigentliches Medium ist die Diskussion. Hier ist er auf vertrautem Gelände. Er hat in seinem Leben schon an die achtzigtausend Debatten geführt. Er ist trainiert und praktisch unschlagbar. Daß er sich jemals von irgend jemand hat überzeugen lassen, hat seit Menschengedenken noch nie jemand beobachtet. Um so erstaunlicher ist sein unerschütterlicher Glaube daran, daß er selbst jemand überzeugen könnte. Seinen Gegner ermüden, in die Flucht schlagen oder deprimieren – daß ihm das gelang, hat man schon häufig erlebt. Aber ihn dazu zu bringen, seine Meinung zu ändern – nein, das wurde noch niemals beobachtet.

Bevor sich eine Frau mit einem Intellektuellen einläßt, sollte sie wissen: Die Debatte wird lebenslänglich. Wenn sie schon eine Dreiviertelstunde kaum durchhält, geschweige denn drei Tage, sollte sie es gleich aufgeben. Sonst wird sie spätestens nach drei Wochen ermüden, nach drei Monaten abschalten und nach drei Jahren die Flucht ergreifen. Oder sie wird einen Haß auf seine Debattiererei entwickeln. Wenn er in Gesellschaft seine Thesen verkündet, wird sie verächtlich lächeln und damit allen Anwesenden zu verstehen geben, daß sie diese Thesen schon vierhundertmal gehört hat. Oder sie wird sie direkt entwerten. Sie wird sagen:»Laß ihn nur reden!« mit der Nebenbedeutung:»Es hat nichts zu bedeuten.« Und sie wird andeuten, daß sie das Gerede für eine Form der Impotenz hält und sich statt dessen nach einem Mann sehnt, der handeln kann. Sie wird nach und nach seine Größenphantasien durchschauen und ihn dafür noch mehr verachten. Und da er das alles nicht zu bemerken scheint, weil er mit der Reform des Wahlrechts beschäftigt ist, wird sie die Dosierung erhöhen, bis alle ihre Freunde es bemerken außer ihm selbst.

Wer sich aber auf die lebenslängliche Debatte einlassen will, sollte ein paar Dinge über den Debattenstil wissen. Bewaffnet mit einer Gesellschaftstheorie gibt der Intellektuelle die Parole aus, daß die Ansichten eines Gegners keine Ansichten sind, sondern nur Masken für finstere Absichten. Er widerlegt also einen Gedanken nie in dem Kontext, in dem er entwickelt wird, sondern enttarnt ihn als Verkleidung eines ganz anderen Gedankens. Und schießt ihn dann ab. Wer das nicht weiß und die Spielregeln nicht kennt, findet sich bald außerordentlich frustriert. Wo er sich Mühe gibt – also in der säuberlichen Herleitung und Aufstellung der Gründe –, greift der Gegner gar nicht an. Es geht ihm da wie den Franzosen mit der Maginot-Linie. Alle Ingenieurkunst war völlig vergebens, als der Feind sie umging. Hat man aber verstanden, daß es um begriffliche Strategien geht, kann das Debattieren einen Reiz entwickeln, der auch auf die Beziehung abstrahlt. Zwar wird sie ihren Mann nie überzeugen können. Aber um Überzeugungen geht es auch nicht. Vielmehr wird sie ihm imponieren. Sie wird ihm Respekt abnötigen. Er wird sie plötzlich wahrnehmen. Da für ihn die Debattierkunst auch die Funktion eines Wahrnehmungsorgans hat, kann er sie viel besser sehen.

Das wird um so mehr der Fall sein, je öfter sie ihn in der Debatte aufs Kreuz legt. Das aber gelingt selten durch eine simple Konfrontation. Die Aufstellung seiner Argumente wird schon dafür gesorgt haben, daß, wer das Gegenteil vertritt, sich leicht unmöglich macht. Vielmehr muß sie den berühmten Dreischritt üben: Sidestep – Analogieschluß – moralische Diskreditierung. Das Ganze ist eher ein Bewegungskrieg, bei dem es darum geht, den Gegner in die Sümpfe moralischer Diskreditierung zu treiben. Diese Sümpfe sind auf den moralischen Landkarten deutlich markiert. Der Gegner kennt also ihre Lage genau und will ihre Nähe vermeiden. Die Kunst besteht nun darin, seine Position auf unerwartete Weise in Richtung eines Sumpfes zu verschieben.

Der Gegner sagt zum Beispiel: »Dieser verquaste akademische Stil ist doch ein Greuel. Dieses Fachchinesisch versteht ja niemand. Warum müssen die Leute so viele Fremdwörter benutzen? Warum können sie nicht gutes Deutsch schreiben?«

Diese Äußerung ist mehrheitsfähig. In einer Talk-Show würde sie sicher mit Beifall belohnt. Sie scheint ungefährdet und weit weg von jedem moralischen Sumpf. Doch jetzt kommen Sidestep und Analogieschluß: »Wer gegen Fremdwörter ist, ist auch gegen Fremde.«

Da sollte man mal sehen, wie schnell die Hasen in die Löcher flitzen! Da wird in der Nähe des Fremdwortfeindes niemand mehr zu sehen sein. Und dann der Todesstoß: »Fremdwörter sind die Türken der Sprache.« Noch ein weiterer Sidestep, und man kann ihn als ausländerfeindlichen Neonazi hinstellen. Und als ethnischen Säuberer, der alle Fremdwörter aus dem Lande jagen möchte. Dabei hatte er nur für einen verständlichen Stil plädiert. Das ist die Debattierkunst des Intellektuellen.

Ein Paar, bei dem er der Intellektuelle ist, erkennt man daran, wie es seine Entscheidungen aufteilt. Er fällt all die wichtigen Entscheidungen, z. B. was die Haltung zur Atomenergie betrifft oder zur Dritten Welt. Sie dagegen beschränkt sich auf die unwichtigen Entscheidungen, etwa über die Schule, die das Kind besucht, die Wohnung, die sie beziehen, oder wie sie ihr Geld anlegen.

So teilen sich die Partner die Nähe und die Ferne. Während sie sich fragt, warum er sich um das Problem der Überbevölkerung in Indien kümmert, anstatt die kaputte Wasserleitung im Badezimmer zu reparieren, versteht er nicht, warum sie das nicht versteht. Der kaputte Wasserhahn ist kein Gegenstand, dem gegenüber man eine große Figur machen kann. Dazu braucht er eine große Bühne. Und ein Weltproblem wie die Überbevölkerung bietet so eine Bühne. Die UNESCO sollte man hier einschalten! Im Geiste sieht er sich einen Vortrag vor den Vereinten Nationen halten. Und so probt er ihn schon vor seiner Frau. Die will ihn nicht hören? Gut, geht er eben zu Brigitte von nebenan. Obwohl sie nur Verkäuferin ist, interessiert sie sich für solche Dinge. Die Wasserleitung? Gott behüte, bin ich ein Klempner? Soll sie doch den Handwerker holen! Ich habe mich um wichtigere Dinge zu kümmern! Wie die Bevölkerungsexplosion auf dem indischen Subkontinent. Wenn wir da nicht aufpassen ... »Brigitte, ich mach' mir Sorgen um die Bevölkerungsexplosion in Indien.«

Hast du neulich diesen Artikel in der Zeitung gelesen? Nicht? Da steht folgendes ...«

Die Zeitung versorgt den Intellektuellen mit seinem täglichen Bedarf an Nachrichten, über die man Meinungen haben kann. Sie hält ihn in Verbindung mit seiner imaginären Bühne, der Welt. Sie erneuert jeden Tag jenen Phantasieraum, in dem er im Bundestag auftritt, der Regierung die Leviten liest, den Kanzler absetzt und endlich die Steuern senkt. Hier empfängt er die Staatsgäste aus dem Ausland, findet die richtigen Worte bei ihrer Begrüßung und waltet zum Wohl des Landes und des Erdkreises. Die Zeitung erlaubt es ihm, der Enge des Heims den Rücken zu kehren und sich auf den Schwingen des Gedankens in die Wolken zu erheben.

Dann wird seine Freundin bemerken, daß er einen merkwürdig abwesenden Eindruck macht. Aber sie ahnt nicht, daß er gerade der Kabinettssitzung beiwohnt und den Kanzler berät. Wo wir ihn jetzt ebenso verlassen wie die Porträtgalerie.

Die herrschaftsfreie Konversation

Wir nehmen den Faden bei dem Problem wieder auf, das uns Deborah Tannen hinterlassen hatte. Wenn »Männlich« die Sprache der Politik und der Öffentlichkeit ist und »Weiblich« die Sprache der Intimität und der persönlichen Beziehungen, in welcher Sphäre treffen dann beide aufeinander: in der Öffentlichkeit oder im Privaten?

Viele Frauen kommen nach jahrelangem Studium des Mannes zum Ergebnis: Männer können nicht kommunizieren. In Wirklichkeit tun sie sich nur schwer, im Rahmen informeller Beziehungen des Alltags und in der Familie angemessen zu kommunizieren. Statt das Wechselgespräch zu suchen, halten sie Vorträge. Statt zuzuhören, neigen sie zu umständlichen Belehrungen. Sie scheinen einen Widerwillen dagegen zu haben, auf den Gesprächspartner einzugehen. Sie werden von dem Gefühl beherrscht, sie müßten im Gespräch ein Programm abwickeln und ein Thema abhandeln. Abweichungen vom Thema empfinden sie als den Versuch, sie zu verwirren. Da sich ihre Kommunikation auch im Privaten im Rivalitätsstil vollzieht, geht es ihnen darum, die Kontrolle zu behalten.

Genaugenommen müßte es aber heißen: Männer sind unfähig zur Konversation. Denn die Konversation zeichnet sich dadurch aus, daß ihr Verlauf nicht vorhersehbar ist. Statt dessen gehorcht sie dem Prinzip der Selbststimulation. Sie läßt sich von den Ideen leiten, die die Gesprächsteilnehmer in Reaktion aufeinander entwickeln. Sie folgt den selbstgeschaffenen Anregungen. Sie schlägt Haken. Wenn ein Beitrag das nahelegt, wird das Thema sofort gewechselt. Alle möglichen Themen kommen in Frage, vorausgesetzt, sie werden in der Form persönlicher Einfärbung behandelt. Mit dem raschen Themenwechsel wird sichergestellt, daß alle zum Zuge kommen. In der Konversation dürfen die Themen kein zu großes Eigengewicht annehmen, sondern müssen als Reizstoffe dienen, an denen die Teilnehmer ihre kommunikative Virtuosität demonstrieren können. Sie besteht in der Fähigkeit, die überraschenden Wendungen und Fluktuationen der Konversation aufmerksam zu verfolgen, um zufällige Gesprächskonstellationen zu geistvollen Bemerkungen zu verdichten. Gerade das verbietet es, was Männer so gerne tun, in gnadenloser Weise die

Konversation auf präparierte Witze zuzusteuern oder vorgestanzte Witze an den Haaren herbeizuziehen.

In der Konversation kommen die Eigenschaften zur Geltung, die weniger durch Befolgung äußerer Regeln als durch aktive Selbstregulierung in Erscheinung treten: Witz, Liebenswürdigkeit, Unterhaltsamkeit und Höflichkeit. All dies ist mit der Neigung der Männer zur Kontrolle nur schwer vereinbar. Der Mann übersetzt die Unberechenbarkeit der Konversation in seinen Rivalitätsstil und hält sie für ein Ergebnis von Guerillaangriffen durch anarchistische Partisaninnen. Da sein Beitrag zum Monolog tendiert, verbucht er die schnellen Themenwechsel als Versuch, ihn aus dem Konzept zu bringen. Den Witz gar erlebt er als persönlichen Angriff auf die Seriosität seines Beitrags und erhöht zum Ausgleich die Umständlichkeit seiner Ausführungen um etliche Grade. Mit anderen Worten: Er rechnet den »weiblichen« Sozialstil in persönliches Verhalten um und schreibt es dann seiner Gesprächspartnerin zu. Daß es sich um einen anderen Verhaltensstil handelt, bleibt ihm auf diese Weise verborgen. Er sieht nur eine persönliche Technik, ihn lächerlich zu machen und durcheinanderzubringen. Und je pedantischer und langatmiger, je pompöser und umständlicher ein Mann redet, desto eher rechnet er die Leichtigkeit der Konversation in den bewußten Versuch um, ihn zu veralbern. Und desto brutaler ist dann seine Antwort.

Frauen machen deshalb häufig die Erfahrung, daß sie mit Männern nicht im informellen Stil der Spontaneität kommunizieren können. Sie stellen fest, daß sie auf die Rolle des Publikums beschränkt werden. Der Mann verhält sich so, als wäre er ein Künstler und ein Solist, der nach der Darbietung den verdienten Beifall der Zuschauerinnen entgegennimmt. Und die Frau lernt, daß sie sich nicht mit ihm auf der gleichen Ebene verständigen kann und daß sie ihn behandeln muß. Und nach einer gewissen Zeit beginnt sie, unter Kommunikationsstau zu leiden. Also schüttet sie ihr Herz ihrer besten Freundin aus, nur um festzustellen, daß es dieser genauso geht. Darauf kommen beide nach dem Konsum von mehreren Tassen Kaffee zum Ergebnis: Männer haben einen Defekt. Noch einige Tassen später machen sie sich über sie lustig und spielen sich gegenseitig die Glanznummern aus dem Repertoire vor, in denen ihre Liebhaber oder Partner den absoluten Gefrierpunkt der Verhaltenskultur erreicht haben. Das erleichtert sie, aber es löst nicht ihr Problem.

So bestätigt sich für die Frau die Erfahrung, daß sie sich dem Mann nicht mitteilen kann. Beschreibungen ihrer Gefühle und Gemütslagen nimmt er nicht zur Kenntnis. Nachrichten über ihre Nöte und Ängste kommen nicht an. Sie gewinnt den Eindruck, daß ihr Partner während ihrer Kommunikationsversuche abwesend ist. Ihre Appelle finden einfach keine Resonanz. Es ist, als ob er sein Empfangsgerät abgeschaltet hätte.

Da sie in den Begriffen der »weiblichen« Sprache denkt, muß sie glauben, er habe alles Interesse an ihr verloren. Sie sei ihm gleichgültig geworden. Ihre Freuden und Leiden seien ihm egal. Stellt sie fest, daß er diese Gleichgültigkeit auch gegenüber den Kindern an den Tag legt, hält sie ihn für gefühlskalt.

Besuch im Reich der Frauen

Was sie nicht weiß, ist, daß er auch seine eigenen Gefühle nicht wahrnimmt; und daß er das vermeidet, um nicht über sie sprechen zu müssen; daß ein Mann seine Männlichkeit unter Männern lernt und daß die Kommunikation mit Frauen für ihn die Ausnahme darstellt.

Es gibt allerdings eine Phase im Leben des Mannes, in der er sich auf die Kommunikation mit Frauen einstellt: während der Phase der Verliebtheit und der Zeit, in der er um sie wirbt. Da wirkt er wie verwandelt. Da ist er zärtlicher, mitfühlender und aufmerksamer als jede Frau. Da achtet er auf jede ihrer Regungen. Da verfügt er plötzlich über die Fähigkeit, ihre Gefühle wahrzunehmen. Und ebenso plötzlich erwirbt er damit die Gabe der Konversation. Alles, was sie betrifft, findet nun sein Interesse. Er folgt ihren Bemerkungen in jede Untiefe. Und nichts ist ihm zu abwegig, als daß er nicht darauf einginge. Sie benutzt ihre Sprunghaftigkeit geradezu als Testverfahren, um zu prüfen, wie geistvoll er ist und wie weit es ihm gelingt, thematisch mit ihr in Verbindung zu bleiben. Die Konversation wird nun zum Versteckspiel und zur heimlichen Flucht, um seine Beweglichkeit zu prüfen. Kurzum, sie wird zum Flirt.

Auf einmal beweist er seine Fähigkeit, »Weiblich« zu sprechen. Er bestätigt alles, was sie sagt. Er spricht nur noch über persönliche Dinge. Dabei unterdrückt er jeden Anlaß zum Streit oder auch nur zur Uneinigkeit.
Dafür hat die Kultur besondere »poetische« Gegenstände vorgesehen, die
alle mit Ferne und Vagheit zu tun haben: etwa den Mond oder den Wind
im Schilf. Über sie kann man sich beim besten Willen nicht streiten. Sie
eignen sich deshalb als Gesprächsthemen, an denen man den Gleichklang
der Seelen wahrnehmen kann: der nächtliche Himmel, die goldenen
Sterne, der Wald, der schwarz steht und schweigt, der weiße Nebel wunderbar, das Rauschen des Windes, das Plätschern des Wassers. All dies sind
poetische Gegenstände, um deren Interpretationen man nicht konkurrieren kann. Sowohl Flirt als auch romantisches Gefühl drücken die glückli-
che Verschmelzung der Seelen aus.

Diese bemerkenswerte Wandlung wird bewirkt durch einen radikalen
Bruch in der Selbstwahrnehmung des Mannes ermöglicht. In der Liebe
ist es ihm gestattet, auch seine eigenen Gefühle wahrzunehmen. Die Kultur hat dafür einen erlaubten Ausnahmezustand vorgesehen. Es handelt
sich um einen temporär erlaubten Wahnsinn, eine anerkannte Krankheit,
ein zeitweiliges Fieber. Wir werden auf diesen Karneval des Gefühls noch
genauer eingehen. Hier genügt die Feststellung, daß dieser Zustand, wie
der Karneval, zeitlich begrenzt ist. Danach verliert der Mann die Fähigkeit
wieder, Gefühle auszudrücken oder sie wahrzunehmen. Er wirft sie ab, so
wie der Hirsch das Geweih. Und die Frau steht plötzlich wieder allein da
und fragt sich, wohin der Gefährte entschwunden ist. Nun, wir wissen,
wo er ist. Er ist zur inneren Männerhorde zurückgekehrt.

Man kann sich das so vorstellen: Während der Verliebtheit ist der Mann
auf der Reise. Er macht Ferien von der Anstrengung des männlichen Daseins, von seiner Roheit, seiner Langeweile und seinen immer gleichen
Ritualen. Er ist auf einem beseeligenden Trip. Aber wie ein Karibik-Tou-
rist nach Wochen tropischer Nächte am Strand die ewigen Daiquiris leid
wird und sich nach einer handfesten Bürointrige sehnt, wie er sich dabei
ertappt, nach einer heimatlichen Zeitung zu suchen, wie er nach Bot-
schaften aus dem Alltag giert und eine Sehnsucht nach seinen Arbeitskol-
legen empfindet, so entdeckt der verliebte Tourist im Land der Frauen

plötzlich sein Heimweh nach dem Reich der Männlichkeit. Er träumt
von den herzhaften Frotzeleien unter Männern. Er sehnt sich nach einem
munteren Kampfspiel im Beruf. Nach einer kleinen blutigen Jagd mit
interessanten Strategiebesprechungen. Nach dem herzhaften Gefühl der
kollektiven Kameradschaft. Und nachdem sie beobachtet hat, wie er immer unruhiger und nervöser wurde, findet sie nach einem Einkaufsbum-
mel auf dem Küchentisch einen Zettel mit der Botschaft:»Sorry, Liebling.
Dringender Anruf von Arnold. Mußte zurück zur Truppe: ein Notfall. Ich
hasse das genauso wie Du. Es war wunderbar mit Dir. Ich liebe Dich. Ich
rufe Dich an. Dein Bärchen.«

Rückkehr zu den Männern

Wenn das eintritt, ist der Trip der Verliebtheit zu Ende. Der Mann war für
eine kurze Zeit der Intensivkommunikation ins Reich der Frauen einge-
kehrt und hat festgestellt, daß ihn die Beschäftigung mit den Gezeiten ihrer Gemütslage auf die Dauer nicht zu fesseln vermag.

Ihm erscheinen die Auskünfte über den Seelenzustand wie der Wetter-
bericht: völlig unberechenbar. Mal ist es sonnig, mal regnet es; mal ist es
wolkig; mal ist es stürmisch und mal windstill. Er kann keine Ordnung in
diesen fließenden Verhältnissen entdecken. Es gibt keine Entwicklung,
keine Logik, keinen Zusammenhang und keine Gründe. Die Faszination
mit dem Konturlosen ist ihm unverständlich. Zur Organisation der Welt
braucht man Differenzen. Und die braucht man auch für den Kampf und
die Konkurrenz. Die Mikrologie der Selbstbeobachtung dagegen ist ihm
fremd. Sie überfordert sein Wahrnehmungsvermögen. So wie ein Mittel-
europäer die 120 Ausdrücke für »Schnee« für überflüssig hält, über die ein
Eskimo verfügt, so hat ein Mann keine Verwendung für die Genauigkeit,
mit der Frauen zwischen 120 Nuancen des Wohlgefühls und 230 Nuancen des Sich-unwohl-Fühlens unterscheiden. Diese lyrische Beschrei-
bungsgenauigkeit ist ihm unverständlich. Diese Faszination mit der
vegetativen Daseinsstimmung gehört nicht zu seinem Lebensgefühl. Er
meditiert nicht über das Licht in den Wassertropfen. Er pflegt keine Pflan-

zen und Blumen. Er beobachtet nicht das Atmen der Kinder im Schlaf. Und er ruht auch nicht so tief in seinem Körper. Statt dessen verfügt er über ihn wie über ein Instrument. Er ist nicht ein Körper, sondern er hat ihn. Sie ist Mutter Erde, die ruht. Aber er ist mobil wie der Wind. Vereinigen sie sich, so küßt der Himmel die Erde, und es fügen sich Körper und Geist zu einem neuen Menschen zusammen. Stirbt dieser, kehrt die Seele zum Himmel und der Leib zur Erde zurück. Über die Seele wacht der Priester in der Kirche, die Gräber aber pflegen die Frauen.

Und nach dem Tod der Liebe kehrt der Mann auch zur Sprache der Männer zurück. Dann wird sie versuchen, mit ihm über seine Rückverwandlung zu kommunizieren. Sie möchte ihm klarmachen, daß sein herablassender Belehrungsstil, seine Monologe und seine pompöse Gespreiztheit wie ein eiserner Vorhang wirken; daß er nicht mehr auf sie eingeht und rücksichtslos über ihre Wünsche hinwegtrampelt. Daß er nicht mehr zuhört, sie ständig unterbricht, sie abkanzelt, ihre Beiträge entwertet und sie in Gesellschaft übergeht, so als ob sie gar nicht vorhanden wäre.

Aber diese Versuche führen in sogenannte seltsame Schleifen. Tritt sie mit dem Anspruch auf, daß ihr Kommunikationsstil zivilisierter sei als sein Konkurrenzverhalten, dann konkurriert sie mit ihm und bestätigt damit wieder seinen Konkurrenzstil. Weil sie ja mit ihm konkurriert. Solche seltsamen Schleifen führen dazu, daß man sich endlos im Kreise dreht. Das ergibt zwar eine stabile Beziehung, aber macht sie zugleich deprimierend und monoton. Die Stabilität wird dann getragen von der Stabilität des Konflikts. Rotiert man als Gefangener solcher seltsamen Schleifen immer durch die gleiche Umlaufbahn, muß man sich vom gesunden Menschenverstand lösen und etwas tun, was gegen ihn verstößt: etwa den Mann bitten, einen besonders umständlichen Monolog zu halten. Das wird ihn sofort mißtrauisch machen, denn weil er ständig rivalisiert, neigt er dazu, Wünsche gerade nicht zu erfüllen. Sie kann auch versuchen, ihm zu verbieten, liebenswürdig, höflich und zuvorkommend zu sein. Von ihr läßt er sich gar nichts sagen – und so wird er sofort seine Freiheit beweisen wollen, indem er das Verbot durchbricht. Wenn er das tut, hat sie ihn da, wo sie ihn haben will.

Man hat diese Technik bei der Behandlung von Schizophrenen und

Zwangsneurotikern entwickelt und spricht dann von Symptomverschrei-
bung. Wenn etwa ein Mensch unter Waschzwang leidet, hört er damit auf,
wenn man ihn auffordert, sich zu waschen. Sein Waschen war unwillkürlich und ungewollt. Er mußte sich waschen, weil er es nicht wollte.
Wäscht er sich nun bewußt und willentlich, kann er es nicht mehr unwillkürlich tun, und der Zwang ist verschwunden. Es gibt keine andere
Möglichkeit, aus Teufelskreisen auszubrechen. Jede Frau sollte sich also
vor Augen halten, daß ihre Überlegenheit in der Kommunikation zu der
Vernageltheit ihres Mannes beiträgt. Ihr Kommunikationsstil ist eindeutig
differenzierter. Spätestens wenn sie das betont, setzt sie sein Immunsystem
in Gang. Ihre Kommunikation muß also wie ein Virus seine Immunab-
wehr bezwingen. Das ist nur möglich, wenn man die Eigendynamik der
Abwehr berechnet und sie dazu zwingt, sich selbst zu torpedieren. Tut
man das nicht, endet man wie die Biene im umgekehrten Glas. Sie sucht
immer den Ausgang oben, wo das Licht herkommt; darin folgt sie dem
Common sense der Bienen. Aber in diesem Fall wäre es besser, ihn unten
zu suchen, wo es dunkel ist. Viele Frauen erleiden das Schicksal der Bienen.

Die Frau im Reich der Männer

Seit den Anfängen der Emanzipation sind die Frauen damit beschäftigt,
das Reich der Politik zu erobern. Sie dringen in die politischen Freundschaftszirkel und Kartelle der Männer ein. Sie besetzen Positionen innerhalb der Parteien. Sie werden Chefs von Firmen und Behörden. Und sie
finden sich wieder in einem fremden Land.

Viele haben dabei Mühe, sich an die Landessitten zu gewöhnen. Das ist
jedoch nötig, wollen sie nicht nur Erfolg, sondern auch Freude an solchen
Posten und ihren Tätigkeiten haben. Die lauten Klagen, die man hört, lassen allerdings vermuten, daß viele Frauen ihren Aufenthalt in diesem Soziotop nicht genießen. Denn sie haben die Sozialisation der Männer in
der Horde nicht mitgemacht. Deshalb mißverstehen sie den dort ent-
wickelten ruppigen Sozialstil. Jeder Angriff gegen einen Mann ist für den

Angegriffenen auch ein Kompliment. An ihm kann er die Wertschätzung durch den Angreifer ablesen. Zugleich gibt es ihm Gelegenheit, seine eigene Kampfkraft vorzuführen. Viele Auseinandersetzungen sind wie Fingerhakeln. Es sind spielerische Übungen, bei denen sich die Gegner gerade dann besonders schätzen, wenn sie ungefähr gleich stark sind. Die Attacken machen ihnen dann Spaß.

Männer haben ihre Aggressionen ritualisiert und durch Regeln gebändigt. Dazu gehören wie beim Sport die Regeln der Fairneß. Man hört auf, wenn der andere aufgibt und Unterwerfungssignale aussendet. Man tritt nicht nach, wenn jemand am Boden liegt. Man nimmt nicht endlos übel. Man nimmt nicht jeden Angriff persönlich. Man weiß, daß er zum Schema männlicher Selbstdarstellung gehört. Daß ein Mann zur Auffrischung seines Image hin und wieder jemanden attackieren muß. Man gehört eben zu einer Gemeinschaft, in der ungeschriebene Gesetze gelten.

Frauen haben auch dann ihre Mühe mit den Landessitten, wenn sie sich schon lange im Reich der Männer aufhalten. Sie übersetzen dann deren Verhalten in ihren »weiblichen« Dialekt. Da ist ein Angriff eine Verletzung der Konvention. Man kann ihn deshalb nur persönlich nehmen. Für eine Frau ist eine Attacke nur verständlich, wenn sie unterstellt, daß der Gegner sie haßt, ihr schaden will oder schlichtweg bösartig ist. Sie schießt deshalb mit verstärkter Feuerkraft zurück. Das überrascht wiederum den Mann. Er wird nach einem sportlichen Routineangriff ernsthaft verletzt. Er findet das unfair und bösartig und kann das nur mit erhöhter Empfindlichkeit erklären. Und so kommt es dazu, daß sich auf dem Felde der Politik Männer und Frauen gegenseitig für aggressiv halten.

Auch das führt zu Paradoxien. Die Friedlicheren, also die Frauen, finden Friedensbrüche besonders empörend, und weil sie sich moralisch im Recht fühlen, werden sie besonders aggressiv. Die Aggressiveren – also die Männer – nehmen Aggressionen nicht übel. Sie akzeptieren sie als notwendige Bestandteile des Lebens und haben sie deshalb sozial reguliert. Daß Frauen sich nicht an diese Regeln halten, empfinden sie als anstrengend. Sie nehmen nicht teil an der allgemeinen Vorverständigung und haben keinen Sinn für die sportlichen Seiten der Konkurrenz.

In Gremiensitzungen geht es ihnen immer darum, möglichst schnell zu einem Ergebnis zu kommen. Sie wissen nicht, daß ein Problem auch seine Schönheiten hat. Und daß eine Ausschußsitzung auch ein Genuß sein kann. Und daß man deshalb aus der Tagesordnung ein Maximum an Problematik herauspressen muß. Sie haben keinen Sinn dafür, daß eine Frage erst, wie eine Traube, die richtige Reife haben muß, bevor man das Höchstmaß an kontroversem Potential herausholen kann.

Die Öffentlichkeit wird weiblich

Nun ist es aber dabei nicht geblieben, daß einzelne Frauen im Reich der Öffentlichkeit herumirren, ohne die Wege und Straßen zu kennen. Vielmehr hat sich das Verhältnis von Öffentlichkeit und Privatheit seit der Kulturrevolution von 1968 in sich selbst verändert.

Bis dahin herrschte in der Öffentlichkeit ein autoritärer, machistischer Stil. Das war besonders in Deutschland so. Während in den westlichen Nationen zur Zeit der Königshöfe eine hauptstädtische Gesellschaft entstand, deren Verkehrsregeln sich an der Begegnung beider Geschlechter herausbildeten, wurden in Deutschland zwei rein männliche Milieus tonangebend: das Militär und die Universität. Das begründete den akademischen Belehrungsstil und den militärischen Kommandoton in der Öffentlichkeit. Es war das Verdienst der Studentenrevolte von 1968, daß sie diesem Sozialstil endgültig den Garaus gemacht hat. In der Folge sorgten zwei Bewegungen dafür, daß der weibliche Sozialstil intimer Kommunikation in der Öffentlichkeit als vorbildlich angeboten wurde. Das waren die Grünen und die Vorreiter der Frauenbewegung. Auch sie betrieben symbolische Kampagnen. Plötzlich wurde es in Hörsälen und bei öffentlichen Anlässen üblich, daß die Frauen ihr Strickzeug auspackten. Oder Mütter brachten ihre herzigen Wonneproppen zu Parteitagen mit. Das hatte zur Folge, daß der öffentliche Stil sehr viel zwangloser und lockerer wurde. Unpersönlichkeit und Sachlichkeit wurden zu machistischen Sünden erklärt. Statt dessen wurde Authentizität gefordert. Jeder sollte »sich einbringen«. Gelegentlich forderten die Grünen sogar »mehr Zärtlichkeit im Bundestag«. Ein neues Zeitalter der Empfindsamkeit wurde ausgerufen. Aggressionsverbote, die vor allem diskriminierte Minderheiten schützen sollten, wurden mit Freundlichkeitsgeboten verbunden, um neue Sprachregulierungen zu begründen. Das alles lief auf den Versuch hinaus, in der Öffentlichkeit »lieb« zueinander zu sein. Man erhob Forderungen nach emotionaler Beteiligung. Das galt besonders bei Verfehlungen anderer. Da zeigte man »Wut und Trauer« oder pauschal »Betroffenheit«. Mit Lichterketten holte man das weihnachtliche Friedensfest auf die Straße.

Kein Zweifel: Die Frauen haben mit ihren Eroberungszügen ins Reich der Politik den Stil öffentlicher Kommunikation verändert. Die Unterschiede zwischen öffentlich und privat sind unschärfer geworden. In dem Versuch, den privaten Intimstil weiblicher Friedlichkeit offensiv zu vertreten, sind die Frauen militanter geworden. Das hat sie den Männern ähnlicher gemacht. Zugleich haben sie das Bombastische und die Gespreiztheit des männlichen Imponiergehabes der Lächerlichkeit ausgesetzt, den autoritären Kommandostil moralisch unmöglich gemacht und den Männern einen Stil der emotionalen Betroffenheit aufgezwungen, der die schönsten Blüten der Heuchelei und der Schauspielkunst hervorbringt. Aber das eben ist nicht das schlechteste: Ist doch die Heuchelei eine Verbeugung vor der Tugend.

Zugleich wurde die Abgrenzung des Männlichen gegen das Weibliche durchlöchert. Neue männliche Typen tauchten aus dem Untergrund auf. Der Softie reichte den Frauen seine schlaffe Hand über den Graben des Geschlechterkriegs hinweg und bat um die Erlaubnis, sich einbringen zu dürfen. Der Schwule erhob keck sein Haupt und suchte nach jemandem, der ihn diskriminieren könnte. Der Hausmann band die Schürze um und schickte seine Karrierefrau hinaus ins feindliche Leben. Sie alle führten dem Mann vor, was er bisher verdrängt hatte: die Möglichkeit, wie eine Frau zu sein.

Wir aber besichtigen jetzt einen Typen, der mit dieser verwandt ist. Dazu machen wir wieder einen Abstecher in die Porträtgalerie.

Achter Abstecher in die Porträtgalerie
der Männertypen: Der Entertainer

Dieser Typ bringt sich selbst zu Gehör. Er ist die Seele jeder Gruppe, die den Freuden der Geselligkeit huldigt. Seine Stunde schlägt nach Sonnenuntergang, wenn die Feste und die Cocktailparties beginnen. Er ist der König Karneval, der Herr über das Fest und die Verkehrung der Ordnung. Als göttlicher Wagenlenker jagt er die Rosse der Stimmung über die Ebene und scheucht mit dem Peitschenknall seines Witzes Rudel von Lachsalven auf. Um ihn herum scharen sich die Bedürftigen, an die er freigebig die Gaben der Heiterkeit austeilt. Dabei schöpft er aus der Fülle. Wo die Lachlust herrscht, gibt es keine Knappheit. Heiterkeit gehört zu den Luxusgütern. Sie gibt es nur im Überfluß. Als Rinnsal würde sie lächerlich. Sie muß schon als Flut daherkommen, die alles mit sich reißt.

Als Herr über die Fluten steht der Entertainer in einer merkwürdigen Beziehung zur Männerhorde: Er macht sie hilflos. Er setzt die Männlichkeit außer Gefecht. Er reißt die Verpanzerung ein und überflutet die Dämme des Ichs im Gelächter. Er bietet die einzige Form neben seinem Verbündeten, dem Alkohol, in der der Mann sich auf erlaubte Weise von seiner Männlichkeit erholen kann. Die Imponierfigur löst sich auf im großen Lachen. Der Macho dankt ab. Der Pompöse, der Gespreizte, der Ernsthafte, der Moralische, der Imponiertyp – hier fallen sie in sich zusammen. Deshalb hielten sich die Könige Alt-Europas ihren Narren – wenn sie sonst niemand korrigierte, erinnerte er sie an ihre Fehlbarkeit. Wie der König ragte auch er aus der Horde heraus. Aber das tat er gewissermaßen als Anti-Held. Machte er nicht den König zum Gespött, dann sich selber.

Der Narr ist in dieser Eigenschaft auch ein Anti-Mann. Beleidigt man ihn, greift er nicht zum Degen, sondern reagiert mit seinem scharfen Witz. Seine Domäne ist das Wortgefecht. In ihm ist er ein Meister. Da führt er eine scharfe Klinge. Und so mancher bekommt das zu spüren. Vor allem wieder die Imponiertypen. Sie läßt er am liebsten zur Ader, weil die Fallhöhe ihrem Kollaps erst die richtige katastrophale Qualität verleiht.

Sein Publikum ist natürlich das Kollektiv der Horde. Ihm wirft er die

wechselnden Opfer zum Fraße vor. Und wollen sich diese nicht selbst isolieren, müssen sie gute Miene zum bösen Spiel machen. Tun sie das, stärkt
das ihre Verbundenheit mit der Horde. Im Grunde ist die Stimmungska-
none ein Spannungsverminderer. Er gibt den internen Aggressionen der
Gruppe eine Form, in der sie harmlos verpuffen können.

In seiner kritischen Distanz zur Männerhorde ist der Entertainer der
natürliche Verbündete der Frauen. Er entwertet das Imponiergehabe. Er
verlagert die Auseinandersetzung von der Ebene der rohen Gewalt auf die
des Wortes und des Witzes. Er entspannt die Atmosphäre und trägt dazu
bei, daß beide Geschlechter sich in zivilisierter Geselligkeit begegnen
können. Für ihn gibt es keinen unüberbrückbaren Gegensatz zwischen
Männerhorde und Frauen. Beide sind sie sein Publikum. Insofern kann er
seine Beziehung zur Männerhorde auf die zu Frauen übertragen. Er ist
der einzige Typ, der zu beiden ein ähnliches Verhältnis hat.

Auch eine einzelne Frau, auf die er sein Auge geworfen hat, wird der
Entertainer wie sein Publikum behandeln: Er unterhält sie, er bringt sie
zum Lachen, er erheitert sie. Zunächst ist das wie die Fortsetzung seiner
Wirkung in der Männerhorde mit denselben Mitteln. Sie hat ihn als Herz
und Seele der Gruppe kennengelernt, wie er als Magier des Wortes Lachsalven auslöste. Wie er auf einem Strom von ihm selbst ausgelöster Energien ritt. Einen Charismatiker der schnellen Intelligenz, der Gefühl und
Witz verschmelzen konnte. Aber nun, da er mit ihr allein ist, fehlen die
Echoeffekte der Gruppe. Seine Wirkung wird auf Zimmerlautstärke zu-
rückgenommen. Jetzt wird er charmant. Er geht auf sie ein, er paßt sein
Repertoire ihren individuellen Erwartungen an. Er nimmt ihm die Streu-
breite ins Grobe, erhöht die Differenziertheit und gibt ihr eine persönliche Einfärbung und Gedämpftheit.

Es ist diese Umstellung, an der sich der Entertainer in seinem Verhältnis
zu Frauen bewährt oder an der er scheitert. Je nachdem, ob sie ihm gelingt, wird er seine Entertainerqualitäten auch in eine Paarbeziehung hin-
überretten können oder nicht. Und ob er das kann, hängt weitgehend
von der Frau ab, und zwar von ihrer Geselligkeit.

Ist sie gesellig, gibt sie ihrem Partner häufig die Gelegenheit, vor Publikum aufzutreten. Dann darf er sich in seinem besten Lichte präsentieren.

Er darf wieder die Echo-Effekte seiner magischen Wirkung spüren, ein Bad in der jubelnden Zustimmung nehmen und das gute Gefühl des Beglückers kosten, der die Heiterkeit aus dem Füllhorn ausgießt. Dann darf er sich als Virtuose genießen, und sie sieht ihn als Teil des Publikums wieder in dem magischen Licht, in dem er ihr zuerst erschienen ist. Diese Entrückung wirkt auch auf sie wie eine Verjüngungskur. Die Verachtung, die Vertrautheit mit sich bringt, wenn die Theaterkulissen von der Hinterbühne aus gesehen werden, wird wieder durch die Zauberwirkung abgelöst. Aber bezahlen muß sie das damit, daß sie ihren Partner mit dem Publikum teilt.

Ist sie aber eher der ungesellige Typ, der die Intimität der Zweisamkeit gegen die Geselligkeit abschirmt, wird sie ihn langsam vertrocknen lassen. Dann wird er Mühe haben, seine Wirkung auf ein Ein-Personen-Publikum umzustellen. Wenn er nicht hin und wieder Gelegenheit erhält, auf einer Party oder während eines Kneipenbesuchs aufzutanken, wird sein Talent verdorren. Er wird dann selbst langsam schrumpfen. Nur hin und wieder, wenn Gäste kommen, wird er aus seinem somnambulen Zustand erwachen wie ein Löwe, der in seinem Käfig plötzlich eine Nase voll Steppenwind einzuatmen meint, um danach wieder zusammenzusinken.

In dieser Ausrichtung an der Horde bleibt auch der Entertainer bei aller Femininität ein Mann. Im übrigen aber ist er für Frauen ein einfühlsamer Partner. Seine Qualität besteht ja gerade darin, sich auf andere einstellen zu können, ihre Erwartungen zu wittern und mit ihnen zu spielen. Sicher, Frauen sind selbst selten Entertainer, aber das liegt nur daran, daß sie sich in der Regel nicht an einem großen Publikum orientieren. Sie lieben das Entertainment zu zweit. Mit der Ausnahme von Diven sind sie nur an individuellen Reaktionen interessiert. Sie konzentrieren sich eben nur auf eine Person. Deshalb mangelt es ihnen an Verständnis für die Publikumssucht des Entertainers. Und so kann es kommen, daß eine Frau sie bei ihrem Partner als Abhängigkeit verachtet. Dahinter steckt oft eine latente Eifersucht.

Aus der Massenpsychologie wissen wir, daß Demagogen ein erotisches Verhältnis zur Masse entwickeln, die sie manipulieren. Ihr Auftreten wird als pseudoreligiöse Verschmelzung erlebt, als Fest der Entgrenzung, als

Feier der emotionalen Übereinstimmung. Und auch als Ausschweifung, als Überwältigung und Schändung. Ganz so wild treibt es der Entertainer nicht. Und sein Witz hält das Denken lebendig. Aber eine gewisse Erotik schwingt immer zwischen jedem Unterhalter und seinem Publikum mit. Und so tendieren viele Frauen dazu, die emotionalen Quellen ihrer Entertainer-Partner zuzuschütten und sich damit selbst zu berauben.

Obwohl eine gewisse Enttäuschung mit dem Entertainer vorprogrammiert ist, bietet sein Einfühlungsvermögen in andere doch eine Garantie: man wird sich besser als mit anderen Typen mit ihnen verständigen können. Sein Humor hindert ihn daran, sich selbst zu überschätzen. Sein Publikumsgefühl garantiert die Fähigkeit, sich in andere hineinzuversetzen. Seine Sucht, Heiterkeit zu verbreiten, nährt sich aus dem Bedürfnis, Spannungen zu entschärfen. Unter allen Typen des Mannes ist er einer der kommunikationsfähigsten.

Er hat vielleicht nur ein Defizit: Er ist für manche Frauen zu wenig männlich. Sein Witz stammt ja aus der Fähigkeit, sich selbst von außen zu sehen. Das erscheint an der Oberfläche als Heiterkeit. Sie kann aber eine tiefere existentielle Unsicherheit verbergen. Das wird damit zusammenhängen: Der Entertainer durchschaut die Zerbrechlichkeit der männlichen Identität und verliert die naive Sicherheit, die der Lohn der erfolgreichen Verdrängung ist.

Das mag mit einer der Gründe sein, warum sich in der heutigen Medienlandschaft so viele Schwule, Transvestiten und Leute unklaren Geschlechts herumtreiben. Die Fähigkeit, durch Witz Situationen zu entspannen, ist ja eine klassische Befriedungstechnik, mit der man die Wut machistischer Tyrannen entschärft. Und es ist die Technik der Schwächeren: von Frauen und Kindern. Insofern enthält die Sucht zu erheitern auch die Nebenbedeutung der Hilflosigkeit. Frauen mögen das wittern und den einfühlsamen Entertainer für kraftlos halten. Ein Macho jedenfalls ist er nicht. Trotzdem ein Held.

Natürlich gibt es auch in dieser Sparte eine Abstufung zwischen den Formen der Aufgeblasenheit und denen der Bescheidenheit. Der Entertainer muß nicht den Witz als Waffe benutzen. Es gibt den Erzähler, der die Bühne für längere Epen besetzt. Den Schwadroneur, der die Pompö-

sität zum Stil erhebt und damit parodiert. Bei ihm gehört die Beimi-
schung an Übertreibungen zur Unterhaltung. Und die Offensichtlichkeit
der Lügen entwaffnet jeden Vorwurf. Und schließlich gibt es den geistvollen Plauderer, der durch eine gewisse Zurückhaltung und eine Vorliebe
für das Bonmot signalisiert, daß er nicht zu den Breitspurigen gehört.
Entsprechend ist das Publikum des Plauderers auch nie die Horde, sondern die kleine Runde.

Auf jeden Fall kann man die Regel aufstellen: Die Frau, die Machos
haßt und einen Mann mit der Fähigkeit zur Einfühlung will, liegt nicht
schlecht mit dem Entertainer. Dagegen sollte die, die Machos liebt und
komplizierte Seelen verabscheut, von ihm die Finger lassen. Sie wird sonst
damit enden, ihn zu verachten.

DIE KOMÖDIE DER FRAUEN:
AMPHITRYON ODER: ALKMENES DILEMMA

Szene 5: Die Konkurrenz der beiden Sosias

Wir befinden uns auf der Terrasse vor Amphitryons Haus. Es ist früh am Morgen vor Sonnenaufgang, und das erste indirekte Licht fließt über den Weltenrand. Man hört verschlafenes Vogelgezwitscher. Merkur steht in der Gestalt des Sosias plötzlich auf der Terrasse, so als ob er sich aus dem Himmel herabgesenkt hätte. Während er versucht, die Zeit anzuhalten, erscheinen nacheinander Thessala und Sosias, und es kommt zur Identitätskonkurrenz zwischen den beiden Sosiassen.

MERKUR: Das war knapp. Ich glaube, ich habe es gerade noch geschafft. Wenn er verliebt ist, wird Jupiter so pedantisch wie ein Meisterkoch, der für sein Leibgericht die Ingredienzien abwiegt. Genau auf der Grenze zwischen Schlaf und Wachen soll ich die Zeit anhalten, so hat er's geplant. Keine Sekunde früher oder später, dann soll die Welt in jenem Intervall, in dem die Nacht vorüber ist und der Tag noch nicht begonnen hat, für eine Weile zitternd stillstehen. Oh – nicht lange, das nicht! Nur eine kurze Ewigkeit, mehr hätte Chronos auch nicht zugestanden. Und nur, weil Jupiter sich in den Kopf gesetzt hat, Alkmene in jener köstlichen Sekunde zu erwischen, da sie, vom Schlaf gelockert, noch schwer und bettwarm ist, die Augen aufschlägt und als erstes ihn in der Gestalt Amphitryons erblickt, und dann mit diesem wohlbekannten Bild in sich die Augen wieder schließt und ihn mit wachsender Verwunderung willkommen heißt und schließlich als Jupiter erkennt! *(Er konsultiert eine Sanduhr)* Laß sehen! Ja, wir haben noch ein paar Minuten Zeit. Dann geb' ich Helios das Zeichen, und die Welt macht eine Pause und hält zum Zweck der Schöpfung ihren Atem an. Beim gnadenlosen Chronos, welch ein Aufwand! Ich wundere mich immer wieder, was er dabei findet, ob es das Planen ist oder die Durchführung?! Für mich wär' das nichts. In dieser Form gleicht die Liebe zu sehr dem Krieg. Alles ist Strategie, und ohne Schlachtplan geht es nicht. Vielleicht ist das der Grund, daß ich für Frauen nichts empfinden kann: die Intimität mit ihnen gleicht der zu sehr, die einen mit einem Feind verbindet: Man ist stets damit beschäftigt, den anderen zu berechnen; und wie schnell wächst sich das zu einer Besessenheit aus! Und wenn sie dann die Form des hellen Wahnsinns angenommen hat, kann man zwischen beiden nicht mehr unterscheiden.

THESSALA *(tritt aus dem Hause)*: Wie kann das sein? Du bist hier draußen, wo ich dich gerade noch im Bett zurückgelassen habe?

MERKUR: Du mich im Bett zurückgelassen? Du träumst wohl!

THESSALA: Du hast mir jedenfalls bei meinen schönen Träumen tatkräftig geholfen! Komm zurück ins Bett!

MERKUR: Ich hätte dir geholfen? Heute nacht? Halt einen Moment! Ich darf den Sonnenaufgang nicht verpassen!

THESSALA: Was kümmert dich die Sonne und die Zeit? Die ist für andre da, damit sie ihre Pflichten nicht versäumen und pünktlich arbeiten und Geld verdienen gehen. Doch deine Pflichten liegen heute bei mir im Bett. *(Sie umarmt ihn)* Komm zurück ins Bett!

MERKUR: Zurück?! Da war ich gar nicht, du bildest dir das ein! Laß mich los, sag' ich, ich bin das nicht gewohnt!

THESSALA *(zärtlich, mit Liebkosungen)*: Dann wird es Zeit, daß du dich wieder dran gewöhnst.

MERKUR: Laß los, ich bin erst gerade angekommen.

THESSALA: Dann komm noch mal! Ein paarmal bist du schon gekommen!

MERKUR: Es geht nicht, laß los, ich mag das nicht!

THESSALA: Dann sag: Ich kann nicht mehr! Gib's zu, du bist völlig überfordert, und jetzt willst du dich unter dem Vorwand, den Sonnenaufgang zu betrachten, drücken. Daß ihr Männer in dieser Hinsicht so empfindlich seid! Komm, das macht doch nichts. Ich habe Lust, dir zu zeigen, wie du dich selber übertriffst und zu dem Gott wirst, der du zu sein behauptest. Komm! *(Drängt sich an ihn und versucht ihn zu küssen)*

MERKUR: Was sagst du da? Ich hätte behauptet, ich sei ein Gott? Was ist das für ein Quatsch!? Ich hab' doch nichts gesagt! Ich bitte dich, Thessala, laß los! Ich kann's nicht leiden, wenn eine Frau sich mir an den Hals wirft. Das ruft in mir bloß Widerwillen hervor! Die Dosierung weiblicher Zuwendung muß ich selbst einstellen können, sonst schlägt es um in Ekel. *(Sie läßt ernüchtert los)*

THESSALA: Ach – so ist das also! Und die Dosierung, die für deinen Bedarf passend ist, muß ich als Frau dann hinnehmen, ohne Rücksicht darauf, ob ich von Ekel übermannt werd' oder ob die Dosierung mir genügt?

MERKUR: Beim ersten nein, beim zweiten ja! Die Gegenseitigkeit von zweien hört nun mal auf, wenn einer nicht mehr will, da helfen keine Vorwürfe. Und ich hab' jetzt zu tun, Thessala, laß mich in Ruhe!

THESSALA: Ah – so seid ihr Männer! Daß ich das immer wieder vergesse! Mit riesigem Getöse und großem Aufwand weckt ihr Erwartungen und regt unseren Appetit an, doch setzt man sich zu Tische, ist die Mahlzeit ziemlich kärglich, und wenn man denkt, sie fängt erst an, dann ist sie schon zu Ende. Im Grunde seid ihr Männer nichts als Angeber: Ihr versprecht immer mehr, als ihr dann halten könnt! Wo du den ganzen Abend schon behauptet hast, du seist ein Gott, wollte ich dir einmal Gelegenheit verschaffen, es zu beweisen, doch das Ergebnis ist wieder mal enttäuschend.

MERKUR *(jetzt aufmerksam)*: Hör zu, Thessala! Du erwähnst das schon zum zweiten Mal mit dem Gott. Wann hätte ich gesagt, ich sei ein Gott? Ich hab' doch kein Wort darüber verloren!

THESSALA: Willst du das jetzt leugnen, oder ist das eine neue Technik, abzulenken und zu kaschieren, daß ich dich überfordert hab'?! Ja, hältst du mich für schwachsinnig?

MERKUR: Nein, nein, natürlich nicht, im Gegenteil, ich fühle mich ein wenig verwirrt. Du mußt entschuldigen, Thessala, meine Erinnerung ist etwas durcheinander! Bitte, hilf mir, sie aufzufrischen! Wann sollte mir da entschlüpft sein, ich sei ein Gott?

THESSALA: Entschlüpft? Das wär' wirklich eine Untertreibung! Mir einzuhämmern hast du es versucht, und als ich dich beim Wort nahm, hast du kläglich ...

MERKUR: Ja, ja, – ich weiß. Aber wann war das? Hilf meinem Gedächtnis bitte etwas nach – wann bin ich zurückgekommen?

THESSALA *(nun doch besorgt)*: Mein armer Sosias, solltest du dich wirklich überanstrengt haben? Du schienst mir beinah' ohnmächtig – zwischendurch, und vielleicht hat sich das auf's Hirn geschlagen! Am Ende fordern wir euch Männern wirklich zuviel ab!?

MERKUR: Ja – aber wann kam ich zurück?

THESSALA: Beim listigen Merkur! Ich hab' ihm das Gedächtnis geraubt! Gestern nacht kamst du zurück, zusammen mit Amphitryon.

MERKUR: Mit Amphitryon?

THESSALA: Ja, natürlich. Hast du das etwa auch vergessen? Und daß du Alkmene eingeredet hast, Amphitryon sei Jupiter, der sich in ihn, in Amphitryon, verwandelt hätte, um Alkmene zu erscheinen?

MERKUR: Du meinst, ich hab' ihr weisgemacht...

THESSALA: ... daß Amphitryon ins Lager abgereist ist, und daß der Amphitryon, der dann zurückkam, nicht ihr Mann, sondern ein Gott ist. Ja, das hast du, wahrscheinlich mit der Hilfe Ledas, ihr eingeredet.

MERKUR: O verdammt, das hätte ich getan? Oh – vor Wut könnte ich mein anderes Ich zerreißen, das so etwas tut! Ich schwöre dir, Thessala, ich bin nicht gesund. Ich leide an Persönlichkeitsspaltung. Das Ich, das das getan hat, ist ein Betrüger, der sich verkleidet hat. Doch sag mir, wie hat Alkmene reagiert? Sie hat den Betrug sofort durchschaut und Amphitryon hinausgeworfen, stimmt's?

THESSALA: Na, eben nicht! Das gutgläubige Schaf ist in ihrer Sehnsucht nach einem göttlichen Liebhaber darauf reingefallen!

MERKUR: Und so ist Amphitryon noch bei ihr? Er ist noch da?

THESSALA: Ja – und genießt die Früchte eures Betrugs. Ich wollte sie ja aufklären, aber du hast es verhindert, weißt du das wirklich nicht mehr?! Und daß du mir einreden wolltest, du seist auch ein Gott?

MERKUR: Doch, langsam erinnere ich mich wieder. Und welcher Gott bin ich?

THESSALA *(lacht)*: Na, welcher wohl? Der Gott der Diebe und der Lügner!

MERKUR: Du meinst doch nicht ... ?

THESSALA: Doch, ich mein' Merkur.

MERKUR: Verflucht – natürlich, Merkur, wer sonst! Wie konnt' ich das vergessen? Aber du hast mir selbstverständlich nicht geglaubt!

THESSALA: Na, du und ein Gott! Nun schau dich doch mal selber an! Wo deine Energien schon erschöpft sind, bevor die Nacht zu Ende ist. Hör mal, ist das mit dem Gedächtnisverlust vielleicht auch nur ein Trick, um von deinem Kräftemangel abzulenken und mein Mitleid zu erregen?

MERKUR: Das ist ja eine verfahrene Situation! Thessala, wo ist Sosias? Ach ja – ich bin ja hier! Entschuldige, sag nichts – ich muß nachdenken! Dem werd' ich heimleuchten, das kann er nicht machen, dem werde ich beibringen, die Götter hereinzulegen! Ich muß die Zeit anhalten! Ach, das nützt nun auch nichts mehr! Doch – wir müssen Zeit gewinnen!

THESSALA *(besorgt)*: Sosias, bist du wirklich in Ordnung?

MERKUR: Du sagst, ich war die ganze Nacht bei dir, ist das richtig?

THESSALA: Hör zu, ich bin das leid, ich lasse mich nicht länger mehr veralbern! Wenn du meinst, mich so zu überzeugen, du seist ein Gott, mußt du dir etwas andres einfallen lassen. Als ob sich so ein Gott aufführen würde, wenn's ihn gäbe!

MERKUR: Was sagst du da, die Götter gibt es nicht? Du wagst es, uns zu leugnen?

THESSALA: Wenn sich die Götter in Männer verkleiden, sind sie jedenfalls nicht überzeugend. Sag das Merkur, wenn du ihn siehst! Ich geh derweil und nehm ein Bad. Wer weiß, vielleicht macht mich das auch zu einer Göttin, aus dem Schaum geboren! *(Zur Seite hin ab)*

MERKUR: Unverschämtheit! *(Er geht ihr ein paar Schritte nach und schaut ihr hinterher)*

SOSIAS *(erscheint schlaftrunken, wobei Merkur mit dem Rücken zu ihm steht)*: Thessala, wo bist du? Komm zurück ins Bett, die Nacht ist noch nicht zu Ende! Mit wem sprichst du denn da? Was ist das für ein Kerl? Dreh dich um! *(Merkur dreht sich zu ihm um. Sosias erstarrt, reibt sich die Augen, sieht wieder hin)* Verflucht, du kommst mir irgendwie bekannt vor!

MERKUR: Im Gegenteil, du hast mich noch nie gesehen!

SOSIAS: Ich glaub', ich träume noch! Denn was ich sehe, kann nicht sein! Du siehst ja aus wie ich!

MERKUR: Und wer bist du?

SOSIAS: Ich bin der Adjutant des Amphitryon.

MERKUR: Du?

SOSIAS: Ich!

MERKUR: Sein Adjutant?

SOSIAS: Ganz gewiß, das bin ich!

MERKUR: Der Adjutant des Amphitryon?

SOSIAS: Ja, von Amphitryon! Ist das nicht hier sein Haus? Wohne ich nicht hier?

MERKUR: Wie heißt du denn?

SOSIAS: Sosias!

MERKUR: Was sagst du?

SOSIAS: Sosias!

MERKUR: Hör zu, ich habe medizinische Kenntnisse und versteh' mich auf Hypnose. Ich kann mit einem Blick dir tausend Krämpfe in die Glieder zaubern. Soll ich dir das mal zeigen? *(Merkur hypnotisiert ihn, und Sosias windet sich einen Moment schreiend in Krämpfen.)*

SOSIAS: Au, au, aufhören! Hör auf! Was hab' ich dir getan?

MERKUR: Das nennt man pychosomatische Symptome. Die treten bei jedem auf, der darauf insistiert, er selbst zu sein, wenn er es gar nicht ist. Wer gab dir die Verwegenheit, den Namen des Sosias anzunehmen?

SOSIAS: Ich hab' ihn nicht angenommen, er wurde mir gegeben!

MERKUR: Welch ungeheure, dreiste Frechheit! Du wagst mir ins Gesicht zu sagen, daß du du selber bist und daß du dich Sosias nennst?

SOSIAS: Wie könnte ich das leugnen? Es liegt nicht an mir, jetzt nein zu sagen und ein anderer als ich selbst zu sein. Es blieb mir doch keine andere Wahl, als mich selber zu verwirklichen.

MERKUR *(hypnotisiert ihn wieder, und Sosias windet sich wieder kurz in Krämpfen)*

SOSIAS: Aufhören, aufhören! Au, au, au!

MERKUR: Nun, was meinst du? Hast du dich selbst verwirklicht? Bist du immer noch Sosias?

SOSIAS: Nein, nein – du hast mich ganz verwandelt! Ich bin, was du nur willst! Sag du, was ich bin!

MERKUR: Sosias, sagst du, wär' dein Name?

SOSIAS: Das stimmt, bis jetzt, so glaubte ich, war ich Sosias. Doch du hast mir inzwischen nachgewiesen, daß ich mich vielleicht getäuscht habe.

MERKUR: Ich bin Sosias, das müßte dir doch klar sein.

SOSIAS: Du bist Sosias?

MERKUR: Ja, ich bin der eigentliche Sosias, der Sosias, den du verfehlt hast bei deinem elenden Versuch der Selbstverwirklichung. Der göttliche Sosias, den du ein Leben lang verdrängst. Und wenn du es nochmal leugnest, werde ich dich mit den psychosomatischen Symptomen dran erinnern.

SOSIAS: Nein, nein – bitte nicht! Bloß das nicht! Aber wenn ich schon auf mich selbst verzichten muß, erlaub mir eine Frage, ohne daß du gleich die Antwort in diese schlimmen Krämpfe kleidest!

MERKUR: Nun – das ist nun mal die Sprache, in der das Über-Ich sich kundtut.

SOSIAS: Wer sich kundtut?

MERKUR: Das Über-Ich, dein besseres Ich, dein Ich-Ideal. Das, was du hättest sein können, aber nicht bist, dein Ankläger und Verfolger, der Staatsanwalt und Gerichtshof deiner Schäbigkeit, dein Über-Ich – kurzum – ich! Und nun die Frage!

SOSIAS: Nun, trotz aller Krämpfe fällt es mir schwer, mich dir zuliebe selber zu vernichten. Zu sein, was ich bin, das steht doch nicht in deiner Macht, und wenn du selbst ein Gott wärst.

MERKUR: So? Und hat es nicht in deiner Macht gestanden, das zu sein, was ich bin, nur, indem du es behauptet hast?

SOSIAS: Ich habe ja schon zugegeben, daß das ein Irrtum war. Du bist Sosias! Ich bin einem Gerücht zum Opfer gefallen, ich sei es auch. Aber da du mich aufgeklärt hast, daß du Sosias bist, weil du ihn so viel besser verwirklichst, als ich es kann, sag mir bitte dann noch: Wer bin dann ich?

MERKUR: Du Lügenbold, du streitest ab, daß du das weißt?! Du willst die Unschuld spielen? Erinnere dich, auf Lügen folgen Krämpfe!

SOSIAS: Bitte glaube mir, außer Sosias fällt mir niemand ein, der ich sein könnte. Vielleicht machst du mir einen Vorschlag.

MERKUR: Dir fällt wirklich niemand ein? Ja, hast du schon vergessen, daß du nicht Sosias, sondern Merkur, ein Gott, bist? Ist man so leicht ein Gott und vergißt es dann? Geh, kümmere dich um das Universum und laß es nicht verkommen! Ist das die Pflichtauffassung eines Gottes? Wie? Daß er vergißt, daß er einer ist? Meinst du, ein Gott wär' man nach Belieben, wenn einem danach ist – und wenn's zuviel wird, läßt man's lieber bleiben? Nein, ein Gott sein ist keine halbe Sache. Wer Merkur ist, kann nicht zugleich Sosias sein!

SOSIAS: Aber das war doch nur eine Erfindung, um ...

MERKUR *(unterbricht)*: Ja, meinst du denn, du könntest ungestraft den Gott spielen, ohne daß deine Identität Schaden nimmt? Ihr Sterblichen vergeßt oft genug, daß ihr Menschen seid. Da wollt ihr es durchhalten, Götter zu sein? Bevor ihr das versucht, lernt euch erst einmal selbst kennen! Du siehst ja, wie schnell du dich aufgegeben 'hast. Ich habe mit dir getan, was du vorher mit mir getan hast: Ich habe mir dein Ich angeeignet.

SOSIAS: Dann sind Sie also ...

MERKUR: Ja, ich bin Merkur, wie du Sosias bist, und ich bin so sehr Sosias wie du Merkur. Sieh selbst – der Unterschied ist beträchtlich. *(Die Sonne geht auf, und Sosias wirft sich vor Merkur nieder)*

SOSIAS: Erlauchter Olympier, verzeihen Sie den Frevel!

MERKUR *(schreit auf)*: Sei ruhig, jetzt habe ich den entscheidenden Moment verpaßt! Was mach' ich nur? *(Er stellt sich mit ausgebreiteten Armen auf)* Helios, halt den Sonnenwagen an! Zeit – stehe still! *(Er sieht die Sanduhr an, die weiterrinnt, und schlägt auf sie ein)* Verflucht, es funktioniert nicht! Die Zeit läuft weiter! Hör auf, halt an, Chronos, sei nicht so pedantisch! Ich bin doch nur eine winzige Sekunde zu spät gekommen. *(Zu Sosias, der noch am Boden liegt)* Verdammt noch mal, du hast mich abgelenkt, und jetzt ist es zu spät! Nun – jetzt ist alles sowieso egal. An Jupiters Zorn mag ich gar nicht denken. Steh auf, ich mag es nicht, wenn man mit Unterwürfigkeit mich gnädig stimmen will!

SOSIAS:Vielleicht kann ich erklären ...

MERKUR: Auch deine Erklärungen kannst du dir sparen, ich weiß alles. Bin ich nicht ein Gott?!

SOSIAS: Wenn Sie alles wissen, müßten Sie mich doch auch verstehen können und wissen, daß mir nichts ferner lag, als Sie zu beleidigen. Die Göttlichkeit, die wir uns anmaßten, wollten wir nicht für uns selbst, vielmehr ist sie das Gegenstück für die Maßlosigkeit unserer Frauen beim Wünschen.

MERKUR: Ich weiß auch das. Meinst du, das, was du getan hast, wäre sonst verzeihlich? Doch laß dich warnen:Wenn ihr die Wünsche eurer Frauen so verinnerlicht, wird das für euch tatsächlich in jener Doppelung des Ichs noch enden, daß ihr euch schließlich selber nicht mehr kennt. *(Mit erotischer Einfärbung)* Im Ernst, Sosias, gib die Frauen auf, sie bedeuten nichts als Ärger und Erniedrigung. Die höchste Form der Liebe gibt es nur unter Männern! Das ist eine gute griechische Tradition.

SOSIAS *(diplomatisch)*: Ich fühle mich geschmeichelt, daß Sie sich in mich verwandelt haben. In dieser Form könnt' ich mir selbst gefallen!

MERKUR: Du verstehst zu schmeicheln! Mir gefällt, um ehrlich zu sein, dein Körper auch recht gut! *(Streicht sich lasziv selbst über Brust und Schenkel)*

SOSIAS:Was die Liebe angeht, denkt Jupiter, scheint es, anders als Sie.

MERKUR *(erschrocken)*: Beim Styx, das hätte ich fast vergessen! Ich muß zurück zu ihm und Meldung machen. Amphitryon ist doch jetzt bei Alkmene, oder?!

SOSIAS: Ja, doch sie glaubt, es sei Jupiter. *(Es donnert)*

MERKUR:Verflucht, er wird ungeduldig. Beim Blick des Basilisken, ist das ein Desaster! Alles wegen deiner Intrige! Am besten versteckst du dich.

THESSALA *(hat sich vor Schrecken über den Donner in ein Badetuch gewickelt und läuft völlig panisch zu Merkur, an dessen Brust sie ihr Haupt birgt)*: Sosias, hilf mir, hilf, es kommt ein furchtbares Gewitter! Beinahe hätte mich schon ein Blitz getroffen. Sie zielen immer nach dem Wasser. Bring mich hier weg! Bleib bei mir!

MERKUR:An die Götter glaubt sie nicht, aber vor der Elektrizität hat sie

Angst. *(Zeigt auf Sosias und macht Thessala langsam von sich los)* Sieh da, der Blitz hat mich entzweigespalten! Nimm du die andere Hälfte und laß mir meine!

THESSALA *(schaut ängstlich auf Sosias. Läßt Merkur mit einem Schrei los, der aus der Erkenntnis kommt, daß sie sich dem Falschen an die Brust geworfen hat, sieht dann Merkur an und schreit vor Verblüffung auf)*: Ha – hab' ich jetzt zwei Männer? Was ist das für ein neuer Trick? Wer von euch ist der richtige?

SOSIAS: Mein Herz, das mußt du selbst entscheiden.

MERKUR: Ach was, das ist nicht zu entscheiden. Wen immer Sie haben, das ist dann der falsche. *(Es donnert wieder, Thessala wirft sich Sosias an die Brust)* Sie hat sich entschieden.

THESSALA: Es ist mir ganz egal, wer hier mein Mann ist, nur laßt mich nicht allein!

MERKUR: Da spricht die Stimme aller Frauen Griechenlands. Sie lernen nie, allein zu bleiben. Nun, rein mit euch ins Haus! Jupiter kommt im Zorn, und dann gibt es wirklich ein Gewitter, und das bei völlig wolkenlosem Himmel. Laßt euch hier nicht mehr sehen! Denn seine Blitze sind wirklich gefährlich! *(Sosias und Thessala ab)*

VI. Sex

Der Phallus ist manisch-depressiv

Wer sonst an die Gleichheit der Geschlechter glaubt – spätestens mit Be-
zug auf den Sex muß er diesen Glauben aufgeben. Hier ist der Mann ganz
Mann – oder auch nicht. Hier wenigstens sollte er es sein. Und hier ist das
Feld der Bewährung. Hier wird enthüllt, wenn er kein richtiger Mann ist.
Mit den alten Römern muß er dann sagen: »Hic Rhodos, hic salta!« –
»Nun bist du in Rhodos, nun spring auch!« Denn hier erfüllt sich das
Wort von der nackten Wahrheit.

Im Sex also wird das zerbrechliche Ego des Mannes zur Anschauung
gebracht. Die Frau ist, wie sie ist; das Szenario des Sex führt ihrem Wesen
nichts hinzu und nimmt ihm nichts weg. Sie bleibt, was sie war: feminin.
Der Mann dagegen ist nicht nur Mann. Er muß sich als solcher beweisen.
Und hier kann er nicht mehr simulieren. Alle Hochstapelei wäre vergebens. Er ist nackt. Und sein Körper wird zum Meßinstrument, an dem der
Zeiger den Stand der Virilität anzeigt.

Dieses Meßinstrument ist unbestechlich. Der Mann hat keine Möglichkeit, es zu beeinflussen. Mit deutlich markierter Leuchtfärbung
kündet der Phallus von der sexuellen Gespanntheit des Körpers. Dabei
wird er selbst zum Symbol: Wie prächtig ist er im Zustand des Selbst-
bewußtseins! Bis zur Lächerlichkeit stolz und berstend vor Kraft. Ein
Triumph der Energie! Ein Baumstamm, der aus dem Unterholz hinauf
in den Himmel ragt. Und eine Widerlegung der Schwerkraft! Ein Fanal
des Optimismus und eine Allegorie des Selbstvertrauens. Aber, o weh,
wie traurig im Zustand der Niedergeschlagenheit! Es gibt nichts Jäm-
merlicheres auf dieser Welt! Dann wird er zum Abbild der Verelendung,
zum Inbegriff der Entkräftung und zum Urbild der Melancholie. Unter allen Bildern der Schlaffheit ist er die ultimative Hinfälligkeit. Tiefer als ein verwelkter Penis kann man nicht sinken! Elender nicht aussehen. Und hoffnungsloser nicht wirken. Er ist die fleischgewordene
Depression. Und so ist denn der Stolz des Mannes von seinem Wesen

her manisch-depressiv. Mal himmelhochjauchzend, mal zu Tode be-
trübt.

Im Extremismus zwischen Größenwahn und Verelendung demonstriert der Phallus, daß er ein Eigenleben führt. Dabei ist er unberechenbar und degradiert dadurch seinen Besitzer zum bloßen Zuschauer. Hilflos muß er mitansehen, wie der Repräsentant seiner Männlichkeit macht,
was er will. Er kann ihn nicht restlos beherrschen. Der Versuch würde ihn
höchstens behindern. Jede Kontrolle würde das Gegenteil bewirken. So ist
der Phallus ein Symbol der Spontaneität. Und das wiederum treibt seinen
Träger in die Mutter aller Beziehungsfallen. Das ist der Befehl: »Sei spontan!« Gibt er diesen Befehl an ihn weiter, verdammt er ihn erst recht zur
Verelendung. Der Phallus läßt sich nicht befehlen! Und spontan sein auf
Befehl ist unmöglich. So stellt gerade der Ausweis der männlichen Prächtigkeit eine ständige Demonstration der männlichen Hilflosigkeit dar.

Die Gespenster der Eifersucht

Als exponiertes Organ ist der Phallus gefährdet. Freud hat daraus auf die
Kastrationsangst geschlossen. Sie ist ein weiterer Ausdruck der Angst, den
Status des Mannes zu verlieren. Angeblich löst deshalb der erste Anblick
einer unbekleideten Frau eine Panik aus. Zum ersten Mal sieht der Knabe
einen menschlichen Körper ohne Phallus. Und der weibliche Schoß sieht
aus wie eine Wunde, zurückgeblieben von der gewaltsamen Kastration.

So wie ein Mann nie wissen kann, ob er auch der Vater seiner Kinder
ist, so kann er auch nie sicher sein, daß er seine Lebensabschnittsgefährtin
sexuell zufriedenstellt. Und wieder ist das Arrangement asymmetrisch. Ist
er impotent, gibt es nichts mehr zu deuten. Das negative Ergebnis ist eindeutig genug. Im Positiven aber ist die Sache nie ganz klar. Da bleibt der
Verdacht, daß sie simuliert. Ob sich jede Frau der Folgen bewußt ist? Sie
wähnt sich in der Regel allein mit ihrem Partner im Bett. Oder im Fahrstuhl, im Eisenbahnabteil, im Beichtstuhl, in der Flugzeugtoilette, oder wo
immer der Film sich vorstellt, daß die modernen Pärchen es treiben. Aber
das gilt nur für sie! Der Mann ist es nicht. Er sieht sich umgeben von ei-

ner Meute virtueller Rivalen. Das Lager ist bevölkert von den Gespenstern ihrer ehemaligen Liebhaber, von denen sie ihm unvorsichtigerweise erzählt hat. Und während er den Nektar der Liebe trinkt, schmeckt er zugleich von den bitteren Tropfen der Rivalität.

Jede Phantasie ist eine Qual. Jeder Gedanke an einen anderen Mann verwandelt sich sofort in eine Zwangsidee, die ihn fortan nicht mehr losläßt: die Vorstellung, wie sie mit ihm schläft. Gerade seine eigene Erfahrung beliefert ihn da mit Anschauungsmaterial: Weil er weiß, wie sie sich in der Entrückung des Orgasmus verwandelt, kann er sie sich gut in den Armen des Rivalen vorstellen. Weil er sieht, wie sie in Ekstase aussieht, bebildert er damit seine obsessiven Phantasien. Und diese untergraben sein Selbstbewußtsein. Sie lösen das nagende Gefühl des Selbstzweifels aus, und es zeigen sich die ersten Anzeichen einer Paranoia. Er fühlt sich verhöhnt. Sie lächelt über ihn. Ja, mit dem anderen Liebhaber zusammen lacht sie hinter seinem Rücken.

Niemals ist eine Frau mit ihrem Partner also allein im Bett. Auch wenn sie nach wiederholtem Nachzählen immer zum selben Ergebnis kommen sollte – daß nur ein Mann im Zimmer ist –, für ihren Liebhaber sind sie alle dabei, nämlich seine Rivalen. Sie sitzen auf der Bettkante. Sie winken höhnisch aus dem Spiegel. Sie stimmen ihr lautloses Gelächter an, und sie wispern ihm ins Ohr: »Du Versager!« Und wenn ihre Lustschreie noch nicht verklungen sind und sich nach seinem Orgasmus die Traurigkeit über ihn senkt, sind sie schon da und flüstern: »Alles simuliert aus Mitleid mit deiner Jämmerlichkeit!«

Dieser Zweifel ist durch Gegenbeweise nicht widerlegbar. Und macht er sich eine Weile unsichtbar, ist er doch nie weit. Schauen wir zu, wie er Othello, dem Erzeifersüchtigen, aus dem Nichts entgegentritt. Dieses Nichts ist ein Besuch von Cassio bei seiner Frau, Desdemona, die er in Gesellschaft mit Jago heimlich beobachtet.

Jago: Hat Cassio, als Ihr warbt um Eure Gattin,
    von Eurer Liebe gewußt?
Othello: Vom Anfang bis zum Ende: Warum fragst du?
Jago: Nur um eine Idee zu überprüfen, die mir kam,
    nichts sonst.

Othello: Was hast du denn geglaubt, Jago?

Jago: Ich dachte, er hätte sie nicht gekannt.

Othello: Doch. Er ging von einem oft zum anderen.

Jago: Wirklich?

Othello: Wirklich? Ja, wirklich – findest du was dabei?
 Ist er nicht ehrlich?

Jago: Ehrlich, gnäd'ger Herr?

Othello: Ehrlich, ja, ehrlich!

Jago: Soviel ich weiß, General ...

Othello: Und was denkst du?

Jago: Denken, gnäd'ger Herr?

Othello: Denken, gnäd'ger Herr? Bei Gott, mein Echo!
 Als läg' ein Ungeheuer ihm im Sinn,
  zu gräßlich, es zu zeigen.

Das Ungeheuer liegt in Wirklichkeit Othello im Sinn. Es ist die Vision von Desdemona in den Armen von Cassio. Und Jago bringt sie ans Licht.

Othello: Was sagt er?

Jago: – daß er bei ihr – ich weiß nicht, wie er's sagte.

Othello: Oh, was, was?

Jago: Gelegen –

Othello: Bei ihr?

Jago: Bei ihr, auf ihr, wie Ihr wollt.

Othello: Bei ihr? Gelegen? Auf ihr ...?

Wenig später fällt er in Ohnmacht. Der Zweifel an der Treue der Frau ist also Selbstzweifel.

Dieser Selbstzweifel war – neben der Sicherung der Vaterschaft – die zweite Quelle für das Motiv, die Sexualität der Frau zu kontrollieren. Daß es sich hier um ein Sondermotiv handelt, zeigt sich schon an der Vorschrift, daß eine Frau als Jungfrau und unberührt in die Ehe gehen sollte. Sie sollte nicht vergleichen können.

Diese Norm der Jungfräulichkeit wird zwar in der modernen Gesellschaft von niemandem mehr ernsthaft verteidigt. Trotzdem besteht die sogenannte »Doppelmoral« fort. Dem Mann wird eine größere Promiskuität gestattet als ihr. Das wird häufig mit der biologischen Arbeitsteilung der Geschlechter in der Evolution begründet. Seine Funktion ist es, seine egoistischen Gene so weit zu streuen, wie er eben kann. Denn das bereichert den Genpool der Gattung. Ihre Funktion ist es dagegen, aus dem Angebot das beste auszuwählen (vielleicht sind deshalb Frauen die kritischeren Käufer und müssen mit Sonderangeboten übertölpelt werden), um dann, im Dienste der Nachkommen, den Mann an sich zu binden. Das hat für beide Geschlechter verschiedene Konsequenzen: In ihrem Interesse liegt es, für die Treue beider zu sorgen. Er dagegen muß, wie der Schmetterling, an vielen Blüten naschen.

Aber es gibt noch einen anderen, näherliegenden Grund für diese Asymmetrie. Um ihn zu verstehen, müssen wir nicht über Sex, sondern über unser Verhältnis zum Körper reden.

Der Körper in der symbolischen Ordnung

Unser Körper – so müssen wir nun einmal zugeben – ist ein Ding unter anderen Dingen. Es gehorcht den Gesetzen der Schwerkraft. Stößt man ihn, fällt er um. Er ist ausgedehnt, verdrängt Wasser und hat ein – manchmal zu hohes – Gewicht. Er kann bewegt werden, und am Beginn unseres Lebens erlernen wir die Kunst, eben das zu tun. Wir müssen ihn beherrschen lernen. Der Körper ist etwas, das wir haben und das wir erobern und uns unterwerfen. Wir haben ihn dann unter Kontrolle.

Aber damit haben wir nur die Hälfte gesagt. Denn der Körper ist ausgezeichnet unter den Dingen. Er ist der Sitz unseres Selbst. Das wird offenbar, wenn wir nicht mit einem Laternenpfahl, sondern mit einem anderen Menschen zusammenstoßen. Dann reiben wir uns nicht nur die verbeulte Stirn, sondern wir sagen »Entschuldigung«. Wir haben dann nicht nur unseren Kopf oder den Laternenpfahl beschädigt, sondern das Territorium eines anderen Menschen verletzt.

Dieses Territorium ist symbolisch markiert. Es sagt uns: »Achtung! Betreten nur mit Erlaubnis des Besitzers!« Den Körper des anderen umgibt eine Sicherheitszone wie eine Bannmeile ein Parlament. Sie wird begrenzt von einem unsichtbaren Maschendrahtzaun. Hinter diesem Zaun ist der Besitzer der absolute Souverän. Und so wie er sein Territorium als eine unverletzliche Zone für sich beansprucht, beanspruche auch ich mein persönliches Reservat. Wie ein Altar befindet sich mein Körper inmitten eines Sakralraums, den ich mit mir nehme, wenn ich gehe. Andere Menschen dürfen ihn nur mit meiner Genehmigung betreten. Ich habe nicht nur einen Körper, ich bin auch ein Körper. Gerade weil dieser Körper tatsächlich ein Ding unter Dingen ist, muß sein personaler Status durch symbolische Markierungen eigens betont werden: dadurch, daß man ihm sein persönliches Reservat zuerkennt. Das erst verschafft jedem Individuum die Anerkennung als eines sozialen Selbst und begründet das, was wir Menschenwürde nennen.

Der Körper gehört also zwei verschiedenen Ordnungen an: der mechanischen Ordnung der Dinge und der symbolischen Ordnung der Kultur. Beide Ordnungen werden im Körper überblendet. Das macht seinen heiklen Status aus. Und paradoxerweise macht ihn das zu einem Schlachtfeld der Kultur.

Behandle ich nämlich den Körper bloß als Ding, verletze ich die kulturelle Ordnung. Denn jede unerlaubte Grenzüberschreitung ist ein Angriff auf die Würde der Person. Die extremste Form der Entwürdigung ist die physische Gewalt. Der Gewalttäter führt der Person ihre Machtlosigkeit vor Augen und bezieht aus ihrer Erniedrigung wiederum die Berechtigung, sie weiter zu erniedrigen. Denn er macht ihr klar, daß sie nicht mutig oder kräftig genug ist, ihre eigene Souveränität zu verteidigen. Und daß sie deshalb auch nicht verdiene, daß man sie respektiere. Durch diese kreisförmige Begründung verweigert man einer Person den Respekt, weil sie den Respekt nicht zu erzwingen in der Lage ist. Früher nannte man das Ehre. Je höher der soziale Status, desto verletzlicher die Ehre, und desto größer waren die Ansprüche einer Person auf Respekt. Dementsprechend aufwendiger mußten die zeremoniellen Vorkehrungen sein, wollte man in ihr Territorium vordringen. Bei Göttern, Königen oder anderen hochgestellten Personen mußte man Weihrauchfässer schwingen, Unterwürfigkeitsformeln murmeln, den Rücken beugen und andere Entschuldigungsrituale durchführen, wollte man sich ihnen nähern.

Im Zeitalter der Gleichheit wird dagegen jedem ein annähernd gleiches Reservat zuerkannt. Wir unterstellen jedem die Empfindlichkeit, die wir selbst empfinden, und wie erwarten vom anderen dasselbe. Wir fühlen uns gestört, wenn uns jemand zu nahe tritt. Wir denken an Flucht, wenn jemand aufdringlich wird. Berührungen werden als Übergriffe empfunden. Das gilt jedenfalls für alle Fremden. Deshalb hat das Leben in der modernen Stadt die Zugehörigkeit des Körpers zu den zwei Ordnungen der Dinge und der Kultur zu einem Dauerproblem werden lassen. Die Stadt vereinigt nämlich physische Nähe mit sozialer Ferne. Im Fahrstuhl, in der U-Bahn und in der Käuferschlange stehen die Menschen eng aneinandergepreßt. Sie müssen dann deutlich machen, daß sie diese Enge nur als dinglich verstehen und nicht als Ausdruck einer sozialen Beziehung. Denn so eine Nähe kennt man sonst nur in einer Beziehung: in der Intimität. Also versuchen die Menschen, ihre Mienen mit einem Schleier der Ausdruckslosigkeit zu überziehen. In solchen Fällen sucht man deutlich zu machen, daß der Körper nur aus technischen Gründen als Ding behandelt wird. Ähnliches gilt für das Verhalten beim Arzt, beim Friseur und bei der Gymnastik. In allen anderen Situationen hält man zum anderen einen Sicherheitsabstand ein.

Das Bedürfnis nach Körperdistanz ist je nach Kultur verschieden. In der westlichen Kultur ist es hochentwickelt. Das illustriert eine zunächst rätselhafte Serie von Unfällen im Hotel Sugar Loaf Palace in Rio de Janeiro. Da gab es in einem Zwischenstock über der Eingangshalle eine Bar mit einer Galerie, von der aus man in die Hotellobby hinunterblicken konnte. Die Galerie war durch ein normales Geländer abgegrenzt. Trotzdem fielen immer wieder Gäste über das Geländer in die Lobby. Man konnte sich das zunächst nicht erklären und heuerte schließlich einen Detektiv an. Dieser stellte nach kürzerer Zeit fest, daß es sich bei den Fallsüchtigen ausschließlich um Amerikaner und Europäer handelte. Und er fand folgendes heraus: In der Unterhaltung unterschritten die brasilianischen Gesprächspartner immer wieder die Körperdistanz der Euro-Amerikaner. Darauf wichen diese zurück, um die ursprüngliche Distanz wieder herzustellen, bis sie an das Geländer der Galerie stießen. Da die Brasilianer ihnen nun näherrückten, ohne daß sie weiter ausweichen konnten,

beugten sie sich rücklings so weit über das Geländer, daß sie das Gleichgewicht verloren und abstürzten.

Die Affaire hat nichts zu bedeuten

Die radikalste Herausforderung an die symbolische Plazierung der Körper in der Kultur stellen aber sexuelle Beziehungen dar. Dabei geben zwei
Menschen ihre Hoheitsrechte auf und eröffnen dem anderen eine generelle Zugangsberechtigung zu ihrem Körper. Deshalb ist der erste sexuelle Kontakt immer ein besonderes Ereignis. In ihm vollzieht sich die Aus-
lieferung an einen bisher Fremden. Jeder der beiden erhält ein Privileg.
Aber: Die Beziehung der Geschlechter in diesem Punkt ist ebenfalls wieder asymmetrisch. Das symbolisch wertvollere Territorium war und ist
immer noch der Körper der Frauen. Hier entscheidet sich der Liebes-
krieg. Daß der Mann bei der Eroberung seinen Körper miteinsetzt und
zur Verfügung stellt, versteht sich von selbst. Weil er nicht als gefährdet
gilt, ist er auch nicht schützenswert.

Zwar ist weibliche Keuschheit heute keine Tugend mehr. Aber die
Asymmetrie bleibt trotzdem erhalten: Ein Mann, der auf sexuelle Avancen nicht eingeht, bringt sich in den Verdacht der Unmännlichkeit. Und
verteidigt er gar seine Keuschheit, ist er kein Mann, sondern ein Trottel.
Bei der Frau ist zwar die moralische Begründung weggefallen, aber bei aller Promiskuität bewirtschaftet sie den Zugang zu ihrem Körper nach wie
vor als knappes Gut. Sonst kann sie ihn nicht als Privileg vergeben. Würde sie ihn jedem anbieten, wäre ihre Sexualität nichts mehr wert. Das aber
hieße, sie würde auf die Anerkennung als Person verzichten und sich in
der Sexualität als Ding behandeln lassen.

Beim Sex wird nämlich die Dinghaftigkeit des Körpers unübersehbar.
Man gebraucht den Körper des anderen, um ihn zu genießen. Aber nur,
weil der andere das erlaubt, ist er, obwohl er als Ding behandelt wird, in
der Sexualität doch als Person gemeint. Dies wird dann als Paradox erlebt:
man spürt den Körper des anderen und erlebt ihn gerade darin als Person.
Denn es ist die Person allein, die einem die Zugangsberechtigung zu ih-

rem Körper einräumt. Und nur eine Person kann handeln. Die Exklusivität sorgt dafür, daß dieser Bezug auf die Person deutlich gemacht wird. Und so ist die Exklusivität also das Mittel, mit dem die Sexualität in die kulturelle Ordnung integriert wird.

Darum bedarf es im Verhältnis von Mann und Frau einer grundsätzlichen Asymmetrie. Sie begründet die für Frauen so schwer verständliche Leichtfertigkeit der Männer in puncto Treue. Nach einem Seitensprung erklären die meisten der Ertappten, der Ausrutscher »bedeute gar nichts«. Sie liebten ihre Ehegefährtinnen weiterhin tief, innig und aufrichtig. Die ganze Sache habe mit ihnen gar nichts zu tun. Und sie erwarten, daß ihnen das geglaubt wird. Die Frauen aber halten diese Erklärungen für den Gipfel der Heuchelei. Und sie wundern sich über die Dreistigkeit, mit der sie vorgebracht werden. Sie übersetzen das männliche Verhalten nämlich in ihren eigenen Treuecode, und da hat die Erlaubnis, das Grundstück ihrer Intimzone zu betreten, eine erhebliche Bedeutung.

Für den Mann dagegen bedeutet die Preisgabe seiner Intimregionen sehr wenig. Geht er fremd, bleibt sein Körper unbetroffen. Die symbolisch bedeutsame Handlung vollzieht sich anderswo. Männer sind also ehrlich, wenn sie behaupten, es habe nichts zu bedeuten. Für sie ist Promiskuität eine Bestätigung ihrer Männlichkeit. Sie haben nicht das Gefühl, ihre Frauen oder Geliebten zu berauben. Es ist ja nicht ihr Körper, der erobert wird. Vielmehr erobert er selbst. Und der Mann braucht hin und wieder dieses Invasionsgefühl. Das Empfinden, daß ihm ein Privileg zuerkannt wird. Seine eigene Gattin hat das symbolische Kapital der Exklusivität längst ausgegeben. Ihr Portemonnaie ist leer. Sie muß Verständnis dafür haben, daß er eine kleine Erfrischung braucht. Natürlich liebt er sie weiterhin. Das versteht sich ja von selbst. Aber so eine kleine, winzige Prise Testosteron wird ja noch erlaubt sein.

Sie aber glaubt, er begehre sie nicht mehr. Sie rechnet sich die Unattraktivität als Eigenschaft zu. Sie bezieht das auf ihr Aussehen, auf die zu breiten Hüften, den schlaffen Bauch und die hängenden Brüste. Und damit rennt sie in die Falle des Irrtums. Mit ihrem Aussehen hat das alles nichts zu tun. Sie könnte sich die Diäten und Kuren und Abmagerungstorturen, all die Fitness- und Muskelaufbauprogramme sparen. Die Vorstellung, daß Männer sich vor Fettmassen ekeln, ist eine weibliche Zwangsidee: sie selbst ekeln sich wahrscheinlich davor. Männer dagegen lieben alles Schwabbelige. Schließlich ist es ein Geschlechtsmerkmal.

Die Erklärung für die Affairen der Männer findet man nicht im Aussehen der Frauen, sondern in einem dramaturgischen Muster: Ein Mann wird durch den sexuellen Kontakt mit einer Frau nicht befleckt und besudelt. Auf seinem Körper bleibt keine Spur zurück. Und er verschleudert auch nichts, was eigentlich seiner Frau gehört. Wo diese Schätze herkommen, so denkt er, ist noch mehr. Das ist wahrhaftig kein knappes Gut. Das Ovum einer Frau ist vergleichsweise selten. Die Spermatozoen des Mannes zählen in die Millionen. Was macht es da aus, wenn er von dem Reichtum etwas verschenkt? Die gute Luise, soll man ihr nicht auch etwas gönnen? Er ist ein Samariter, ein Schenkender und Wohltäter. Und er erwartet von seiner Frau, daß sie das auch so sieht.

In der Symbolik des erotischen Szenarios ist der Körper der Frau dramatisch so viel bedeutender, daß der Zugang zu ihm sehr viel mehr zählt als der zum Körper des Mannes. Und deshalb geht er leichter und mit gutem Gewissen fremd.

Enthemmte Verklemmte

Die Überblendung der mechanischen und symbolischen Ordnung in der Sexualität kann im Einzelfall mißlingen. Dann kommt es bei dem Betreffenden zur Spaltung des Frauenbildes in die Heilige und die Hure. Als kontrastierende Bilder sind sie aufeinander angewiesen: Um die Sexualität sozial zu integrieren, wurde die Frau zur Madonna erhöht und ihr Leib durch Schönheit heiliggesprochen. So wurde das Gewalttätige an der Sexualität für die Zivilisation erträglich gemacht. Aber es beschwor auch die beständige Gefahr herauf, Sexualität nur als Schändung zu erleben. Hieraus sind zwei pathologische männliche Typen erwachsen: der Verklemmte und der Vergewaltiger

Beim Verklemmten lösen die Phantasien einer hemmungslosen Inbesitznahme intensive Schuldgefühle aus. Um seine Visionen wüster Schändungen ins Unterbewußtsein abzudrängen, würgt er in sich die Vorstellungen edelster Unberührbarkeit und platonischer Reinheit hervor. Die Kulturgeschichte kennt alle diese Gestalten der Prüderie und der Sexualverdrängung: den asexuellen Engel im Hause der Viktorianer, die Madonna, die schmerzensvolle Heilige, die engelsgleiche Kindfrau, die Tugend in Not usw. In diesen Figuren stilisiert der Verklemmte seine Angebetete, und wenn sie, ungeduldig, ihm das Bein reicht, damit er das Strumpfband löse, hält er ihr Vorträge über Moral. Dieser Typ hat Angst vor ihrer Sexualität.

Die Angst kann aber auch weniger den Schuldgefühlen als der Vision der eigenen Impotenz entspringen. Allerdings ist das Ergebnis das gleiche: Impotenz infolge Verklemmtheit. In der Phantasie sieht sich der Verklemmte vielleicht als Mitglied einer Kosakenhorde, die ganze Dörfer vergewaltigt. Aber eben, um diese Phantasie zu unterdrücken, erhebt sich das Schuldgefühl und sorgt für Impotenz.

Auch dem Vergewaltiger mißlingt die Integration von dinglicher und symbolischer Ordnung in der Sexualität. Aber im Gegensatz zum Verklemmten macht er die Frau für seine Ängste verantwortlich. Er haßt sie dafür, daß sie ihn sexuell erregt, Schuldgefühle auslöst und ihn auf das Niveau eines Tieres herabzieht. Deshalb fühlen sich Vergewaltiger und Frauenmörder häufig als Auftragstäter im Dienste der Moral, ausgesandt, die Frauen für ihre Sexualität zu bestrafen. Auch diese Einstellung, die sich mit Formen des Irrsinns deckt, hat geschichtliche Folgen. Ganze Zerstörungsorgien wie die Hexenverfolgung wurden von derartigen Haltungen mit motiviert.

Wer die Zeichen des Moralapostels sieht oder etwas von der Überspanntheit des Vergewaltigers spürt, sollte sofort die Flucht ergreifen. Man hat gar nicht genug Finger, um sie von solchen Typen zu lassen. Ihnen ist die Integration der Sexualität in ihr Leben mißlungen. Sie vernichten die Person, indem sie den Körper verletzen. An ihnen ist die Zivilisation gescheitert. Und von grundsätzlich Gestörten sollte man sich fernhalten. Sie sind etwas für den Therapeuten. Es ist gefährlich, sich selbst für eine Therapeutin zu halten. Oder den Gestörten durch Liebe erlösen zu wollen. Das kann so lebensgefährlich werden wie in jenem berühmtesten aller Limericks:

There was a young Lady from Riga
Who smiled when she rode on a tiger.
They came back from the ride
With the lady inside
And a smile – on the face of the tiger.

Die voyeuristische Erotik des Mannes

Sexualität ist also etwas grundsätzlich anderes für den Mann als für die
Frau. Zwar singen sie, wenn es klappt, ein Duett, aber die Stimmen sind
grundverschieden. Und dieser Unterschied wird durch die selbstverständ-
liche, aber unvertraute Überlegung veranschaulicht, daß Männer es nur
mit Frauen und Frauen es nur mit Männern zu tun haben.

Die Folklore der Welt ist tief gesättigt mit den Erfahrungen der Generationen. Jedes Kind kennt inzwischen die unterschiedlichen Erregungskurven: dramatischer Anlauf, schneller Höhenrausch und plötzlicher Absturz beim Mann, längere Vorbereitung und längerer Höhenkamm sowie
langes Ausschwingen bei der Frau. Die Künste des Liebhabers sind also
die Künste der Verlängerung. Es zählt das Hinausschieben der Hauptspei-
se durch amuse-gueules, Apéritifs und Vorspeisen und köstliche Zwischen-
mahlzeiten. Alles das ist so bekannt wie die post-koitale Traurigkeit des
Mannes.

Weniger verbreitet dürften die Erkenntnisse hinsichtlich der unterschiedlichen Körperbefindlichkeit der Geschlechter sein. Wir haben gesagt, wir haben einen Körper und wir sind dieser Körper. Das eine
bezeichnet eine eher instrumentelle Einstellung zum Körper. Und sie
kennzeichnet den Mann. Dazu gehört, daß er den Körper als äußerlich
erlebt. Er ignoriert seine Innenzustände. Er verbeißt sich den Schmerz. Er
übersieht die hinderlichen Gebresten, solange es geht. Statt dessen versucht er, seinen Körper zu kontrollieren. Für ihn ist der Körper ein Ding
unter Dingen. Das bindet den Mann auch stärker an die Kindheit zurück,
in der ihm sein eigener Körper als fremdes Objekt gegenübertrat. Er
mußte erst lernen, ihn zu beherrschen und ihn sich auf diese Weise anzu-

eignen. Diese Beherrschung entspricht der Beherrschung des Raums. Im
selben Maße, in dem Körper mobil wurden, wurde auch der Raum erobert.

Das rüstete den Urhordenmann mit der Befähigung zur Jagd aus. In der
Jagd mußte er sich auf das Beutetier konzentrieren. Dabei hatte er die
Distanz abzuschätzen, sich selbst mit Bezug auf die Beute überlegt im
Raum zu bewegen und alles Störende auszublenden. Der Mann wurde so
zu einem Intensivbeobachter. Und sofern die Frauen seine Beute wurden, wurde er ein Voyeur und ein Pornograph. Die Sexualität des Mannes
ist tendentiell pornographisch. Die Besichtigung des ungeschützten Beu-
teobjekts erregt seine Begierde. Die Augen ermöglichen die Antizipation
des Vollzugs. Die Phantasie eilt in der visuellen Erfassung voraus, und dazu
braucht man Distanz. Für die Frauen, deren Sensibilität hier anders ist, ist
das gleichbedeutend mit dem Vollzug der Verdinglichung. Zahlreich sind
die feministischen Bücher über den »männlichen Blick« als phallokrati-
sche Herrschaftsgeste: Er unterwerfe die Frauen, distanziere sie und ernie-
drige sie zum erotischen Präparat.

Das Körpergefühl der Frau

Im Gegensatz dazu ist das Körpergefühl der Frauen weniger instrumen-
tell. Sie erleben den Körper nicht nur von außen, sondern von innen und
außen. Das heißt, sie sind eher im Körper, als daß sie ihn haben. Sie sind
stärker mit ihrem Körper identisch. Daraus ist die Vorstellung von der
»Rätselhaftigkeit« der Frau hervorgegangen. Da für Männer die Erfahrung eines weiblichen Körpers jenseits des Artikulierbaren zu sein schien,
wurde sie mystifiziert. Im rätselhaften Gesicht der Mona Lisa spiegelte
sich auch die Unzugänglichkeit des weiblichen Körpergefühls. Dazu gehören auch die femininen Vorgänge im Inneren des Leibes, die dem Manne rätselhaft bleiben: der Eisprung, die Periode, die Schwangerschaft und
das Stillen, das er mit Staunen sieht. Das alles züchtete im Laufe der Evolution auf seiten der Frauen eine größere Befähigung zur Selbstwahrnehmung. So wird auch die weibliche Erotik stärker am eigenen Körper er-

lebt als am anderen. Das Terrain der sexuellen Begegnung ist für beide der Körper der Frau.

Anders als der instrumentalisierte Körper des Mannes ist er eher allseitig aufnahmefähig. Die erogenen Zonen sind überall verteilt und nicht, wie beim Mann, hochkonzentriert. Sie ist auf Nahwahrnehmung spezialisiert. Das heißt: die Haut, der Körper, die Temperatur, das Ohr – alles ist an der Wahrnehmung beteiligt. Vielleicht hat das einmal der automatischen Kontrolle einer krabbelnden Brut in einem dunklen Nest gedient. Auf jeden Fall stehen sich Mann und Frau in der Erotik mit verschiedenen Sinneswahrnehmungen gegenüber: mit dem pornographischen Blick der Mann und der ganzheitlichen Berührungssensibilität die Frau, die auf Nähe, Hautkontakt und allgemeine Schmuserei spezialisiert ist.

Dem entspricht die Rollenverteilung im Drama der Werbung und der Selbstdarstellung: Dabei bietet sich die Frau dem Blick des Mannes dar. Sie sieht sich als gesehen. Zum Ersatz des männlichen Blickes wird der Spiegel. Mit ihm unterhält sie ein intimes Verhältnis ab ihrer Pubertät. Das verwandelt einen Teil der weiblichen Erotik in Selbstgenuß. Sie wird zur Autoerotik. Über den Umweg der Identifikation mit dem Mann genießt die Frau seinen Genuß an sich selbst. Entsprechend wirken entblößte Frauen zuweilen auf Frauen erregender als nackte Männer. Auch hier bleibt die Frau bei sich und genießt sich als in sich ruhenden Körper.

Anders der Mann. Er empfindet sich als Wirkung im Körper der Frauen. Er geht aus sich heraus und spürt sich dann erst über seine Außenwirkung. Ihn erregt die Erregung, die er verursacht. Seine Erotik findet Erfüllung in der Erfahrung des Unterschieds. Die Andersartigkeit dieses Körpers bringt ihn in Wallung. Deshalb ist gerade die Weichheit des weiblichen Körpers so aufregend.

Das instrumentelle Verhältnis des Mannes zu seinem Körper konzentriert sich besonders auf den Phallus. Er wirkt in seiner Exterritorialität selbst wie ein Werkzeug. Und so wird er auf englisch auch genannt: tool. Als solches fordert er den Vergleich mit den Werkzeugen der Rivalen heraus. Und dieser Vergleich nach Maßen und Umfang verewigt den Wettbewerb und mit ihm die Unsicherheit des Mannes.

So ist gerade das Organ, das den Mann zum Mann macht, auch die Quelle seines dauernden Selbstzweifels. Sein Verhältnis zu ihm ist widersprüchlich. Gerade weil er ihn nicht kontrollieren kann, sagt der Phallus über ihn die Wahrheit. Obwohl er nicht für ihn verantwortlich ist, fühlt er sich von ihm beschämt. Versagt der Phallus den Dienst, fühlt er sich selbst als Versager. Und ist der Mann auch noch so potent, die Frau hat es in der Hand, dieses Gefühl des Versagens auch bei ihm nach Belieben hervorzurufen: Sie braucht nur ihre Forderungen über seine Kapazitätsgrenzen hinauszutreiben, und schon fühlt er sich beschämt.

Das Urteil über den Mann spricht so der Körper der Frau. In ihm liegt das Geheimnis, das über sein Selbstbewußtsein entscheidet. Hier sucht er nach dem heiligen Gral. Der Körper der Frau ist deshalb der Gegenstand, an dem männliche Neugier und aller männlicher Forscherdrang seinen Ausgang nehmen. Das bringt einen eigenen Typus hervor, den wir nun in der Porträtgalerie besichtigen.

Neunter Abstecher in die Porträtgalerie der Männertypen: Der Forscher

Der Forscher ist ein Triebtäter. Ihn treibt sein Drang, über die Grenzen in unwegsames Gelände vorzustoßen und neue Kontinente zu entdecken. Er ist der Forschungsreisende, den es zu neuen Ufern zieht. Er wird von allem Unbekannten gefesselt. Er will entdecken und enthüllen. Ihn reizt das Verborgene. Und weil dieser Reiz zuerst den pubertierenden Knaben heimsucht, dessen Entdeckungsdrang sich auf den weiblichen Körper richtet, wird der Forscher im Alter zwischen zwölf und sechzehn Jahren geprägt. Um sich von ihm ein Bild zu machen, muß frau sich etwas ganz und gar Drangvolles vorstellen. Denn von sich aus haben Frauen von der schrillen Intensität dieser Neugier keinen Begriff. Sie kennen nicht diesen gierigen Voyeurismus einer knäbischen Phantasie, die immer wieder neue Nahrung aus dem Verborgenen zieht. Woher auch? Sie sind ja selbst Objekte dieser Enthüllungssucht. Und überhaupt mag es schwerfallen, sich

den genialen Forscher als pubertierenden Knaben zu denken. Aber nicht
erst Freud war der Meinung, aller wissenschaftlicher Forscherdrang beginne mit sexueller Neugier. Schon lange vorher gebrauchte man in beiden Zusammenhängen dieselben Begriffe. Und bis heute spricht man von
»Enthüllungen« und »Entschleierungen«, von der »nackten Wahrheit« und
von »Aufklärung«, von »Erforschung« und »Entdeckung«.

Für diese Neugier gibt es bei Frauen keine Entsprechung. Für sie ist
der männliche Körper nicht besonders rätselhaft. Seine Formen sind
weitgehend überraschungsarm. Und seine Oberflächenbeschaffenheit ist
fast überall gleich. Der Mann besteht aus einem rechteckigen Kasten mit
Beinen, Armen und Kopf. Es gibt keine interessanten Schwellungen des
Geländes. Keine Täler und Hügel, keinen Wechsel der Oberflächenbeschaffenheit, keine kunstvollen Übergänge und lieblichen Aussichten. Es
fehlt jede Reliefierung, die bewirkt, daß der weibliche Körper aus jeder
Perspektive wieder anders aussieht. Seine Oberfläche läßt keine Geheimnisse zu: sie besteht nur aus einem flachen, verkarsteten Boden von öder
Monotonie; einer struppigen Steppe, bewachsen mit schütterem Trocken-
gras, ohne Sehenswürdigkeiten. Die einzige Ausnahme ist jene bekannte
monströse Wucherung, die in offener Schamlosigkeit aus dem Gehölz
ragt, von eigenartiger Färbung, von unklarer Konsistenz im schlaffen Zustand und von starrer Monumentalität wie ein Kriegerdenkmal aus der
Megalith-Zeit, wenn erigiert. Beim männlichen Körper liegt alles offen
da.

Aber wie anders ergeht es dem pubertierenden Knaben, dem künftigen
Forscher: Unstillbar ist für ihn der Reiz, der vom weiblichen Körper ausgeht. Seine Ausbuchtungen und Rundungen drücken sich so unter der
Kleidung ab, daß sie die ständige Erinnerung daran wachhalten, daß sie
verhüllt sind. Sie bilden einen Dauerauftrag für die Forschung. Das Leben
unter der Oberfläche stimuliert mit jeder Bewegung die Neugier. Jede
Verschiebung weckt das Verlangen, unter die Kleider zu schauen. Aus dem
Rauschen im Kopf des Knaben steigen Visionen von süßen Zauberland-
schaften auf. Es plagt ihn die Sehnsucht des Wanderers. Allzu gern möchte er wissen, wie diese interessanten Reliefs wirklich aussehen. Da sind
zum Beispiel die Brüste: ein Doppelgebirge von so merkwürdig weicher

Beschaffenheit, daß sie ein einziges Rätsel darstellen. An sich selbst findet
er nichts, was ihnen im entferntesten gleicht. Ihr Zustand scheint ein einziges Paradox. Einerseits weich wie Pudding, andererseits aber durchaus
formfest wie Götterspeise, die auch nach erheblichen Erschütterungen in
ihren Ursprungszustand zurückkehrt. Ihre Form scheint dabei durch die
Gravitation bestimmt. Und wie ein Flügel ein Abbild der Aerodynamik
ist, ist eine Brust ein Abbild der Schwerkraft. Fast unwiderstehlich ist es,
ihr Gewicht zu prüfen.

Und dann die Plazierung der Brustwarzen! Im Vergleich zu seinen eigenen, welch luxuriöse Expansivität! Wie eine Krone gegenüber einem
Hosenknopf. Das alles ahnt der künftige Forscher mehr, als er es weiß. Er
sieht nur den geheimnisvollen Mittelgraben im Ansatz des Dekolletés.
Diese in Eierschnee geschnittene Spalte, die zwei glatte, rosige Globen
teilt wie die zwei Kugelhälften im platonischen Mythos vom perfekten
Menschen. Zwei aneinander geschmiegte Zwillinge, die, so schließt er mit
wachsender Kühnheit, selbst wieder den Halbkugeln des Pos gleichen!
Sein Hirn beginnt bei dieser Vision zu kochen: Als ob der liebe Gott mit
dem aufrechten Gang den Po auch nach vorne geholt hätte! Und die Du-
blette der Halbkugel gedoubelt! Eine Harmonie aus Entsprechungen und
Komplementärrundungen. Eine Komposition aus Schwellungen und Bö-
gen und Kurven. Alle Grenzen verschwinden dabei in Falten. Und die
laufen auf die Mutter aller Geheimnisse zu: den Ort des heiligen Grals,
den Schrein mit dem Heiligtum, das Arkanum par excellence, die Abwesenheit einer versteckten Anwesenheit, ein unbekanntes Wesen, von dem
es noch nicht einmal Abbildungen gibt und von dem niemand jemals erzählt. Von ihm gehen gleichermaßen süße Versprechungen und furchtein-
flößende Schrecken aus. Es ist wie das Monster von Loch Ness. Er ist
überzeugt, daß es da ist, aber er hat es noch nie gesehen. Seine Erkundung
wurde ein lebenslanges Projekt. Es hat ihn zum Forscher gemacht. Die
ungelöste Spannung zwischen Neugier und endlosem Aufschub der Forschung hat ihn geprägt. Er kann nicht mehr ohne sie leben. Er ist ein
Süchtiger geworden, ein Besessener. Er nimmt jetzt jede Frist in Kauf.
Vierzig Jahre lang ist Moses durch die trockene Wüste gezogen. Und erst
dann ließ ihn der Herr das Land sehen, wo Milch und Honig floß. Solan-

ge der Forscher sein eigenes Gelobtes Land nicht erkundet hat, wird er
von der Unruhe des Entdeckers getrieben. Er giert geradezu nach Wissen.
Nach dem Wissen, das ihn zum Mann macht.

Das hat eine merkwürdige Konsequenz, auf die Frauen von allein niemals verfallen würden. Weil sie ihren Körper ja schon kennen – besser als
je ein Mann ihn kennen wird –, werden sie unbewußt für intelligent gehalten. Sie verfügen ja über ein Wissen, das das jedes Philosophen in den
Schatten stellt. Das gilt selbst für die schlichteste Frau. Das erklärt etwas,
dem Frauen normalerweise mit fassungslosem Unverständnis gegenüber-
stehen – warum intelligente Männer sich manchmal mit strohdummmen
(anders begabten) Frauen verbinden. Ja, warum sie es manchmal sogar
darauf anlegen, diesen Kontrast zu akzentuieren, indem sie Sexbomben
eher untrainierten Geistes den Vorzug geben. So wie Arthur Miller, als er
Marilyn Monroe heiratete.

Die Antwort ist: Für sie ist Sex bei Frauen das gleiche wie ein Wissens-
vorsprung. Der Besitz eines Busens entspricht einer Diplomprüfung in
Philosophie. Er enthält ebenso viele Geheimnisse wie Kants Theorie vom
Ding an sich. Je drastischer und reiner der Sex zur Geltung kommt, desto
deutlicher diese Äquivalenz. Eine Frau, die selbst schlau ist, bringt diese
Gleichsetzung durcheinander. Die durch keine Intelligenz getrübte Sex-
ness bringt viel drastischer zur Geltung, daß eine Frau im Besitz von Ge-
heimnissen ist, die jeden Philosophen vor Neid erblassen lassen. Daß sie
über Wissensschätze verfügt, an die Theorie nicht heranreicht. Daß sie –
um in der Philosophie Kants zu bleiben – über A-priori-Kenntnisse verfügt, die weder Begriff noch Anschauung einholen können. Wenn sie
auch seine Erkenntnis bestätigen mögen, daß Anschauung ohne Begriffe
zwar blind sein mag, ein Begriff ohne Anschauung aber leer ist.

Diese Neugier des Forschers macht es den Frauen leicht, seine Aufmerksamkeit zu erregen. Hat er seine Enthüllungssucht schon auf die
Wissenschaft übertragen, wird er durch die Frau auf das ursprüngliche
Objekt seiner sexuellen Neugier zurückgelenkt. Vor allem dann, wenn die
Forschung mit dem Bruch von Tabus verbunden ist. Schließlich waren für
den pubertierenden Knaben die Zonen hinter der sexuellen Bannmeile
nicht nur unbekannt, sondern auch mit Verboten umstellt. Die Grenze zu

überschreiten war gefährlich. Vor der entscheidenden Stelle stand eine Aufschrift wie früher auf den alten Landkarten an den Säulen des Herkules bei Gibraltar: Ne plus ultra – hier geht's nicht weiter! Und auch die zentrale Gründungslegende der Forschung in unserer Kultur bringt sexuelle Neugier, Wissensdurst und Tabus zusammen: der Sündenfall. So wurde dem Wissensdrang von seinem sexuellen Hintergrund der Beigeschmack des Verbotenen aufgeprägt, und der Archetyp des Forschers, Dr. Faustus, macht zuerst erotische Entdeckungen.

Natürlich hat die Spannung mit der sexuellen Revolution nachgelassen. Seitdem die Sexualität nicht mehr so radikal von Verboten und Tabus umstellt ist, seitdem die Schamschwellen rapide nach unten gesackt sind und das Gefälle von männlicher Exploration und weiblicher Zurückhaltung eingeebnet wurde, ist auch der Forscherdrang nicht mehr in solche Höhen getrieben worden. Aber die Popularität der Enthüllungsmedien und der Pornographie zeigt ja, daß die voyeuristische Neugier nach wie vor unersättlich ist: und daß sie noch nach wie vor männlich ist. Konnte vor hundert Jahren noch eine nackte Wade das Blut in den Kopf treiben, braucht man dazu heute krassere Einblicke. Aber auch die Wade war damals schon nur eine Station auf einer Strecke, die zum gleichen Ziel führte.

Nach Freud wird die ganze Rätselhaftigkeit der Frau für den Knaben in der Verborgenheit des weiblichen Sexualorgans zur Anschauung gebracht. Was für die Frauen normal ist, ist für ihn ein Wunder, über das er schwer hinwegkommt: daß da, wo bei ihm jenes fast unabhängige, demonstrative, selbständige Wesen hervortritt, ein Nichts ist. Der automatische Vergleich mit dem Phallus macht aus dem weiblichen Schambereich eine aufdringliche Abwesenheit. Und schon fragt sich der zukünftige Wissenschaftler: Es muß doch statt dessen etwas da sein!? Aber eben das liegt im Verborgenen. Eine dunkle Erdspalte, ein versteckter Grabenbruch, ein unheimlicher Eingang ins Innere.

Die besessene Beschäftigung mit dieser Mutter aller Geheimnisse hat sich in der kulturellen Symbolik niedergeschlagen, mit der die Forschungsideale bezeichnet wurden: zuallererst der heilige Gral, auf den die Artusritter so scharf waren. Hier liegt der Bezug zum Füllhorn, aus dem

sich der Reichtum der Welt ergießt. Es ist der Ursprung der Welt, aus dem
auch die Männer einst hervorgegangen sind, um dann ihre Herkunft aus
allem Weiblichen durch die künstliche Abgrenzung zu leugnen. Nur in
der Verkleidung als Forscher ist es ihnen möglich, sich diesem Ursprung
wieder zuzuwenden, ohne in eine ödipale Krise zu verfallen. Als der
Philosoph Martin Heidegger seiner Geliebten Hannah Arendt schrieb,
taucht im Postskriptum immer wieder die merkwürdige Formel auf:»Ich
freue mich auf Deine Mutter.« Die Herausgeberin der Briefe glaubte, es
handle sich um Hannahs wirkliche Mutter. Wohl kaum! Warum sollte
Heidegger sich auf sie freuen? Er benutzte einen Code und fand eine
Umschreibung für das, was er wirklich suchte: den Sinn des Seins, dem es
in seinem Sein um dieses Sein selbst geht. Es war die Mutter aller Geheimnisse.

Hier, in dieser konzentrierten Andersartigkeit, liegt nicht nur für den
pubertierenden Hysteriker der Ursprung aller Daseinsrätsel. Schon die
Scheu, diesen Ort zu benennen, zeugt von der dämonischen oder göttlichen Qualität. Der Phallus ist von seiner dramatischen Wirkung her ein
Komödiant, ein Kobold und Jack in the Box. Er gehört in die Komödie,
zusammen mit all den anderen Angebern, Prahlhänsen und Großspre-
chern. Der Phallus ist wie sie: mal unglaublich aufgeblasen und dann wieder auf der Flucht. Eben ein Komiker! Kein Wunder, daß von den Phal-
lusfiguren der Griechen unsere Gartenzwerge abstammen: die Leuchtfeu-
er des Penis sind zu roten Zipfelmützen geworden. Dagegen ist der
dunkle Schlund der Vagina eine rätselhafte Abwesenheit. Sie entzieht sich
selbst der Darstellung. Wie von Gott darf man sich von ihr kein Bild machen. Man kann sie sich nur als Hintergrund eines Mysterienkults vorstellen, als Symbol eines der Erde geweihten Ritus von unklarer Bedeutung, die nie versiegende Quelle einer gefährlichen Neugier. Selbst der
Teufel, heißt es, sei beim Anblick eines weiblichen Geschlechtsteils zu-
tiefst erschrocken. Das weibliche Sexualorgan gehört nicht auf das Theater der Repräsentation, sondern in den Mythos.

Es ist ein ursprüngliches Paradox: die Beobachtung eines Geheimnisses
bringt es zum Verschwinden. Ein Geheimnis ist als Geheimnis nicht be-
obachtbar. Es zeigt sich nur in der Ahnung, in dem Versprechen der un-

mittelbar bevorstehenden Enthüllung. Der Sex-Appeal wird deshalb immer als Striptease, als Übergang zwischen Enthüllung und Verhüllung dramatisiert. Und genau dies ist auch die Dramaturgie der Wissenschaft: sie wirkt durch Sex-Appeal. Umgekehrt findet sich in der Liebe auch die Verhaltensweise des Wissenschaftlers. Don Juan etwa ist ein typischer Sammler. Er möchte ein enzyklopädisches Wissen über die Frauen gewinnen. Er sammelt von jeder Art ein Exemplar. Er beschafft sich einen Überblick. Er hat den Wahn der Vollständigkeit. Er möchte die ganze Gattung inventarisieren. Und seine wissenschaftliche Hilfskraft Leporello führt die Liste.

Von anderer Art wiederum ist der Psychologe. Ihn interessiert, wie sich die Weiblichkeit in der Psyche ausdrückt. Er erforscht die Erotik des Seelischen. Er dringt in die Geheimnisse der weiblichen Erlebnisverarbeitung ein. Diese Exploration ist für ihn eine Penetration, eine Fahrt ins Innere eines Dschungels. Hier läßt er sich von einem Schattenreich gefangennehmen, dessen Faszination für ihn niemals abnimmt. Das läuft auf ein merkwürdiges Paradox hinaus: Der Psychologe überquert die Abgrenzung gegenüber der Frau, die ihn zum Mann macht. Er spielt also mit seiner männlichen Identität, indem er ihre Grenzen überschreitet. Darin gleicht er wieder den wirklichen Forschungsreisenden, die in der Wildnis sich selber finden wollen. Auch sie sprechen stets von der Erfahrung der Grenzüberschreitung. Und so gleicht die Erkundung der weiblichen Psyche einer Forschungsreise zu den Grenzen zwischen Mann und Frau. Da es für die männliche Neugier und ihre hysterische Inensität auf weiblicher Seite keine Entsprechung gibt, muß jede Frau dieses ganze Explorationstheater befremdlich finden. Sie selbst ist sich ja kein Geheimnis. Und den, der sie dazu macht, wird sie für reichlich albern halten. Sie wird die Expeditionsvorbereitungen mit leisem Erstaunen beobachten und die fachmännischen Erörterungen von Routen und das Brüten über Landkarten mit Spott verfolgen. Sie weiß ja, daß die Männer eine Fahrt nach Utopia planen. Und da sie die Gegend so gut kennt wie sich selbst, weiß sie auch, daß sie einer Fata Morgana folgen. Einem Irrlicht, das sie selbst entzündet haben. Der Ursprung des Geheimnisses liegt in den Männern.

Aber sie weiß auch, daß sie das ausnutzen kann. Sie kann sich selbst zum Irrlicht machen und damit den Forscher im Manne wecken: Sie mimt die Geheimnisvolle. Sie verleiht ihrem Wesen den Anstrich des Rätselhaften. Sie widerspricht sich selbst und lächelt dann abgründig. Sie erscheint und entzieht sich. Sie redet in Andeutungen und Hinweisen. Und so führt sie ihn an der Nase herum.

Hier gibt es zwei gegensätzliche Varianten: Es gibt Frauen, die die Rolle der Rätselhaften gern spielen. Sie inszenieren sich dann als Femme fatale, als Vamp oder als gefährliche Medusa. Sie genießen es, sich ständig entziehen zu können. Hier kann dann der ewige Flirt oder die Frigide oder die Prüde oder Kokette ihre Rolle finden, die ihr gestattet, sich nicht ausliefern zu müssen. Im entscheidenden Moment kann sie immer verschwinden. Auch die Sadistin, die es liebt, ihrem Verehrer Tantalusqualen zu bereiten, kann sich hier als Teaser betätigen. Und durch die Inszenierung des Geheimnisvollen kann sie ihre Macht über die Männer ausüben. All diese Figuren kontrollieren die Männer, um sich an ihrer Hilflosigkeit zu weiden.

Ganz entgegengesetzt empfinden diejenigen, die diese Dramen nur aus Notwendigkeit mitmachen, um den Männern zu bieten, was diese erwarten. Sie finden die Inszenierungen eher lächerlich und hegen eine gewisse Verachtung für die Männer, die da Geheimnisse sehen wollen, wo keine sind: in ihnen selbst. Sie hassen es eher, daß sie sich als lebendige Menschen nicht zur Geltung bringen können, weil sie durch mythische Bilder verdrängt werden.

Der Hohn über die Inszenierungen wird noch dadurch gesteigert, daß es außerordentlich leicht ist, rätselhaft zu erscheinen. Man braucht sich bloß völlig sinnlos aufzuführen. Das wird schnell erreicht. Man widerspricht sich selbst, aber verweigert eine Erklärung. Auf die Nachfragen antwortet man mit einem Blick, der bedeuten soll: »Wer die höhere Bedeutung dieses Widerspruchs nicht erkennt, ist meiner nicht wert.« Dabei verschweigt man, daß es diese höhere Bedeutung nicht gibt. Oder man verhält sich launisch und wankelmütig, überläßt aber auch hier die Erklärung dem anderen. Das Prinzip ist immer das gleiche. Man verhält sich grundlos widersprüchlich, gibt aber dem anderen die Schuld, daß er nichts versteht – mit der Nebenbedeutung, daß es ihm an Sensibilität mangele.

Da Frauen sich auf der Hinterbühne über diese Tricks informieren, bilden sie eine virtuelle Freimaurerloge gegenüber allen Männern. Darin verständigen sie sich über deren Schlüsselreize und spotten über ihre Manipulierbarkeit: Der Schlüsselreiz des Forschers aber sorgt dafür, daß er und die Frau sich nie treffen. Denn für ihn muß sie ein Geheimnis sein, und ein Geheimnis verschwindet, wenn man es löst.

DIE KOMÖDIE DER FRAUEN:
AMPHITRYON ODER: ALKMENES DILEMMA

Szene 6: Der Sex-Appeal

Wir befinden uns immer noch auf der Terrasse vor Amphitryons Haus. Der Tag ist gerade angebrochen, und Sosias und Thessala haben Merkur allein auf dem Schauplatz zurückgelassen. Da beginnt das Licht zu flackern, es wird abwechselnd hell und dunkel, dann donnert es. Es bleibt für einige Sekunden dunkel. Als es wieder hell wird, steht Jupiter in der Gestalt Amphitryons auf der Terrasse – auf der Suche nach Sex.

MERKUR: Majestät – bevor Sie irgendwas zerschmettern oder sich gar an mir vergreifen, mäßigen Sie bitte Ihren Zorn, es läßt sich alles klären!

JUPITER: Was gibt es da zu klären? Du hast es vermasselt, mehr gibt's da nicht zu klären! Da heißt es stets, die Kunst des Regierens wäre die Fähigkeit zu delegieren, doch wenn man sich nicht um jede Kleinigkeit selber kümmert, dann hat man nichts als Ärger. Du hast die Sekunde zwischen Tag und Nacht verpaßt, um die Zeit anzuhalten, stimmt's?

MERKUR: Ja, aber das hätte sowieso nichts mehr genützt.

JUPITER: Hab' ich's nicht gesagt?! Wo es so schwierig war, Chronos das Zugeständnis abzuringen, und ein verlorener Moment ist ein für allemal verloren, da bin ich selbst als Göttervater machtlos. Nun gut, dann muß ich mich also eben so zur Geltung bringen. Auch ein Gott wächst mit seinen höheren Zwecken.

MERKUR: Aber Majestät, es ist zu spät! Man ist Ihnen zuvorgekommen!

JUPITER: Was willst du damit sagen, man ist mir zuvorgekommen? Bei Alkmene zuvorgekommen? Drück dich verständlich aus! Sonst kann ich meinen Zorn vielleicht nicht länger unterdrücken.

MERKUR: Majestät – wie lange kennen wir uns schon?

JUPITER: Was soll das jetzt? Nun – eine Ewigkeit! Was weiter?

MERKUR: Und weil ich Sie so lange kenne, weiß ich, ich muß, wenn ich was Ungünstiges berichte, die Erzählung so dirigieren, daß sich Ihr

Zorn vorsichtig dosiert so nach und nach in kleinen Teilen Luft macht. Sie hätten sonst vor Wut schon oft eine Welt zerschlagen.

JUPITER: Das muß ja heute ganz besonders übel sein, daß du mich mit langen Vorreden auf die Folter spannst. Nun komm, heraus damit, sonst zerschlage ich die Welt vor Ungeduld. Was kann so schlimm sein, daß du es nicht zu berichten wagst?

MERKUR: Es ist nicht eigentlich so schlimm, aber Sie könnten es so finden. Ich überleg' mir nur, wie ich zugleich die Wahrheit sag' und Ihnen nach dem Munde rede.

JUPITER: Nun gut, du hast gewonnen. Ich werde mich beherschen.

MERKUR: Sie versprechen es?

JUPITER: Ja, ich verspreche es. Also erzähl! Nachdem ich dir den Auftrag gab, die Zeit ein wenig anzuhalten ...

MERKUR: ... brach ich auf und kam kurz vor Sonnenaufgang rechtzeitig hier an. Ich wollte gerade mit der Sanduhr den Moment abpassen, um in der Lücke zwischen Nacht und Tag die Zeit zu stoppen, so wie Sie es befohlen hatten, da kommt Sosias' Frau aus dem Haus gestürzt und versucht, mich zu vergewaltigen!

JUPITER *(lacht)*: Sie hatte ihren Mann lange nicht gesehen und war ein wenig ausgehungert.

MERKUR: Majestät – Sie wissen, ich bin ein Gott des Handels, des friedlichen Gewerbes, der Rhetorik, ja, auch der Lügner und der Diebe, ich will's nicht leugnen. Aber all das sind doch friedliche Betätigungen, fern von jeder Gewalttätigkeit.

JUPITER: Ja – und?

MERKUR: Mir ist jetzt klargeworden, das ist der Grund, warum die Liebe zu den Frauen mich nicht reizt; sie sind zu kriegerisch und zu barbarisch. Man muß sie wie Festungen belagern und bestürmen, dann eine Bresche in die Abwehr schlagen und schließlich sie erobern und sich unterwerfen, und das alles nach einem vorgeschriebenen Schlachtplan, der dann doch nicht funktioniert. Doch wenn man nachläßt, unternimmt die Geliebte einen Ausfall und fügt einem schlimme Wunden zu. Ständig belauert man sich und sucht nach Schwächen, und in unbewachten Augenblicken fällt man übereinander her. Es ist kein Wunder, daß, wenn die Liebe aus ist, sie ohne Übergang zum Krieg wird. Sie ist ja doch nur Training für den Kampf und steht unter dem gleichen Gesetz wie er.

JUPITER: Nun gut – du hast Thessala mit solchen Überlegungen zu Tode gelangweilt, und was geschah dann?

MERKUR: Da kam einer, den ich nicht erwartet hatte.

JUPITER: Und wer?

MERKUR: Ich selbst!

JUPITER: Du meinst Sosias?!

MERKUR: Nein, nicht nur Sosias, sondern auch Merkur, genauso wie ich gemischt, und halb und halb aus beiden angerührt.

JUPITER: Was sind das für Geschichten!

MERKUR: Es ist die Wahrheit. Dies Alter Ego, Majestät, war früher angelangt als ich, und ich war hier in diesem Fall, noch ehe ich angekommen war, und deshalb kam ich dann zu spät.

JUPITER: Wer deutet mir dies wahnsinnige Geschwätz?! Merkur – die Verwandlung in einen Sterblichen ist dir aufs Hirn geschlagen. Oder machst du einen Scherz?

MERKUR: Es ist mein voller Ernst, Majestät: Wir sind beide zu spät gekommen. Auch Sie haben sich verdoppelt und werden, wenn Sie ins Haus gehen, sich selbst begegnen.

JUPITER: Ich mir selbst begegnen? Ich bin einzig! *(Alkmene tritt aus dem Haus, in ein Nachtgewand gekleidet. Jupiter zieht Merkur beiseite)* Da kommt Alkmene, verschwinde!

MERKUR: Aber Majestät, da drinnen …

JUPITER *(ungeduldig)*: Verschwinde, sag ich, ich kann dich jetzt nicht brauchen!

MERKUR: Sie machen einen Fehler …

JUPITER *(drohend)*: Du machst einen Fehler, wenn du jetzt nicht verschwindest! *(Zieht ihn seitlich hinter eine Säule)*

ALKMENE *(an den Himmel gewendet)*: O mein gewaltiger Geliebter! Nun hat der Alltag aller ehelichen Nächte sich in die Feier dieser einen Nacht verwandelt, in der die Finsternis uns miteinander in ihren dunklen Mantel nahm und wir uns doch erkannten! Jetzt weiß ich, wer du bist! Durch's Fenster sah ich's wetterleuchten, und mir wurde klar, du bist auch hier draußen, ja, überall, auch jetzt an diesem goldenen Morgen! Von jetzt an werd' ich dich überall empfinden, denn du bist da, wo man dich erkennt!

JUPITER *(tritt hinter der Säule hervor, halb flötend)*: Alkmene, ich bin hier!

ALKMENE: Amphitryon, hast du mich erschreckt! Wie kommt es, daß du schon so früh zurück bist?!

JUPITER: So früh, Alkmene? Mir ist es viel zu spät! Und doch hast du recht, es ist früh für uns, und du bist im goldenen Glanz des Morgens leicht errötet. Hast du meine Gegenwart gespürt?

ALKMENE: Bist du schon lange hier draußen?

JUPITER: Lange genug für meine Ungeduld. Komm mit hinein, laß uns die Zeit zurückrollen, ich will mit dir mich wieder in die Nacht stürzen, aus der du gerade aufgetaucht bist und mir bettschwer und warm entgegenkamst. Sag, du hast im Schlaf gefühlt, wie ich kam!

ALKMENE: Wie d u kamst? Ich hätte gespürt, wie d u kamst?

JUPITER: Heute nacht und länger schon. Du brauchst dich doch nicht zu genieren, ich kenne dich und deine Wünsche. Überlaß dich ihnen ganz und mir, denn heute sind deine Wünsche und ich dasselbe.

ALKMENE: Du kommst hier unerwartet an und meinst, du könntest mich so überrumpeln? Ja, kümmert dich denn gar nicht, wie ich gestimmt bin? Nimmst du mich denn gar nicht wahr?

Jupiter: Ich nehme wahr, was sein wird. Folge du mir und deinen Wünschen, dann folgt die Stimmung dir.

ALKMENE: Du hältst dich wohl für unwiderstehlich, wie?

JUPITER: Du meinst, wir sollten ernstlich diskutieren, ob ich's wirklich bin? Ich bin's nur halb, wenn du dem Ehemann widerstehst und dich dem Geliebten hingibst. Und heute komme ich als Geliebter!

ALKMENE: Als Geliebter? Amphitryon, ich muß dir etwas beichten.

JUPITER: Alles, was du willst! Doch beichte es mir drinnen, im Haus, in aller Heimlichkeit.

ALKMENE: Nein, warte, geh noch nicht hinein!

JUPITER: Du willst unbedingt vor der Sünde beichten!? Mein Herz, wie glücklich du mich machst! Doch ich weiß alles. Du brauchst mir nichts zu sagen. Du fühlst dich von einem rätselhaften Magnetismus überwältigt, der Ansturm einer starken Gegenwart nimmt dir den Atem, und dir wirbelt ein wenig dein hübscher Kopf, stimmt's? Doch das macht nichts, das ist bis jetzt noch jeder Frau passiert, der ein überlegener Wille gegenübertrat. Du brauchst dich nicht zu fürchten. Ich werde meine Explosivität nur vorsichtig entfesseln und dich mit meinen Energien nicht sprengen.

ALKMENE: Also, da hört doch alles auf! Bist du verrückt geworden? Was sind denn das für finstere Vergewaltigungsphantasien? Das ist ja archaisch!

JUPITER: Aha, du findest mich verändert, anders als sonst?

ALKMENE: Im Gegenteil, du wirst dir selber immer ähnlicher, indem du so wie alle Männer wirst. Jetzt kommt der übliche Machismo voll zum Durchbruch, und Amphitryon zeigt sich ohne Maske. Das war schon immer so: Du kannst dir eine andere Beziehung zwischen uns als Eroberung und Unterwerfung gar nicht vorstellen. Die Liebe ist bei dir militärisch und deine Erotik an die Vision meiner willenlosen Hingabe gefesselt, damit sich dir dein eigenes Bild vom unwiderstehlichen Eroberer in immer leuchtenderen Farben zeigt. In dieser Form ist eure angebliche Liebe nichts anderes als Narzißmus; nicht uns liebt ihr, sondern euer Bild von euch selbst. Und so fixiert seid ihr auf diese Form der Selbstbefriedigung, daß ihr einfach nicht hören wollt, wenn wir euch immer wieder sagen, daß dies Posieren uns doch nicht gefallen kann. Verstehst du denn das nicht? Daß wir in diesem Spiel auch selber vorkommen wollen und so, wie wir sind, geliebt sein wollen und nicht, wie ihr euch uns vorstellt! Der ganze Ekel der Frauen stammt doch daher, daß die Liebe an ein so lächerliches Rollenspiel gebunden wird; wonach wir uns sehnen, ist Realität, wirkliche, real existierende Wirklichkeit, die man empfinden, fühlen und erleben kann, und in der wir in unserem und in eurem Bild uns selber wiederfinden können. Das ist es, was ihr uns angetan habt, ihr habt uns in einer männlichen Gesellschaft unser eigenstes Besitztum weggenommen, das Bild von uns selbst. Enteignet habt ihr uns und statt dessen eine lächerliche Kunstfigur von einem dahinschmelzenden Weib zurückgegeben, dem ihr dann mit blödem Getöse zu imponieren meint. Das ist dasselbe, was unsere Kolonisten mit Barbaren tun, wenn sie ihnen für ihr gutes Land ein paar Glitzerdinge geben und für den Rest mit dem Krach der Militärmaschinen imponieren. Kolonisiert habt ihr uns und unterworfen, und du erwartest unsere Zustimmung? Und alles das wird euch immer wieder gesagt, und du hältst es für nötig, mit diesem lächerlichen Imponiergehabe hier aufzutreten?! Daß ich nicht lache!

JUPITER: Beim Rat der unsterblichen Götter, welch eine Philippika! Alkmene, hier liegt ein Mißverständnis vor!

ALKMENE: Das glaub' ich auch, und es liegt schon Tausende von Jahren vor, solang' die Welt besteht, und es ist Zeit, daß es mal aufgeklärt wird! Und jetzt ist der Moment. Amphitryon, deine Unsensibilität hat mich zu einer modernen Frau gemacht.

JUPITER: Das klingt irgendwie bedrohlich. Was genau soll das heißen?

ALKMENE: Ich brauche, um mich selbst zu verwirklichen, einen Liebhaber!

JUPITER: Aber das sage ich ja! Du hast ja so recht! Beim schwierigen Geschäft der Selbstverwirklichung braucht ihr Frauen Hilfe! Wo kämen wir da hin, wenn ihr euch selber selbstverwirklichen würdet? Das könnt ihr selber gar nicht. Ich stimme dir völlig zu! Hast du mir einen Schrecken eingejagt!

ALKMENE: Du verstehst mich nicht! Ich habe schon einen Liebhaber!

JUPITER: Natürlich hast du den. Und nun laß uns hineingehen!

AMPHITRYON *(ruft selbst unmittelbar aus dem Hause)*: Alkmene! *(Jupiter steht starr)*

ALKMENE: Da hörst du ihn! Nun siehst du, daß du nicht zurück ins Haus kannst! Sei dezent und verschwinde! Komm am Mittag wieder, nein, besser noch – am Abend!

AMPHITRYON: Alkmene, wo bist du denn? Komm zurück!

ALKMENE *(ruft)*: Ich komme! Bleib, wo du bist! Ich bin gleich da! *(Verschwindet nach hinten ins Haus)*

JUPITER *(steht eine Sekunde starr vor Schreck, will dann Alkmene nacheilen, wird aber daran von Merkur gehindert, der aus dem Schatten der Säulen vortritt und sich Jupiter in den Weg stellt)*

MERKUR: Majestät, tun Sie nichts Übereiltes, was Ihnen nachher leid tut. Sie müssen jetzt besonnen sein!

JUPITER: War das nicht Amphitryon? Sagtest du nicht, er würde durch Friedensverhandlungen ferngehalten? Warum hast du mir nicht gesagt, daß er schon zurück ist?

MERKUR: Es ist etwas komplizierter, und als ich mitten in der Erklärung war, da haben Sie mir das Wort abgeschnitten. Da drinnen ist nicht Amphitryon, sondern Jupiter!

JUPITER: Hast du das gehört, was sie gesagt hat? *(Begreift jetzt erst, was Merkur gesagt hat)* Was sagst du? Da drin ist Jupiter? Was soll das heißen?

MERKUR: Ich hab' Ihnen ja gesagt, wir beide haben uns verdoppelt, und wir sind die, die zu spät gekommen sind. Für wen, glauben Sie, hat Alkmene Sie denn gehalten?

JUPITER: Beim Hades, du hast recht! Wie Jupiter hat sie mich eigentlich nicht angeredet! Ich glaub', sie hielt mich für Amphitryon! *(Lacht)* Der arme Kerl hat nichts zu lachen. Ja – und wer ist denn das da drinnen?

MERKUR: Ich sage ja – das ist Jupiter! Ja, ja, ich weiß, Sie sind einzig, aber nicht in der Gestalt, die Sie da angenommen haben. Ihre Idee, sich in Amphitryon zu verwandeln, kommt zu spät! Sosias hat sie vor Ihnen schon gehabt und hat die Möglichkeit, daß Sie Amphitryons Gestalt annehmen könnten, zu einer Intrige ausgenutzt: Danach ist Amphitryon zur Aushandlung eines ewigen Friedens abgereist und gleich darauf zurückgekehrt. Inzwischen hat Sosias Alkmene eingeredet, der Amphitryon, der da zurückkam, seien Sie, sei Jupiter in der Gestalt ihres Ehemanns. Und als Jupiter ist Amphitryon jetzt bei ihr, und Sie kommen zu spät! *(Kann ein Lachen nicht ganz unterdrücken)* Entschuldigen Sie, aber Sie müssen einsehen, das Ganze hat etwas Komisches!

JUPITER: Wir haben uns blamiert, und du findest das komisch? Das ist doch nicht zu glauben: Da schläft Alkmene mit Jupiter, und das bin doch nicht ich! Statt dessen muß ich mir ihr Geschimpfe anhören, da könnte ich ja gleich mit ihr verheiratet sein! Wie frustrierend!

MERKUR *(scheinheilig)*: Ich fühle mit Ihnen den Verlust!

JUPITER: Ach was! Hier geht's ums Prinzip! Wie können sich die Sterblichen anmaßen, als Götter aufzutreten? Ich sage dir ja, eines Tages

mußte das geschehen. Ich muß das richtigstellen! Auf der Stelle werd'
ich zu ihr gehen und ihr zeigen, wer Jupiter ist!

MERKUR *(hält ihn wieder zurück):* In der Gestalt Amphitryons, in die sich
Jupiter verwandelt hätte? Da wird sie es wohl nicht mehr glauben, die
Idee hat sich verbraucht. Solch ein Gedanke bezieht seine Überzeugungskraft von seiner Originalität und Kühnheit. Das ist wie bei einem Kunstwerk: es kann dreimal wahrer sein als sein Modell; kommt
es als Kopie daher, kommt es zu spät! Deshalb sagt schon der Dichter:
»Weh' dir, daß du ein Enkel bist!«

JUPITER: Auch ich bin ein Enkel. Von Chronos. Welcher Dichter sagt das?

MERKUR: Er hat's noch nicht gesagt, er wird's noch sagen! Er muß warten, bis er ein Enkel ist und das Gefühl hat, zu spät zu kommen, so wie
wir.

JUPITER *(überlegt):* Aber es stimmt, schließlich ist es dieselbe Idee, und wir
kommen zu spät, weil sie schon realisiert ist. In Alkmenes Glauben an
Jupiter ist sie wahr geworden.

MERKUR: Da haben Sie recht, Sie müssen es als Kompliment sehen. Sosias hat es auf den Punkt gebracht: angesichts der Maßlosigkeit der
Wünsche seiner Frau bleibt Amphitryon nichts anderes übrig, als Jupiter zu spielen. Eigentlich ist es ja gleichgültig, ob Amphitryon bei ihr
ist oder Sie es sind – Alkmene liebt immer nur Jupiter!

JUPITER *(verdrießlich):* Abgesehen von dem Umstand, daß Amphitryon im
Liebesluxus schwelgt und ich in die Röhre gucke!

MERKUR: Gut – aber was ist das gegen das Prinzip?! An erster Stelle geht
es Ihnen bei diesen Liebesabenteuern doch darum, daß sich das Göttliche zur Geltung bringt. Das haben Sie selbst im Rat der Götter stets
betont. Wie das geschieht, kann uns doch gleich sein! Und wenn es gar
ohne unser Zutun schon passiert, was können wir uns mehr wünschen?

JUPITER: Merkur, würdest du so eine Witterung für die Gefahr haben, die
uns Göttern droht, wärst du Jupiter, nicht ich. Der halbe Aufwand
beim Regieren besteht in dem Bemühen, die Regierung zu behalten.
Versteh doch, wenn die Menschen Götter spielen können, ohne uns
zu brauchen, wird das für uns bedrohlich.

MERKUR: Aber, um uns Götter nachzuspielen, brauchen sie uns doch! Sie wüßten ohne uns doch nicht, was Göttlichsein bedeutet. Wir sind das Rollenrepertoire der Sterblichen für ihre besseren Möglichkeiten. Außerdem …

JUPITER: Nun?

MERKUR: Sie selbst haben immer darauf hingewiesen: solange es die Liebe gibt, gibt es weibliche Wünsche, und solange gibt es die Götter als Differenz zwischen dem, was die Frauen haben, und was ihnen noch zu wünschen übrigbleibt, und das bleibt immer unerfüllbar. Ihr oberflächlicher Kontakt zur Wirklichkeit hat sie vergessen lassen, daß eine Möglichkeit realisieren die andere zu vernichten heißt. Sie haben's ja gehört: Alkmene fordert, daß man die Frauen sieht, so wie sie sind, und trotzdem liebt. Wenn das kein Widerspruch ist, will ich nicht Merkur sein! Nein, Majestät! Die ewige Unerfüllbarkeit der Wünsche gibt uns eine Garantie für die Regierung.

JUPITER: Hoffentlich hast du recht! Doch um das Wünschen unter Feuer zu halten, muß man auch ab und zu den einen oder anderen Wunsch erfüllen.

MERKUR: Für Alkmene erfüllt er sich ja gerade.

JUPITER *(brüllt)*: Ja, aber wenn sie doch keinen Unterschied mehr sieht zwischen dem, was göttlich ist und menschlich, was sind das dann für Wünsche?

MERKUR: Nun, das ist eben die Gefahr der Wunscherfüllung. Die Sterblichen konnten sich in diesem Fall doch nur in uns verwandeln, weil es plausibel schien, daß wir uns in sie verwandeln konnten.

JUPITER: Nun gut, wer weiß noch von der Affaire? Verstehst du, für mich ist dies alles eine ziemliche Blamage, und wenn die Autorität eins um jeden Preis vermeiden muß, dann ist es, lächerlich zu werden. Für uns Götter wäre Lächerlichkeit der sichere Ruin. Also – wer weiß noch davon?

MERKUR: Von den Göttern niemand, außer Nephrodyne natürlich, Sie wissen, die, die mir assistiert hat.

JUPITER: Und von den Sterblichen?

MERKUR: Sie meinen außer den Beteiligten selbst?

JUPITER: Ja – wer ist denn noch beteiligt?

MERKUR: Ich glaube, Leda. Ich habe da so eine Ahnung.

JUPITER: Leda – was hat die damit zu tun?

MERKUR: Nun, sie hat gestern hier Besuch gemacht. Sie kurt nicht weit
von hier in Leuktra. Ich wette ein Zehntel meiner Göttlichkeit darauf,
daß sie mit Sosias umter einer Decke steckt, und daß es Leda war, die
Alkmene überzeugt hat, Jupiter würde ihr in der Gestalt Amphitryons
erscheinen.

JUPITER: Das sieht ihr ähnlich! Da kann sie mit ihren göttlichen Erfahrungen sich in Szene setzen. In Leutra, sagst du, kurt sie? Gut, das paßt.

MERKUR: Was haben Sie vor?

JUPITER: Das Beste daraus zu machen. Also paß auf: Als erstes holst du mir
Alkmene wieder her; entwinde sie Amphitryons Armen unter irgendeinem Vorwand, ich hätte auf der Terrasse Selbstmord verübt aus eheli-
chem Kummer, laß dir was einfallen! Auf jeden Fall bring sie her! Und
während ich sie hier beschäftige, klär du Amphitryon auf. Bereite ihn
vorsichtig vor, daß ich ihn sprechen muß. Und wenn er soweit ist,
schicke ihn auch hier heraus!

MERKUR: Das wird ein Schock für ihn!

JUPITER: Den sollst du ja vermeiden helfen. Versuch, ihm die Angst vor
meinem Zorn zu nehmen, er muß verhandlungsfähig sein! Inzwischen
hast du Zeit, Leda und Nephrosyne hierher nach Theben zu holen. Ich
will die ganze Gesellschaft so um – warte, wie spät haben wir jetzt?
Schließlich ist es dir mißlungen, die Zeit anzuhalten – also so zum späten Morgen möcht' ich sie alle zu einem späten Frühstück hier versammelt sehen; und sieh zu, daß das Frühstück gut und herzhaft ist. Ich
habe einen Hunger, als ob ich wirklich – na, du weißt schon! Anschei-
nend genügt auch hier die Einbildung.

MERKUR: Majestät, es ist immer wieder beruhigend zu sehen, wie Sie in
kritischen Situationen ihre Regierungsfähigkeit beweisen. Schade, daß
ich die Geschichte den Anekdoten über Sie nicht hinzufügen darf.
Doch ich eile und hol' Alkmene, ich werde ihr sagen …

ALKMENE *(tritt aus dem Hause)*

MERKUR: Doch das ist nicht nötig, sie kommt schon selbst. *(Merkur grüßt*

Alkmene überhöflich, als er ins Haus geht) Guten Morgen, schönste Fürstin!

ALKMENE: Guten Morgen. *(Irritiert zu Jupiter)* Ich weiß nicht, irgend etwas stimmt hier nicht, Sosias wirkt so verändert! Also – er schickt mich selbst, ich soll noch mal mit dir reden. Ich tu's nur ihm zuliebe. Er kann nicht glauben, daß du wirklich wieder da bist oder daß du Amphitryon bist – er glaubt, ich hätte geträumt oder dich im ersten Dämmerlicht des Morgens noch verwechselt. Du müßtest eine Täuschung sein, so eine Fata Morgana. Er hält uns Frauen wohl auch für leicht beeindruckbar. In vielem ist er dir sehr ähnlich, merk' ich langsam. Am Ende glaubt er gar noch, seine Gegenwart hätte mich verwirrt1

JUPITER: Doch das hat sie nicht?

ALKMENE: Verwirrt – nein! Natürlich bin ich überwältigt. Das Recht auf einen Liebhaber habe ich nur dann, wenn er dem Ehemann in allem überlegen ist. Und du hast keinen Grund, mir Vorwürfe zu machen. Wenn eine Frau einen Liebhaber hat, hat ihr Ehemann versagt – nicht sie! Man sollte hier die Gesetze ändern.

JUPITER: Und dein Liebhaber ist deinem Ehemann in allem überlegen?

ALKMENE: Einen besseren Liebhaber gibt es auf der ganzen Welt nicht!

JUPITER: Das freut mich zu hören, ich meine, es freut mich für dich. Doch ich brenne darauf zu erfahren, wer es ist. So etwas interessiert einen Ehemann nun mal. Kenne ich ihn?!

ALKMENE: Nicht persönlich, aber er ist dir wohlbekannt. Einer, dem dein Respekt gebührt.

JUPITER: Der dich zufrieden stellt, dem zolle ich freiwillig Respekt. Also – wer ist es?

ALKMENE: Du wirst staunen!

JUPITER: Ich tue es jetzt schon! Wer ist es, sag!

ALKMENE: Jupiter!

JUPITER: Du meinst den Gott, den Göttervater, den Olympier? Das glaub' ich nicht! Was sollte der für einen Grund haben, ausgerechnet dir zu erscheinen? Der bescheidenen Ehefrau eines Provinzfürsten! Ich gebe zu, du bist schön, aber…

ALKMENE *(erbittert)*: Siehst du, daß du keinen Grund erkennen kannst, der dafür spricht, daß ich die Aufmerksamkeit eines Gottes auf mich ziehen könnte, das zwingt mich, dich zu betrügen! Und möge es allen Ehemännern dieser Welt so gehen wie dir!

JUPITER: Hat er dir selbst gesagt, er sei ein Gott? Wie ist er dir denn erschienen?

ALKMENE: Ja, daran erkennst du seine ganze Göttlichkeit, seine Rücksichtnahme und sein Zartgefühl. Er hat eine Form gefunden, zugleich meine Sensibilität und deinen Ruf zu schonen. Das zeigt ein Feingefühl und Verständnis für andere, dessen du niemals fähig wärst. Deshalb wirst du auch nie erraten, in welcher Form er mir erschienen ist!

JUPITER: Da gibt es nur eine Möglichkeit.

ALKMENE: Doch die errätst du nie!

JUPITER: Und er ist noch bei dir, der Olympier?

ALKMENE: Er ruht gelöst sich von den Weltgeschäften aus. Nun – errätst du, wie er mir erschienen ist?

JUPITER: Natürlich, als Amphitryon, das liegt doch auf der Hand! Ich hätte es ebenso gemacht, wäre ich Jupiter.

ALKMENE *(verblüfft)*: Es stimmt. Das hätt' ich dir niemals zugetraut!

JUPITER: Vielleicht hast du mich unterschätzt bisher. Immerhin hat Jupiter sich in mich verwandelt. Ich kann mir das als Ehre anrechnen.

ALKMENE: Und du bist nicht wütend oder eifersüchtig?

JUPITER: Enttäuscht dich das? Auf einen Gott sollte ich eifersüchtig sein? Wie könnte ich mit dem konkurrieren wollen? Nein, ein Gott ist kein Rivale, vor allem, wenn er es nötig hat, sich in mich zu verwandeln. Zwar hat er's für dich getan, um dir zu erscheinen, doch dazu mußte er werden wie ich. Er mußte sich auf die Form verkleinern, die du begreifen kannst. Dein Horizont reicht nicht weiter als Amphitryon, das hat es ein für allemal bewiesen: Alkmene, ich bin der ideale Ehemann für dich. Selbst wenn du einen Gott siehst, bemerkst du nur Amphitryon. Mein Herz, du bist einer Täuschung aufgesessen. Dein Liebhaber ist niemand anders als Amphitryon. Wie sollte ich da eifersüchtig sein?!

ALKMENE: So deutest du also sein Zartgefühl! So willst du seine göttliche Rücksichtnahme in meinen Augen mies verkleinern! Das ist wieder typisch für dich und deine männliche Aufgeblasenheit. Ihr könnt euch einfach nicht vorstellen, daß wir Frauen Einfühlung in andere göttlich finden, und nicht die typisch männliche Angeberei und Rücksichtslosigkeit.

JUPITER: Gut – jetzt wird's ernst! Alkmene, ich will hinnehmen, daß ich betrogen wurde, wenn es wirklich ein Gott ist. Wenn's Jupiter wirklich ist, der da in deinem Bett liegt, dann will ich ihn da liegenlassen und weggehen und weiter kein Theater machen und mir sagen: Gut, gegen die Götter kämpft ein Mann bei seiner Frau vergebens. Von Jupiter gehörnt zu werden, ist keine Schande. Aber ich muß glauben können, daß er's wirklich war! Beweise mir, daß du das Göttliche an ihm gespürt hast, denn schließlich erschien er dir als Amphitryon. Was war so anders, als ich es bin?

ALKMENE: Ich spürte den Unterschied in jeder Faser. Ich wußte es einfach! Wie soll ich das im Detail beweisen? Wie stellst du dir das vor?

JUPITER: Erzähl mir einfach, wie er kam und was dann weiterhin geschah!

ALKMENE: Das willst du wirklich wissen? Du bist pervers!

JUPITER: Du betrügst mich, und ich bin pervers?! War ich nicht auch dabei? Hast du mit ihm nicht auch mich umarmt? Schließlich war dieser Leib *(weist auf sich)* auch mit beteiligt, und es ging schließlich doch recht physisch zu, oder nicht?! Drum muß ich wissen, wie es war! Und ob du wirklich den Gott von mir hast unterscheiden können. Nun zier dich nicht, Alkmene, ich will den Bericht von seiner Ankunft hören. Nun gib ihn mir, und dann bist du mich los. Das soll dann alles sein, was ich von der Affaire für mich abzweige.

ALKMENE: Du bist so viel machtvoller als sonst, Amphitryon! Ich kenn' dich gar nicht wieder! Nun gut – und du nimmst es mir nicht übel, wenn ich ein wenig lyrisch werde?

JUPITER: Im Gegenteil, im Hören verwandle ich mich in Jupiter, und ich empfinde mit ihm.

ALKMENE: Ach – wenn du das nur könntest! Also: Der Abend dämmerte, ich saß in unserem Zimmer am Toilettentisch und träumte und kämmte mich und dachte nach über dich und mich und auch über Jupiter ...

JUPITER: Über Jupiter? Wieso über ihn?

ALKMENE: Nun, ich gebe zu, je mehr ich mich von dir entfremdet habe, desto mehr hab' ich nach Jupiter mich gesehnt.

JUPITER: Ah – das ist gut! Ja, Merkur hat recht, das wird die Götter ewig leben lassen!

ALKMENE: Wie? Was sagst du? Ja, ich hab' ihm heute auch geopfert, und als ich zurückkam, war Leda da und erzählte mir von ihm.

JUPITER: Von Jupiter?

ALKMENE: Von wem sonst?! Sie ist noch immer voll von ihm! *(Lacht)* Nun ja, das ist etwas schief ausgedrückt! Und als sie dann gegangen war und ich in unserem Zimmer saß, hörte ich draußen plötzlich ein Geräusch. Doch ich vergaß es und auch die Freude, die mir die Götter aufgespart, und gerade wollte ich ins Bett gehen, als es zuckend mir durch alle Glieder fuhr.

JUPITER: Und dann?

ALKMENE: Er war's, und Merkur in der Gestalt des Sosias, sie waren beide täuschend echt!

JUPITER: Aber dich konnten sie nicht täuschen?! Warum dann die Verkleidung, frage ich mich?!

ALKMENE: Ich sagte ja, aus Zartgefühl und Rücksichtnahme auf dich und mich. Und um seine göttliche Präsenz auf ein erträgliches Maß zurückzunehmen, spielte er betrunken. Er war so süß, genau wie du, wenn du einen in der Krone hast.

JUPITER: Ach, ich wußte gar nicht, daß du das süß findest, sonst hätte ich das auch gemacht!

ALKMENE: Bei dir ist es auch scheußlich, da ist es ja echt. Aber wie er dich nachgemacht hat, einfach göttlich!

JUPITER: Und dann? Laß nichts aus!

ALKMENE: Dann gingen wir zu uns in unsere Gemächer. Ich versuchte, dich zu entkleiden, ich meine – ihn, und dann ging er nochmal hinaus, um Sosias, du weißt, das war Merkur, also um Merkur noch ein paar Anweisungen zu geben, aber ich glaub', das war nur vorgeschoben.

JUPITER: Ah – ja? Und was war der wirkliche Grund?

ALKMENE: Rücksichtnahme und Delikatesse! Er gab mir Zeit, mich für
die Nacht zurechtzumachen!

JUPITER: Natürlich. – Und dann?

ALKMENE: Darauf ward viel geplaudert. Viel gescherzt, ständig verfolgten
sich und kreuzten sich die Fragen. Wir setzten uns – du mußt dran
denken, er spielte dich, und doch warst du ganz anders. Von der Regierungskunst sprach er und von der Liebe und daß sie die Form sei,
in der die Sterblichen sich den Göttern nähern, und jede Frage, die ich
danach stellte, kostete mich einen Kuß. An einem aber war Jupiter
ganz eindeutig zu erkennen!

JUPITER: Ah – jetzt bin ich aber gespannt!

ALKMENE: Er war so göttlich uneigennützig! Weißt du, wovon er besonders herzlich sprach?

JUPITER: Von dir und deiner Schönheit.

ALKMENE: Das auch. Aber das meine ich nicht. Nein – von dir!

JUPITER: Von mir?

ALKMENE: Ja – mit einer Großzügigkeit, die nur ein Gott kennt, pries er
dich in den höchsten Tönen und konnte allen deinen Schäbigkeiten
eine gute Seite abgewinnen. Am Ende war ich selbst fast wieder in
dich verliebt, es war wie ein Wunder! So etwas kann nur ein Gott vollbringen!

JUPITER: Alkmene, das entscheidet es! Du hast mich überzeugt! Das war
wirklich göttlich, wie bei der Geburt Athenes. Dem Haupte Jupiters
entsprang Amphitryon und umgekehrt, eine männliche Parthenoge-
nesis, oder sollte ich sagen Autopoiesis? Den Rest brauchst du mir
nicht zu erzählen, den kenne ich schon. Der ist dann gleichfalls göttlich, und als Spätfolge davon sinkst du nun in eine tiefe Ohnmacht,
wie es bei Frauen üblich ist. *(Er hypnotisiert sie, und sie sinkt auf einen
Stuhl nieder und ist ohnmächtig. In dem Moment tritt Amphitryon auf und
wird erst einmal durch Alkmenes Ohnmacht von Jupiter abgelenkt, indem er
auf sie zueilt und sich um sie bemüht)*

AMPHITRYON: Mein Herz, was ist dir? Fühlst du dich nicht wohl? *(Empört zu Jupiter)* Sie brauchen Ihren Zorn nicht an ihr auszulassen, sie ist
völlig unschuldig1 Wenn Sie Ihr Mütchen kühlen wollen, dann an

mir! Ich habe Sie beleidigt, aber nicht Alkmene! Ich bitte Sie – strafen Sie mich, aber lassen Sie sie nicht sterben! Ich flehe Sie an, wenn Sie wollen, auf den Knien! *(Er kniet)*

JUPITER: Erhebe dich, Amphitryon. Sie ist bloß ohnmächtig, denn sie ist schwanger als Folge eures eifrigen Bemühens heute nacht. *(Amphitryon steht auf und ist hocherfreut. Jupiter fährt fort)* Und wenn es Götterkinder werden, stellen sich die Folgen schneller ein. Laß sie noch eine Weile in dieser Ohnmacht bleiben, sie tut uns allen gut, ihr auch, und wir können uns ungestört unterhalten. *(Er faßt Amphitryon freundschaftlich um die Schulter und zieht ihn plaudernd weg)* Du hast mich etwas unbedacht blamiert, Amphitryon! Und dir kann nur verziehen werden, wenn wir gemeinsam aus dieser Situation einen Ausweg finden, der meinem Ruf gerecht wird, verstehst du?! Wir müssen uns aber irgendwie arrangieren ... *(Beide ab)*

ALKMENE *(wacht nach ein paar Sekunden wieder auf und schaut sich um)*: Wo ist Amphitryon, und wo ist Jupiter? Und wer ist wer? *(Steht auf, faßt sich auf den Bauch)* Ach, was tut's, ich glaube, ich bin schwanger! *(Setzt sich wieder)* Ich nenne ihn Herkules, es wird bestimmt ein Prachtkerl.

VII. Die Liebe

Verrätselte Kommunikation

Die Unmittelbarkeit, mit der jeder Mensch die Liebe als einen höchstper-
sönlichen Gefühlssturm erlebt, macht es schwer, zu begreifen, daß auch
sie eine kulturelle Erfindung ist. Liebe ist die Form, in der wir über ero-
tisch gefärbte Gefühle kommunizieren. Wir erleben sie primär als Gefühl,
aber wir tun das aufgrund einer bestimmten Art der Kommunikation.

Schon aus der Literatur wissen wir: Diese Kommunikation ist äußerst
dramatisch. Sie ist unwahrscheinlich, voraussetzungsreich, nervenzerfet-
zend, aufwühlend und äußerst spannend. Wie kommt das? Die Antwort
lautet: In der Liebe wird die Kommunikation paradox. Sie wird widersprüchlich. Das geschieht mit Hilfe einer optischen Täuschung.

In der Normalverständigung wird jeder Mensch für seine Handlungen
und seine Mitteilungen verantwortlich gemacht. Das empfindet man als
so selbstverständlich, daß man leicht vergißt, daß es sich keineswegs immer von selbst versteht. Vor Gericht gibt es den Begriff der Unzurechnungsfähigkeit. Er wird angewendet, wenn jemand unter dem Einfluß
von Alkohol oder einer unverhältnismäßigen Provokation gehandelt hat.
Dann geht der Richter von einem psychischen Ausnahmezustand aus.

Und alle älteren Kulturen kennen noch andere Gründe für Unzurechnungsfähigkeit. Wer durchdrehte, galt als besessen. Er wurde von einem
Dämon gelenkt, der sich bei ihm als Untermieter eingenistet hatte. Er
wurde verhext, oder sie wurde vom Teufel geritten. Heute haben wir diese Gründe, jemanden für unverantwortlich zu erklären, weitgehend durch
das Konzept der Krankheit ersetzt. Wer psychisch krank ist, ist nicht mehr
für sich selbst verantwortlich. Er tut dann etwas, was er gar nicht will. Er
handelt unter Zwang. Genaugenommen, handelt er nicht, sondern er leidet.

Ebenso verhält es sich mit der Liebe. Sie wird nicht als Handeln verstanden, sondern als etwas, das dem Liebenden widerfährt und das ihn
oder sie mit unwiderstehlicher Gewalt ergreift und hilflos macht. Für die-

sen Zustand hat man denselben Begriff gefunden wie für das Leiden
überhaupt: Passion.

Dieses Konzept ist äußerst hilfreich. Es erlaubt den Beteiligten, hekti-
sche Aktivität als Folge einer Krankheit zu stilisieren. Gerade weil die Liebenden dafür nicht verantwortlich gemacht werden durften, konnten sie
sich wahre Exzesse der Raserei erlauben. Jeder wußte ja, daß sie nicht
Herr ihres Verstandes waren. Es wurde ihnen zugestanden, daß sie für eine
Weile wahnsinnig sein durften.

Eine solche Revolte gegen die Herrschaft der Vernunft wurde als äußerst befreiend empfunden. Es handelte sich gewissermaßen um einen
offiziell sanktionierten Bruch der Konventionen. Was normalerweise
getrennt war, mußte irgendwie zusammenkommen: Individuen ent-
gegengesetzten Geschlechts. Was sonst ausgeschlossen wurde, sollte gerade
angebahnt werden: die Vereinigung von Mann und Frau. Die sonst unterdrückten Triebe, die brodelnden Gefühle, das Kochen des Hirns – hier
wurden sie geradezu erwünscht. Da die Liebenden durch die zugestande-
ne Unzurechnungsfähigkeit entlastet wurden, erlebten sie diesen Gefühlssturm als herrlichen Ausnahmezustand, als Fest der Gefühle und als anar-
chische Feier des Lebens.

Das Leiden war also alles andere als unerwünscht. Das machte es wirklich paradox. Die Formeln, die die europäische Liebesliteratur dafür gefunden hat, drücken das aus: süßes Martyrium, willkommene Krankheit,
freiwillige Gefangenschaft, herrlicher Wahnsinn, süße Knechtschaft. Der
Liebhaber eroberte eine Frau, aber sie wurde seine Gebieterin. Sie gab
sich ihm hin, aber besiegte sein Herz. Was in der normalen Welt galt, wurde nun umgedreht. Die Sanftheit besiegte die Kraft und die Friedlichkeit
den Krieg. In der bildenden Kunst wurde das dadurch versinnbildlicht,
daß Venus Mars, den Kriegsgott, in Ketten legte.

Ich bete dich an mit meinem Körper

Die Liebe war auch die Zeit, da sich der Mann in die Sphäre begab, in der
die Frau die Herrschaft ausübte. Das macht die Liebe bis heute für Frau-

en so attraktiv. Sie ist die Zeit, in der sie an die Regierung kommen. Dann wird ihnen gehuldigt. Die Männer liegen ihnen zu Füßen und schmeicheln ihnen. Ja, sie benutzen sogar die Sprache der religiösen Devotion. Die sonst übliche Unterdrückung der Erotik wird ins Gegenteil verkehrt. Der Leib der Frauen wird als schön stilisiert und als Heiligtum angebetet.

Lassen wir uns das von dem archetypischen Liebespaar der Welt vor Augen führen: Romeo und Julia. Romeo trifft Julia zum ersten Mal auf einem Fest, das Julias Vater für seine Freunde gibt. An sich liebt Romeo die spröde Rosalind. Aber als er Julia sieht und sie ihn, vergessen sie alles und sind voneinander verzaubert. Romeo faßt Julia an und stilisiert sich dann als Pilger, der ein Heiligenstandbild berührt. Dabei spricht er die erste Strophe eines Sonetts (in meiner Übersetzung):

Entweiht meine Hand, die unwürdige, dich,
O Heiligenbild, so will ich's lieblich büßen.
Meine Lippen, errötende Pilger, bereiten sich,
Die rauhe Berührung sanft hinwegzuküssen.

Nun übernimmt Julia die zweite Strophe. Dabei macht sie die sittsam zusammengelegten Hände des Betenden zum Modell ihrer Begegnung. Sie weist Romeo auf diese Weise in die Schranken der Wohlanständigkeit und ermutigt ihn zugleich zu einem weitergehenden Vorschlag:

So darfst du, Pilger, deine Hand nicht verklagen,
Die wohlgesittet ihre Verehrung zeigen muß.
Des Heiligen Hand darf des Pilgers Berührung ertragen,
Denn Hand an Hand ist heiligen Pilgers Kuß. (palm to palm is holy palmer's kiss).

Zwar will Romeo mehr, bleibt aber im Bild der Heiligenverehrung:

Haben nicht Heilige Lippen, und Pilger auch?

Julia: Ja, die sie im Gebet bewegen.

Romeo: Oh, geliebte Heilige! Dann laß Lippen tun, was Hände tun.

Sie beten. Erhöre mich, damit nicht Hoffnung zu Verzweiflung werde.

Julia: Heilige bewegen nicht andre im Gebet, sondern sie gewähren selbst.

Das ist Romeos Stichwort:

Dann beweg dich nicht, während ich die Wirkung des Gebets abhole.

Und er küßt sie. Dann sagt er:

So tilgen deine Lippen von meinen die Sünde.

Das gibt ihr eine Vorlage für eine Vorlage für ihn.

Julia: Dann haben meine Lippen jetzt die Sünde, die sie dir genommen.

Romeo läßt sich das nicht dreimal sagen:

Sünde von meinen Lippen? O Frevel, süß vorgebracht.

Gib mir die Sünde zurück!

Und er küßt sie noch einmal. Damit macht er seinem Namen Ehre, denn Romeo bedeutet nichts anderes als Romwallfahrer, also Pilger.

Sie sieht nur, daß er sie sieht

Noch etwas anderes veranschaulicht dieser Dialog, nämlich die pure Wechselseitigkeit der Kommunikation. Diese Feststellung ist der Schlüssel zum Verständnis der Liebe. Wir sehen hier: Das Modell der Begegnung ist die Berührung der Handflächen im Gebet und der Kuß, also Lippe an Lippe, und, wenn wir es auf der Bühne sehen, der wechselseitige Blick in die Augen. Sie alle haben eines gemeinsam. Berührt eine Hand eine andere Hand, kann man nicht mehr entscheiden: welche Hand berührt und welche berührt wird. Aktiv und passiv werden ununterscheidbar. Das gilt auch für den Kuß und den Blick in die Augen. Sie sieht ihn und sieht dabei, daß er sie sieht und dabei sieht, daß sie das sieht. Zwischen aktivem Sehen und passivem Beeindruckt-Werden gibt es keinen Unterschied.

Aber erst wenn wir zur Kommunikation kommen, sehen wir, was diese Paradoxierung von Agieren und Reagieren für einen Sinn hat: sie hält die Kommunikation in der Schwebe. Sie macht sie zweideutig. Er weiß nie, ob die Geliebte ihn aktiv ermutigt oder nur reagiert. Da ja Aktivität als Leiden stilisiert wird, ist niemals klar, was auf seine und was auf ihre Initiative zurückgeht. Das zwingt ihn dazu, sie genau zu beobachten. Er wird jetzt äußerst aufmerksam. Damit er das auch bleibt, macht sie sich zu einem Rätsel. Alles wird doppeldeutig. Jede Mitteilung könnte eine Ablehnung, aber auch eine Ermutigung sein. Er wird zu einem Experten der Deutungskunst. Nehmen wir noch ein Shakespeare-Beispiel aus »Viel Lärm um nichts«. Benedick, ein überzeugter Weiberfeind, hat sich wider

Willen in die kratzbürstige Beatrice verliebt, allein, weil seine Freunde ihm wahrheitswidrig weisgemacht haben, Beatrice liebe ihn heimlich und, um das zu verstecken, sei sie so kratzbürstig. Er steht noch unter dem Eindruck dieser neuen Erkenntnis, da erscheint sie, zickig wie immer, und lädt ihn in patziger Weise zu Tisch.

Beatrice: Wider meinen Willen hat man mich abgeschickt, Euch zu Tisch zu rufen.

Normalerweise hätte er jetzt mit einer gepfefferten Antwort aufgewartet. Aber jetzt erblickt er unter dem gepanzerten Busen das liebende Herz und antwortet sanft.

Benedick: Schöne Beatrice, ich danke Euch für Eure Mühe.

Sie ist verblüfft. Das ist sie nicht gewohnt von ihm. Aber dann greift sie wieder in den Köcher und beginnt zu schießen.

Beatrice: Ich gab mir nicht mehr Mühe, diesen Dank zu verdienen, als Ihr Euch bemüht, mir zu danken. Wäre es mühsam gewesen, so wäre ich nicht gekommen.

Doch er ist verzaubert. Seinem Blick verwandeln sich Giftpfeile in Liebespfeile.

Benedick: Die Bestellung macht Euch also Vergnügen?

Darauf erhöht sie die Dosis der Aggressivität.

Beatrice: Ja, gerade soviel, als Ihr auf eine Messerspitze nehmen könnt, um's einer Dohle beizubringen. Ihr habt wohl keinen Appetit, Signor? So gehabt Euch wohl. (Ab)

Doch ihm ist nicht mehr zu helfen. Jede Antwort, die sie nun geben könnte, hat für ihn eine doppelte Bedeutung.

Benedick: Ah! »Wider meinen Willen hat man mich abgeschickt, Euch zu Tisch zu rufen!«

Das kann zweierlei bedeuten: »Es kostet mich nicht mehr Mühe, diesen Dank zu verdienen, als Ihr Euch bemüht, mir zu danken?« Das heißt soviel als: »Jede Mühe, die ich für Euch unternehme, ist so leicht als ein Dank.« Wenn ich nicht Mitleid für sie fühle, so bin ich ein Schurke; wenn ich sie nicht liebe, so bin ich ein Jude. Ich will gleich gehen und mir ihr Bildnis verschaffen.

Die auf die Spitze getriebene Wechselseitigkeit der Liebeskommunika-

tion dient auch dem Ziel, die Liebe aus dem Ursache-Wirkungs-Zu-
sammenhang der Welt zu lösen und auf Freiheit zu gründen. Die Liebe
darf nicht verursacht werden. Man darf den anderen nicht lieben, weil er
reich, schön oder mächtig ist. Die Liebe darf keine anderen Gründe haben
außer sich selbst. Noch nicht einmal eigene Absichten oder Pläne dürfen
als Gründe für Liebe wahrgenommen werden. Man kann nicht lieben
wollen. Und – das ist wichtig – auch die Liebe des anderen darf nicht als
Grund für die eigene Liebe wahrgenommen werden.

Damit das nicht geschieht, muß Liebe gleichzeitig ausbrechen. Das ist
das, was in der Szene von »Romeo und Julia« vorgeführt wird: der Zusammenhang von blitzartiger Plötzlichkeit, Unwiderstehlichkeit und reiner Wechselseitigkeit. Wenn Liebe wie ein Blitz, ein coup de foudre, ein-
schlägt, wirkt das wie der Einbruch einer höheren Macht. Dann kann die
Liebe des einen auch nicht Grund der Liebe des anderen sein. Statt dessen
erlebt das Paar eine Instant-Eskalation als Überwältigung. Er sieht sie und
sieht dabei, daß sie ihn sieht. Von nun an ist alles pure Wechselseitigkeit.
Alles kann mit der eigenen, aber auch mit der Reaktion des Gegenübers
erklärt werden. Auf diese Weise verschafft sich Liebe selbst die Anlässe für
ihre eigene Fortsetzung. Die Liebenden kommunizieren über nichts anderes als ihre eigene Kommunikation. Da wird alles problematisch. War
ihr abweisender Brief eine endgültige Zurückweisung, oder bedeutet die
Tatsache, daß sie überhaupt schreibt, daß sie an der Fortsetzung der Beziehung interessiert ist? Und alles, was geschieht und gesagt wird, erhält seine Bedeutung nicht mehr aus der Welt, sondern daraus, was es für die
Fortsetzung der Liebe bedeutet. War der Blick eine Ermutigung? Darf er
wieder hoffen? Wann kann sie ihn wiedersehen? Ruft er wieder an? Wie
lange muß sie noch warten? Vielleicht ist er verhindert? Wann werden sie
sich wiedertreffen? Wann erklärt er sich? Ist das so zu verstehen, daß er an
ein Verhältnis auf Dauer denkt? Soll sie ihr Interesse schon jetzt signalisie-
ren? Was bedeutet seine Bemerkung für die Zukunft? Das sind die Fragen,
die nun alles Interesse absorbieren.

Die Unwahrscheinlichkeit der Liebe

Das Gebot der Wechselseitigkeit sichert die Freiheit der Liebeswahl: Niemand kann zur Liebe gezwungen werden. Nur der kommt zum Zuge, der auch wiedergeliebt wird. Nun ist es aber einfach unwahrscheinlich, daß er ausgerechnet die liebt, die ihn auch liebt. Statistisch dürfte diese Unwahrscheinlichkeit geradezu unglaublich hoch sein. Daß es dennoch geschieht, erklärt das Gefühl des Wunderbaren, das beide empfinden. Sie wissen nämlich nicht, daß die Unwahrscheinlichkeit durch verdeckte Startbedingungen heimlich wahrscheinlich gemacht wird.

Dafür sorgen Möglichkeiten, Liebe zu spielen, bevor sie ausbricht. Das geschieht im Flirt oder in der verdeckten Aggressivität gegeneinander, so wie bei Benedick und Beatrice in »Viel Lärm um nichts«. Der Scheinkonflikt ist eine perfekte Tarnung für Liebe, die sich noch nicht zu sich selbst bekennt. Man zettelt einen Krach an und hat einen perfekten Grund, sich ständig mit dem anderen zu beschäftigen. Man darf schon Emotionen zeigen, wenn sie getarnt sind. Man macht seine eigenen Reaktionen völlig von denen des anderen abhängig, und man beobachtet den anderen ständig. Im Flirt dagegen betreibt man Trockenübungen in doppeldeutiger Kommunikation. Und dabei merkt man nicht, daß Liebe entsteht, bis es zu spät ist.

Zugleich wird die Symmetrie der Wechselseitigkeit durch eine verdeckte Asymmetrie unterlaufen. Früher war es jedenfalls so, daß nur der Mann die ersten Avancen machen durfte. Ihr war dann der zweite Schritt vorbehalten. Aber eben das wurde durch die kulturelle Stilisierung der Liebe als Leiden verdeckt. Das erlaubte es, scheinbar unter Zwang zu handeln. So wurde auch der erste Schritt schon wieder zur Reaktion. Die eigentlich Schuldige war sie. Sie hatte ihn verhext. Sie hatte ihn mit ihren Augen so verzaubert, daß er nicht anders konnte, als ihr zu Füßen zu fallen. Ihre Schönheit hatte alles ausgelöst. Mit dieser Tarnung konnte er den ersten Zug tun und doch dem Gebot der Wechselseitigkeit gehorchen.

Auch ihre Reaktion war nicht beliebig. »Nein« sagen konnte sie gleich, »ja« aber nicht. Da mußte sie doppeldeutig reagieren. Sie gab sich wankelmütig, launisch, rätselhaft, unberechenbar. Damit unterwarf sie ihn einem

Testverfahren. Ihm wurde beigebracht, sich an ihrer Freiheit zu orientieren. Das war besonders wichtig in einer Gesellschaft, die der Frau die
untergeordnete Stellung zuwies. Er mußte sie achten lernen. Und je länger er ihrer Willkür und ihren unbegründbaren Launen unterworfen
wurde und trotzdem bei der Stange blieb, desto vertrauenswürdiger wurden seine Liebeserklärungen. Es handelte sich also um eine richtige Prüfung. Er wurde einer Gefühlserziehung unterworfen und konnte durch-
fallen. Viele Liebesromane und Komödien drehen sich allerdings um die
Gefahren, die dieser Test auch für die Frauen mit sich brachte. Überzieht
sie ihn, springt er ab, obwohl sie schon liebt. Gibt sie zu schnell nach und
erklärt sie den Test für beendet, hat er sich noch nicht genügend engagiert
und macht sich vielleicht wieder aus dem Staube.

Der Trick besteht also in der doppeldeutigen Kommunikation. Das ist
die Technik, die Frauen jahrhundertelang trainiert haben: die Kunst,
widersprüchlich zu reden. Sowohl zurückzuweisen als auch zu ermutigen.
Zugleich Verzweiflung und Hoffnung zu erwecken. Sowohl nachzugeben
als auch abzulehnen. Das erhält die Spannung aufrecht. Und je länger das
gelingt, desto gründlicher der Test.

Die Welt wird verzaubert

Diese Form der Kommunikation war so anders als die übliche, daß sie die
Welt des Liebespaares vom Rest der Welt trennte. Die Liebenden lebten
von da an mit einer doppelten Optik. Was in der großen Welt da draußen
wichtig war, zählte in der intimen Welt des Paares nicht. Und umgekehrt:
was hier unendliche Bedeutung besaß, das konnte außerhalb niemand verstehen. So ersetzte in der Intimität jeder dem anderen die Welt und wurde
ihm alles. Sobald man verliebt war, nahm deshalb alles einen doppelten
Sinn an, je nachdem was es für die Welt da draußen oder für die gemeinsame Liebe bedeutete. Das heißt, die Liebe veränderte die Art, wie man
die Welt sah. Sie gab ihr Bedeutsamkeit. Sie verzauberte den Blick. Alles,
was man wahrnahm, wurde nun durch den Für-ihn-Aspekt oder den Für-
sie-Aspekt gebrochen. An jedem Ding sah man mit, daß es auch von ihm

erlebt wurde. Man brauchte nur den Mond anzuschauen, um daran zu denken, daß der Geliebte in der Ferne ihn auch sehen konnte. Mit anderen Worten: Die Liebe entbanalisierte die Welt und verzauberte den Alltag. Denn nichts war in sich zu unbedeutend und klein, als daß es nicht in der Liebe bedeutsam hätte werden können. Das Blatt, das er achtlos zerknüllt und dann weggeworfen hatte. Ihre dahingeworfene Bemerkung – alles konnte da von Bedeutung sein. Die Liebesliteratur ist voll von solchen Fetischen. Von Locken, Briefchen, Fächern und Taschentüchern.

Gilt gewöhnlich der Stil der Sachlichkeit, zählt in der Intimität nur der Bezug zu einer Person. Wie Gott hat sie einen Exklusivanspruch. Sie verträgt keine Konkurrenz. Person gibt es in ihrer Höchstform nur in der Einzahl. In der Gesellschaft nimmt man die Struktur von Beziehungen immer getrennt von den Teilnehmern selbst wahr. Ein Verein ist ein Verein, unabhängig vom Charakter der Mitglieder. Man sieht ein Muster, von dem sich die Figuren selbst unterscheiden. Das ist in der Paarbeziehung anders. Da sieht man als Beteiligter nur den anderen. Da das Verhältnis zwischen den beiden symmetrisch ist, bleibt die Beziehung unsichtbar. Der andere verhält sich als Spiegelbild. Deshalb gibt es keine asymmetrische Aktivität: Alles könnte aktiv, aber auch passiv sein. Wenn man den Geliebten ansieht, sieht man nur, daß man gesehen wird. Man liebt sich als Liebende. Alles, was man selbst tut, geschieht auch auf der anderen Seite. Deshalb hat man das Gefühl, mit dem anderen zu verschmelzen. Man meint, wie er zu erleben. Man bestätigt sich gegenseitig. Wenn man ihn berührt, wird man berührt. Nichts geschieht auf der eigenen Seite, was nicht auch auf der anderen geschieht. Man erlebt das nicht als Beziehung, sondern als Verschmelzung, als Paradox, als Einheit in der Zweiheit.

Liebe ist also eine Form der Kommunikation, die an ganz unwahrscheinliche Voraussetzungen gebunden ist: Dazu gehört, daß man Anlässe zum Streit ausspart; daß man die Freiheit des anderen respektiert, um an seine Spontaneität glauben zu können; daß man weiß, daß man auch selbst so beobachtet wird, als ob alles, was man tut, spontan sei; daß man die Ausschließlichkeit der Liebe betont; daß man zwischen anonymer und intimer Welt trennt; und daß man in allem, was man sagt und tut, den anderen mit berücksichtigt, so daß der Alltag verzaubert wird.

Diese Struktur macht die Liebesgeschichte dramatisch. An jeder Stelle ihrer Entwicklung kann die Liebe scheitern. In jedem Moment wird erneut entschieden, ob sie abbricht oder fortgesetzt wird. Es geht immer um alles. Alles wird in jedem Augenblick wieder aufs Spiel gesetzt. Daß es überhaupt dauert, wird als unwahrscheinliches Glück erlebt. Aber jeder Moment bringt erneut die Alternative von Unglück und Glück.

Die Dramatik der Liebesgeschichte hat eine wichtige Funktion. Sie sorgt dafür, daß für beide die Wildwasserfahrt ihrer Gefühle zu einem Erlebnis wird, das sie nur miteinander und sonst mit niemandem teilen. Das schweißt sie zusammen. Das wird etwas, das sie nie wieder verlieren. Sie haben dann eine gemeinsame Vergangenheit. Und es produziert einen Vorher-Nachher-Effekt: Man kann dann im Geiste sich nicht mehr in die Zeit vor diesem Erlebnis zurückversetzen. Hört die Liebe später auf, ersetzt die Erinnerung an diese Liebe die Liebe selbst. Deshalb gilt die Regel: Je dramatischer die Liebe, desto stabiler wird nachher die Beziehung. Wer das miteinander durchgemacht hat, der wird sich nie mehr mit anderen so gut verständigen können. Die Dramatik begründet die Intimität.

Da man normalerweise die Liebe als Gefühlsrausch erlebt, bleibt diese Struktur den Beteiligten verborgen. Erst das setzt sie in die Lage, eine große Illusion zu stiften. Die Illusion, daß sich die beiden Liebenden trotz ihres unterschiedlichen Geschlechts so ähnlich sind. Oder, genauer gesagt, sie gaukelt der Frau die Illusion vor, ihr Geliebter sei so ähnlich wie eine Frau.

Die Blindheit oder: Frösche werden Prinzen

Welches sind nun die Tricks, durch die dieses Phantombild entsteht? Wie kann dieser Zauber wirken? Welcher Mittel bedient er sich? Zunächst einmal: Fast alles, was in der Liebe geschieht, verdankt sich nicht dem Charakter der Beteiligten, sondern der Form der Kommunikation selbst. Liebeskommunikation ist intern viel dichter strukturiert als andere Kommunikation. Sonst könnte sich die Welt der Liebenden nicht von der Normalkommunikation abgrenzen. Wie ist das mit der dichten Struktur zu verstehen? In der Liebe macht jeder sein Verhalten abhängig von dem, was der andere tut. Die interne Wechselseitigkeit ist dabei positiv programmiert: der Liebende gibt der Geliebten immer recht, und umgekehrt. Das gilt nicht nur für das, was sie sagt, sondern auch, wie sie empfindet. Er macht ihr Erleben zum Ausgangspunkt seines eigenen Erlebens. Und eben das teilt für ihn alle Dinge dieser Welt in das, was sie an sich, und das, was sie für die Geliebte bedeuten.

So kommt etwas sehr Merkwürdiges zustande: In der Liebe bekommt zwar alles eine persönliche Bedeutung. Man meint den anderen intim kennenzulernen. Alles wird durch einen persönlichen Bezug eingefärbt. Aber dieser Bezug ist nur positiv. Negative Eigenschaften werden vielleicht gesehen, aber sie machen keinen Eindruck mehr. Deshalb sagt man, Liebe mache blind. Shakespeares Desdemona sieht zwar, daß Othello schwarz ist, aber das spielt für sie keine Rolle. Julia weiß, daß Romeo zu der verhaßten Sippe der Montagues gehört, aber das ist ihr gleichgültig. Die Liebe beweist die Kraft zu verwandeln, gerade daran, daß sie das, was gemeinhin als Nachteil oder Hindernis gilt, unwichtig werden läßt und dadurch überwindet.

Wenn die Prinzessin den Frosch küßt, wird er ein Prinz. Aber um ihre Liebe richtig herauszufordern, bedarf es des Frosches. Das macht für Frauen ein Szenario unwiderstehlich, in dem es Frösche zu küssen gilt. Und wenn er nicht sofort zu einem Prinzen wird, denkt manch eine Frau, sie habe ihn nur nicht fachgerecht genug geküßt. Dann versteigt sie sich zu solch einer Knutschorgie, sie läßt sich so sehr auf die Welt der Frösche ein, sie studiert so intensiv die Bedürfnisse der Frösche, daß sie am Ende selbst langsam Schwimmhäute zwischen den Fingern entwickelt.

Mit anderen Worten: So manch eine Frau sucht sich einen besonders problematischen Mann, um jemanden zu haben, an dem sich die Kraft ihrer Liebe bewähren kann. Erst das erklärt, warum Kriminelle, Gewalttätige, Alkoholiker und Zwangsneurotiker immer wieder eine Frau finden, die sie liebt. Bei ihnen erlebt jede Frau das Gefühl ihrer Einmaligkeit. Sie bildet sich ein, nur sie könne den Verlorenen erlösen. Allein durch ihre Liebe würde er sich verwandeln. Und das tut er auch – für eine gewisse Zeit. Vielleicht so lange, wie der Rausch der Verliebtheit dauert. Und dann wird er rückfällig. Er besäuft sich. Er prügelt sie oder gestattet sich einen kleinen Raubüberfall. Dann glaubt sie, nicht er, sondern sie habe versagt. Dann wird die Liebe zum Fluch. Sie läßt sie glauben, daß sie als einzige ihn besser kennt als alle anderen. Nur sie hat sein wahres Wesen erkannt. Sie weiß, daß er, wenn er sie prügelt, nicht er selbst ist. Eigentlich tut er es nur, weil er sie liebt. Aber er kann sich nicht richtig ausdrücken. Ihre Freundinnen verstehen das nicht. Sie haben ja nicht den Zauber seiner Liebe kennengelernt. Und so hält sie durch, trotz aller Prügel und aller trüben Erfahrung, weil sie immer noch hofft, ihn endgültig zu erlösen. Sie sucht nur noch nach dem Zauberwort.

In Wirklichkeit ist sie blind. Sie kann nicht mehr sehen. Denn das, was allein der liebestypischen Kommunikation zuzuschreiben ist – die Verzauberung –, schreibt sie dem Geliebten als persönliche Eigenschaft zu. Das Bild, das er zuerst geboten hatte, läßt sie sich nicht mehr aus dem Herzen reißen. Nein, das läßt sie sich nicht mehr nehmen. Seine wirklichen Eigenschaften – seine Gefühllosigkeit und Brutalität – empfindet sie als uneigentlich. Das ist nicht der wahre Geliebte.

Die Liebeskommunikation isoliert also das Paar von der Welt. Sie macht die Beteiligten hilflos. Sie liefert sie ihrer eigenen Dynamik aus. Normalerweise wird das als Glück und als Taumel erlebt. Wehe aber, das Erlebnis wird einseitig! Dann reißt es das Opfer in einen Orkus. Er oder sie könnten nicht verlorener sein, wenn sie sich im freien Fall in die Hölle befänden.

Der Gleichklang der Seelen oder: Hörst du den Wind im Schilf?

Um in allem einig zu sein – so haben wir gesagt – vermeiden die Liebesleute instinktiv Gesprächsgegenstände, über die sie sich streiten könnten. Statt dessen suchen sie solche, die eine gemeinsame Reaktion nahelegen. Solche Gegenstände haben wir schon kennengelernt. Man nennt sie romantisch. Sie sind so konturlos, daß sie wohl unklare Gefühle, aber keine klaren Meinungen hervorrufen, über die man sich streiten kann. Auch liegen sie häufig in der Ferne. Doch ob nun der Nebel über den Bergen, die untergehende Sonne über dem Meer, der Wind über den Wipfeln, die Dämmerung über dem Moor, es sind immer Dinge, in die man sich gemeinsam versenken kann, um dem Gefühl der Seelenverschmelzung zu huldigen. Aber Uneinigkeit, nein, dafür geben sie nichts her.

Als Ersatz hierfür steht die Kunst. Auch in sie kann man sich versenken. Und auch über sie kann man sich nicht streiten. »De gustibus non est disputandum« (Über Geschmack läßt sich nicht streiten, wie der Bildungssnob sagt). Kunst ist eine Sache des Geschmacks. Er leistet das für die Kunst, was der Glaube für die Religion tut: er ersetzt alle Begründungen. Die Übereinstimmung des Geschmacks wird als Seelenverwandtschaft erlebt. Die Verliebtheit ist deshalb die Zeit, in der auch Männer Galerien besuchen, durch Museen traben und ins Konzert gehen.

Ein weiterer Gegenstand, der das unendliche Interesse der beiden Liebenden erregt, ist die Vergangenheit des anderen, seine Freuden und Leiden, seine Hoffnungen und Ängste. Auch sie liegen in der Ferne, der Ferne der Zeit. Und so eignen sie sich dazu, die beiden in eine Wolke von Mitgefühl zu hüllen. Auch diese Themen sind so weit entrückt, daß man sich über sie so wenig streiten kann wie über das Flüstern der Blätter im Wind.

Der schönste Resonanzraum für den Gleichklang der Seelen aber bleibt die Natur. Sie ist das Saatbeet der Stimmungen. In ihr verliert sich jede Uneinigkeit. Angesichts des Alpenglühens ist jeder Zwist kleinlich. Die Unendlichkeit des Meeres verurteilt jeden Zank zur Lächerlichkeit. Die Majestät der Felsendome läßt jede Nörgelei als mickerig erscheinen. Gegenüber dem Erhabenen verschwinden die Differenzen. Und wo die Unterschiede unsichtbar werden, versinken sie im Gefühl. Das Gefühl ist etwas Fließendes, etwas, das Grenzen überflutet und das, was getrennt ist, umschließt und vereint. Im letzten Grunde sind es die Ich-Grenzen, die überflutet werden. Deshalb erlebt man in der Liebe das Gefühl der Verschmelzung. Man empfindet nur noch Empfindungen, und die vermitteln den Eindruck der Gleichsinnigkeit. Etwas Drittes tritt an die Stelle, wo vorher zwei Menschen gewesen waren, eine Einheit, die wie ein Tanz erlebt wird.

Doch alles, was die beiden als Persönlichstes erleben, verdanken sie der Selbstgenügsamkeit der Liebeskommunikation. Die Liebenden sind einander genug. Jeder ist dem anderen die Welt. Sie reagieren nicht mehr nach außen, sondern nur noch aufeinander. Dabei wird alles Störende vermieden. Alles, was ein Eigengewicht annehmen könnte, alles Sachliche, alles Ernsthafte wird in der Liebe aufgelöst. Es gibt nichts Wichtigeres als den anderen. Deshalb sind auch alle sachlichen Vorträge, alle Belehrungen und Interessen für anderes der Tod der Liebeskommunikation. Was man aber gerade nicht kennenlernt, ist der Charakter des anderen. Er wird unsichtbar gemacht.

Und jetzt kommt die wichtige Erkenntnis: Gerade der Mann verändert sich stärker in der Liebe als die Frau. Über seinen Charakter erfährt man nur insofern etwas, als er sich besser oder schlechter auf die Liebeskommunikation einstellen kann. Mit anderen Worten: wieviel Weiblichkeit er in sich zuläßt. Aber wie er in seiner Normalgestalt wirkt, darüber erfährt die Frau in der Liebe nichts. Wenn man von gewissen Unterschieden der Intensität einmal absieht, werden alle Männer in der Liebe einander ähnlich. Mit anderen Worten: Die Liebe verdunkelt die Differenzen des Charakters. Jeder Frau erscheint ihr eigener Geliebter genauso wie ihrer Freundin der ihre. Alle Geliebten dieser Welt sind gleich. Das aber sieht man nur von außen. Seiner Geliebten aber erscheint jeder Liebhaber als einmalig.

Zehnter Abstecher in die Porträtgalerie der Männertypen: Der Latin Lover

Da die Exotik verzaubert, kann sie die Wirkung der Liebe annehmen. Das hat den Typus des Latin Lover hervorgebracht, eine Sehnsuchtsfigur aus dem mediterranen Repertoire spektakulärer Virilität.

Eine Frau, die sich, sagen wir, zu einem Perser oder einem Spanier hingezogen fühlt, empfindet bei deutschen Männern leicht ein Gefühl der Fadheit und der Langeweile. Deren Reaktionen scheinen vorhersehbar;

etwas Banales geht von ihnen aus. Sie haben so gar nichts Geheimnisvol-
les. Keine Aura umgibt sie und kein romantisches Flair. Und als Liebhaber
sind sie so wie in der Arbeitswelt auch: angestrengt, verklemmt, auf Sicherheit bedacht und uninspiriert. Wie anders ist da José Maria Jaime Trujillo de Medina y Sidonia! Schon sein Name löst Vibrationen aus. Er erinnert an Orangendüfte und Gitarrenklänge. Und die Vorstellung, Señora
Trujillo de Medina y Sidonia zu heißen statt »Frau Krützke«! Und wie
zärtlich José ist und wie poetisch! Das ganze Gegenteil des langweiligen
Jürgen, der ihr bei einem Date immer die Bus- und Bahnverbindungen
erklärt, durch die er eine Viertelstunde gespart hat. José behandelt sie wie
eine Grande Dame. Er inszeniert ihre gemeinsamen Abende. Und er führt
sie aus, als wäre sie eine Königin. Noch nie hat sie sich so hofiert gefühlt.
Und alles wird noch poetischer durch seinen hinreißenden Akzent. Er
kann sagen, was er will – in den alltäglichsten Feststellungen schwingt immer eine romantische Begleitmusik mit, ein gewisser viriler Unterton, der
sie schwach macht. Und wie José erzählen kann! Sie kann gar nicht genug
davon hören: von seinen knäbischen Träumen, dermaleinst ein großer
Stierkämpfer zu werden – »infantil«, sagt er jetzt, wobei er die letzte Silbe
betont und seine Zunge eine Sekunde länger als nötig um das auslauten-
de »l« herumschwingen läßt –, von den großen Ferias, den herrlichen
Umzügen, den nächtlichen Festen, den wilden Ritten über die Weiden
Andalusiens, den merkwürdigen Familienlegenden von vergrabenen
Schätzen – seine Vorfahren waren Konquistadoren gewesen –, von all
dem berichtet er in nimmermüder Erzählheiterkeit. Und sie fühlt sich
wirklich bezaubert und nicht gelangweilt wie bei Jürgen Krützke. José ist
nicht nur ein hinreißender Mann, er bietet ihr auch eine ganze Welt und
legt sie ihr zu Füßen.

Nehmen wir an, diese Frau heiße Gisela und stamme aus Iserlohn – in
Iserlohn konnte man schon mal übersehen, daß José ihr eine Welt bot, die
ihr in der entsprechenden Abwandlung auch jeder andere Spanier geboten hätte. Sie alle hätten diesen wunderbaren Akzent gehabt. Die meisten
von ihnen hätten phantastische Geschichten erzählt, weil das Geschich-
tenerzählen zur Selbstinszenierung eines Spaniers gehört. Und man
erwartet nicht unbedingt, daß die Erzählungen jeder Nachprüfung stand-

halten – sie sind nicht als Zeugenaussagen gedacht, sondern als Unterhaltung. Und als Verschönerung eines Abends. Und das viel stärker entwickelte Formbewußtsein hätte auch bei jedem anderen Spanier dazu geführt, daß er seinem Werbeverhalten einen südländischen Schwung und eine poetische Aura verliehen hätte. Ja, daß er wahrscheinlich, ebenso wie José, sogar so weit gegangen wäre, ihr jene seltsamen kehligen Gesänge vorzusingen, die sie in diese erotische Stimmung versetzten. Jeder Spanier hätte nämlich das repräsentiert, was auch José in allen seinen Fasern zur Anschauung brachte: ihr romantisches Bild von Spanien. Für sie war er die Glut der spanischen Sonne, der Klang der Mandolinen in der Nacht, der Duft der Orangenblüten, die Farbenpracht der Gewänder während eines kirchlichen Festes, der Wohlklang dieser männlichen Sprache mit ihren gutturalen Lauten und ihren knallenden Vokalen, kurzum, er war der Repräsentant einer ganzen Kultur, die die Versprechungen von Farbigkeit und Tiefe enthielt. Nichts wirkte da mehr öde oder flach. José erschien ihr geradezu umglänzt vom Widerschein einer goldenen Pracht, die sie mit Spanien verband.

Kurzum, was an José spanisch war und was sie so liebte, rechnete sie ihm als persönliche Eigenschaft zu. Sie verwechselte kollektive mit individuellen Merkmalen. Das war verständlich, solange sie ihn in Deutschland erlebte. Denn da unterschied er sich durch sein Spaniertum tatsächlich von allen anderen. Seine nationale Identität wirkte wie sein persönliches Ich. Aber die wirklichen persönlichen Eigenschaften Josés wurden damit dem Blick seiner deutschen Freundin entzogen: War er persönlich besonders phantasievoll, oder entsprach er nur dem spanischen Standard? Das konnte sie nicht wissen, weil ihr die spanischen Maßstäbe unbekannt waren. Wie sahen ihn seine Freunde und Bekannten zu Hause? Als ungewöhnlich wahrheitsliebend oder als ausgemachten Flunkerer, dem man kein Wort glauben durfte? Sie hatte keine Ahnung. Und sie selbst – welche Rolle spielte sie für José? Was hielten die spanischen Frauen von ihm? Könnte es sein, daß er sie, die Deutsche, vorzog, weil sie ihm noch eine Rolle abnahm, die er daheim nicht mehr vorzuführen wagte? War er vielleicht sogar etwas einfallslos und fade, so daß er dazu Zuflucht nehmen mußte, Ausländerinnen zu beeindrucken, die alles schluckten? War er gar ein spanischer Jürgen Krützke? Würde nicht Jürgen in Spanien vielleicht als exotischer Held aus Alemania auftreten können, dem die Muchachas hingerissen lauschten, wenn er ihnen die Zugverbindungen nach Madrid erklärte? (»So eine originelle Conversación haben wir niemals gehört. No, Señor, jamas!«) Tatsächlich kann man bei keinem Ausländer den Unterschied von kollektiven und persönlichen Eigenschaften herausfinden, bevor man ihn nicht in seiner Heimat hat agieren sehen – und zwar lange genug, um zu verstehen, wie er sich da benimmt und wie er von anderen beurteilt wird. Dort ist nämlich, was vorher an ihm exotisch erschien, normal. Wieviel bleibt dann von ihm übrig, wenn dieser Anteil normalisiert wird? Kommt vielleicht ein ganz anderer Mensch zum Vorschein, dessen Charakter sogar zu den nationalen Klischees im Gegensatz steht? Etwa ein langweiliger, ängstlicher Spanier ohne Poesie in den Adern und mit viel Prosa im Herzen?

Ein Ausländer in Deutschland ist wie ein aus dem Zusammenhang gerissener Satz: Man weiß nicht, was er bedeutet. Richtig versteht man den Satz erst, wenn man ihn in den Zusammenhang rückt, dem er entstammt. Und ein Land ist wie ein Text: Es hat einen eigenen Stil. Deshalb gilt: Einen Ausländer muß man interpretieren. Man versteht ihn nicht, solange man nicht den ganzen Text kennt.

Deshalb hat der Club der Frauen, die einmal mit einem Ausländer verheiratet waren, zur Warnung der Töchter eine eiserne, aber einfache Regel aufgestellt: Verbinde dich nie mit einem Ausländer, bevor du ihn nicht in seiner Heimat besucht und ihn in Gesellschaft seiner Bekannten, seiner Familie und seiner Freunde kennengelernt hast! Erst dann kannst du seine kollektiven von seinen persönlichen Eigenschaften unterscheiden. Solange das nicht geschehen ist, bist du dazu verdammt, ihn zu überschätzen. Du wirst dann auf seine Exotik hereinfallen. Zu Hause aber ist er nicht mehr exotisch.

Wichtig ist es auch, die landesüblichen Regeln zu begreifen, die den Verkehr zwischen den Geschlechtern regeln. In Deutschland wird der Ausländer sein Benehmen an den hier geltenden Sitten orientieren, und die haben sich bei allen Defiziten doch recht weit in Richtung Gleichberechtigung entwickelt. In vielen der exotischeren Länder ist das anders.

Und zahlreich sind die Naiven, die ihrem hinreißenden Orientalen schon als angetraute Gattin in die Heimat gefolgt sind, nur um zu erleben, daß er sich dort in ein Mitglied der Großfamilie zurückverwandelte und seiner deutschen Frau in der Rolle des Herrn gegenübertrat, der Unterwürfigkeit und Gehorsam erwartete. Das führte in der Regel zu Tragödien des naiven Multikulturalismus.

Eine Versuchung speziell für deutsche Frauen ist auch der latente Hang zur Wiedergutmachung der rassistischen Sünden der Väter. Auch hier findet eine Verwechslung kollektiver mit individuellen Aspekten statt. In einer weitgehend unbewußten Kompensation neigen solche Frauen dazu, Angehörigen von ehemals kolonisierten Völkern den Adel zuzuschreiben, den man durch schuldloses Leiden gewinnt. Sie erkennen in dem geduldigen Blick eines schwarzen Mannes die Qualen von Generationen. Sie interpretieren sein unbekümmertes Lachen als großherziges Verzeihen. Sie projizieren in ihn alles hinein, was sie über die Geschichte der Unterdrückung wissen. Und sie empfinden die schwarze Haut als Ehrenkleid des Märtyrertums.

Eine Frau mit solchen Neigungen hat es äußerst schwer, wenn es nach der Hochzeit daran geht, die Konflikte auszutragen. Denn als sein Gegner müßte sie sich ja plötzlich als Nachfolgerin der Ausbeuter fühlen. Also gibt sie lieber nach, leidet und verschafft sich das Erlebnis einer stellvertretenden Buße.

So gelangen wir zu dem Fazit: Nicht den Ausländern soll die deutsche Frau mißtrauen, sondern ihrer Sicht auf den fremden exotischen Mann. Der Anfang ist immer wunderbar, aber die zunehmende Vertrautheit wird alle Exotik nach und nach zum Verschwinden bringen. Dahinter kommt dann oft eine ganz normale oder sogar befremdliche Gestalt zum Vorschein. So entwickelt sich ihre Beziehung zu einem Prozeß der Desillusionierung, der um so qualvoller ist, als er ihr bewußt macht: Die exotische Aura lag allein im Auge der Betrachterin.

Zur Abschreckung will ich eine Vermutung darüber anschließen, welche Frauen für die Wirkung der Fremdlinge besonders anfällig sind. Die Liebe bedeutet bekanntlich Verzauberung. Sie macht selbst Jürgen Krützke zur poetischen Gestalt. Er ist dann wie verwandelt, als ob er ein Ritter aus einer anderen Welt wäre. Es gibt aber Frauen wie Gisela, die emotional etwas träge sind. Sie kommen schwer in Gang. Sie haben einen Motor, der nicht kalt gestartet werden kann, sondern lange Vorwärmzeiten braucht. Und als Vorwärmer dient dann die Exotik. José braucht nicht mehr verzaubert zu werden; er ist es schon. Seine romantische Aura vermittelt Gisela das Gefühl, daß sie bereits unter dem Einfluß der Liebe steht. Und das wirkt als Starthilfe. Die Exotik wird zum Ersatz der Liebe. Sie ist das Virus, das die Frauen befällt, die gegen die Infektionen der Liebe sonst resistent sind.

Es kann aber auch sein, daß sie weniger als Starthilfe denn als Brandbeschleuniger dient. Sie ermöglicht es Gisela dann, sich einen Märchenprinzen von solcher Poetik zu angeln, wie er normalerweise außerhalb ihrer Reichweite läge. Was sie reizt, ist gerade die Fremdheit. Anfällig dafür sind all die Frauen, die heimische Männer leicht als fad empfinden und die unter anderen Bedingungen sich zu Exzentrikern und Sonderlingen hingezogen fühlen. Möglicherweise sind das Frauen, die, unter Brüdern aufgewachsen, eine erhöhte Dosis Fremdheit brauchen, um wieder einen Reiz zu verspüren. Sie sind die geborenen Abenteuerinnen, die Männer wie fremde Länder bereisen: entweder als Touristinnen oder als Entdeckungsreisende.

Es soll aber auch nicht geleugnet werden, daß ein Ausländer gegenüber einem deutschen Mann einen uneinholbaren Vorzug haben kann – unter einer Bedingung: Das Paar lebt in Deutschland. Dann wird er nie entzaubert. In der deutschen Umgebung behält er seine Exotik. Zugleich muß er sich nach deutschen Verhaltenskonventionen richten, die die Frau kennt. Damit schlägt sie zwei Fliegen mit einer Klappe: Sie hat einen unexzentrischen und berechenbaren Mann, der – wäre er ein Deutscher – durchaus als durchschnittlich gelten könnte, aber er wirkt durch sein Ausländertum trotzdem poetisch. Sie kann die Ernte der Interessantheit einfahren, ohne dafür bezahlen zu müssen: das Ertragen merkwürdiger Gewohnheiten, eigenartiger Marotten und unkonventioneller Bizarrerien, die andere vor den Kopf stoßen – alles das bleibt ihr erspart, und doch genießt sie die Dauerstimulanz einer angenehmen Exotik. José wird dann zum lebenden Paradox. Je durchschnittlicher er als Spanier ist, desto exotischer würde er hier wirken, weil er das ganze Spanien repräsentiert. Aber wie gesagt: Das funktioniert nur in Deutschland. Ein Umzug von Iserlohn nach Sevilla käme einer Katastrophe gleich, gerade weil Sevilla so viel poetischer ist. Denn da würde Josés Exotik verblassen, die in Iserlohn leuchtet wie eine Fackel in der andalusischen Nacht. Olé!

DIE KOMÖDIE DER FRAUEN:
AMPHITRYON ODER: ALKMENES DILEMMA

Szene 7: Diskussion über die Liebe

Es ist der Morgen danach. Auf der Terrasse von Amphitryons Haus hat sich die gesamte Bühnengesellschaft zu einem Brunch zusammengefunden. Dabei entsteht ein Disput über das Verhältnis von Männern und Frauen, über die Liebe und darüber, wie die Geschehnisse der letzten Nacht zu deuten seien. Die Diskussion wird von Merkur wie eine Kommissionssitzung geleitet.

JUPITER: Wo ist Leda denn noch?

ALKMENE: Sie macht sich nur noch frisch.

MERKUR: Soll ich noch warten?

AMPHITRYON: Da kann man ewig warten! Leda kommt immer erst, wenn man schon angefangen hat. Sie kommt aus Prinzip zu spät!

JUPITER: Na, dann eröffnest du besser gleich die Sitzung.

MERKUR *(steht auf)*: Nun gut. Liebe Freunde, wir haben uns hier zu einer Art Arbeitsessen eingefunden – Nephrosyne habt ihr inzwischen alle kennengelernt, sie führt das Protokoll – und ich bin von höherer Stelle beauftragt worden ...

JUPITER und AMPHITRYON *(zugleich)*: ... gebeten worden ...

MERKUR: ... gebeten worden, hier den Vorsitz zu führen, weil ich neutral bin und deshalb unverdächtig. Es gab in der vergangenen Nacht – ich möchte mich hier ganz neutral ausdrücken – es gab da ein paar Mißverständnisse und Unklarheiten. Und unsere Aufgabe ist hier, scharf zu unterscheiden, welche Mißverständnisse und Unklarheiten zu klären sind und welche nicht.

LEDA *(kommt eilig und mit entschuldigendem Gestus)*: Entschuldigt bitte. Komme ich zu spät? Ich hoffe, ich habe euch nicht aufgehalten! *(Zu Alkmene)* Aber dein Badezimmer ist einfach himmlisch! Ich könnte da den ganzen Tag verbringen! *(Zu Merkur, der sie leidend, aber geduldig anschaut)* Bei den Kranichen des Ibykus, ihr habt doch

nicht schon ohne mich angefangen? Habe ich etwas Wichtiges verpaßt?

MERKUR: Ich bemerkte gerade, verehrte Leda, daß wir schärfstens unterscheiden müssen zwischen dem, was aufzuklären ist, und dem, was
nicht. Denn über sich selbst kann die Aufklärung nicht aufklären, und
so findet ein jedes Ding an sich selbst eine Grenze.

LEDA: Das ist gut gesagt! Das sage ich ja immer: Man soll die Aufklärung
nicht zu weit treiben. Wo bleiben da die Geheimnisse, hab' ich
recht?

MERKUR *(fährt unbeirrt fort)*: Dies gilt nun auch für die entstandene Un-
klarheit, wer von den beiden Jupiter ist und wer Amphitryon. Vielleicht wollen sich die beiden dazu äußern!

AMPHITRYON und JUPITER *(stehen beide zugleich auf und sprechen auch zugleich)*: Wir beide, Mensch und Gott, sind uns trotz des Unterschiedes
zwischen uns darin einig, daß, wenn man uns bisher nicht ausein-
anderhalten konnte, wir nichts mehr dazu tun wollen, irgend jemand
aufzuklären oder zu berichtigen. Auf diese Weise ist für die Zukunft
und die Gegenwart ein jeder selbst dafür verantwortlich, für wen er jeden von uns hält! Hier lassen wir euch alle Freiheit. Zum Ausgleich –
und dieser Ausgleich entspricht der Weltordnung – muß die Vergangenheit eindeutig festgelegt werden, das heißt, es muß klar sein, wer
Alkmene gestern nacht erschienen ist. Und hierüber müssen wir uns
alle einig sein.

ALKMENE: Aber hört mal, was habt ihr denn damit zu tun? Es genügt,
wenn mir das klar ist …

MERKUR: Entschuldigung, Alkmene, die Diskussion ist noch nicht eröffnet. Was die Herren hier gesagt haben, ist ein Statement! *(Zu Amphitryon und Jupiter)* Im übrigen halte ich es für unnötig, daß Sie, um jeden
Unterschied zurückzustellen, beide zugleich reden. Sie können sich ja,
wenn Sie dasselbe reden wollen, dabei abwechseln. Also – damit ist der
eine Punkt der Tagesordnung festgelegt: die Festlegung der Geschichte.

THESSALA: Aber das ist doch Unsinn!

MERKUR: Thessala, möchtest du zur Tagesordnung etwas sagen?

THESSALA: Man kann doch die Geschichte nicht im nachhinein festlegen! Sie liegt ja schon fest. Was geschehen ist, ist geschehen. Und daran kann man nichts mehr ändern!

MERKUR: Nun gut, dann frag' ich dich, mit wem hat Alkmene die letzte Nacht verbracht?

THESSALA: Mit Amphitryon!

ALKMENE: Thessala, was sagst du da?

THESSALA: Amphitryon hat sich als Jupiter ausgegeben.

SOSIAS: Und Jupiter als Amphitryon! Fragen Sie sie doch selbst!

THESSALA: Lassen Sie sich nicht irremachen, Alkmene, es ist alles eine Verschwörung der Männer!

ALKMENE: Wie kannst du hier von Männern sprechen, wenn es um Götter geht!

MERKUR: Ruhe bitte!

THESSALA: Ach was! Wenn es darum geht, uns Frauen zu betrügen, sind auch die Götter nur wie Männer. Sie sehen ja, wie schnell sie sich geeinigt haben!

SOSIAS *(galant)*: Es ist umgekehrt, in eurer Gegenwart fühlen alle Männer sich wie Götter!

THESSALA *(höhnisch)*: Laß du bitte deine höhnischen Bemerkungen!

MERKUR: Also ich muß doch um Ruhe bitten! Auf jeden Fall hat diese kleine Diskussion gezeigt: Für die Festlegung der Vergangenheit genügt es nicht, daß sie passiert ist, man muß sich auch darin einig sein, wie! Wir werden deshalb die einzelnen Punkte durchgehen und durch Abstimmung entscheiden, so wie es heute in Athen der Brauch ist. Dabei haben die Götter in allen Dingen, die sie betreffen, eine Sperrminorität. *(Amphitryon und Jupiter heben die Hand)* Sie wollen einen Antrag stellen? *(Beide nicken)* Zwei verschiedene Anträge? *(Beide schütteln den Kopf)* Also ist es derselbe Antrag? *(Beide nicken wieder)* Also schön, aber abwechselnd, bitte!

AMPHITRYON: Wir beantragen, im Protokoll des Weltgeschehens festzuhalten …

JUPITER: … daß heute nacht Jupiter, und nicht Amphitryon, Alkmenes Lager geteilt hat.

AMPHITRYON: Und wir halten es für nötig, dies eigens festzuhalten und
zu betonen …

JUPITER: … weil ja irgend jemand wie Thessala hier oder Leda oder Sosias der Meinung sein könnte …

AMPHITRYON: … es sei in Wirklichkeit Amphitryon gewesen, weil sie
sich das so gewünscht und zurechtgelegt hätten.

MERKUR *(zu Nephrosyne)*: Haben Sie das im Protokoll?

NEPHROSYNE *(schreibt und wiederholt den letzten Satz)*: Weil sie sich das so
gewünscht und zurechtgelegt hätten. Ja, ich habe alles.

MERKUR: Gut, wenn wir uns darin einig sind, lasse ich nun abstimmen.

NEPHROSYNE: Gilt dann in diesem Fall die Sperrminorität für die Götter?

MERKUR: Nephrosyne, müssen Sie denn alles komplizieren?! Wir stehen
kurz vor der Einigung darüber, was passiert ist!

NEPHROSYNE: Ich brauche das für's Protokoll!

MERKUR: Zum Hades mit dem Protokoll! Ja, hier gilt die Sperrminorität! Also – sind wir uns einig? Kann ich abstimmen lassen?

ALKMENE: Wenn wir uns einig sind, warum sollen wir dann noch abstimmen? Also, mir kommt das alles höchst verdächtig vor! Wenn ich nicht
genau wüßte, daß Jupiter mich heute nacht besucht hat, würde ich
jetzt den Verdacht entwickeln, daß es Amphitryon war. Thessala hat
recht: Was soll diese Sprachregelung über die Vergangenheit? Mich
interessiert die Zukunft! Wenn ihr meine Zustimmung zur Vergangenheit wollt, dann will ich eure für die Zukunft haben: Uns Frauen geht
es um die Zukunft!

MERKUR: Wenn das ein neuer Antrag sein soll, ist er recht unzureichend
formuliert! Zustimmung zu welcher Zukunft?

THESSALA: Lassen Sie sich durch das Geschäftsordnungsgetue nicht imponieren. Das alles sind nur Techniken, uns Frauen einzuschüchtern!
Die Männer sorgen schon dafür, daß die Geschäftsordnung immer auf
ihrer Seite ist!

MERKUR: Also, ich muß doch sehr bitten. Fairer kann man doch nicht
sein! Unsere Versammlung ist völlig paritätisch besetzt, vier Frauen
und vier Männer!

THESSALA: Und den Vorsitz führt ein Mann, wie immer!

SOSIAS: Ein Gott!

THESSALA: Erst wenn er den Vorsitz hat, fühlt er sich wie ein Gott, das ist doch der Trick! Eure ganzen komplizierten Erfindungen dienen immer dazu, uns Frauen weiszumachen, daß ihr Götter seid!

SOSIAS: Und dir ist es ein psychologisches Bedürfnis, den Göttern einzureden, sie seien nichts als Männer!

MERKUR: Ich darf doch um eine geordnete Diskussion bitten! Wenn Alkmene ein Junktim zwischen Vergangenheit und Zukunft herstellen möchte, muß sie das als Antrag formulieren.

ALKMENE: Gut. Wenn die Geschäftsordnung das erfordert, so möchte ich hier einen Anspruch anmelden: Ich mache meine Zustimmung zu der von beiden Herren beantragten Sprachregelung von gewissen Bedingungen abhängig!

JUPITER: Von beiden Herren! Was ist das für eine Sprache, Alkmene?

AMPHITRYON: Wir sind dein Liebhaber und dein Ehemann, und nicht »die beiden Herren«!

MERKUR: Von welchen Bedingungen machen Sie Ihre Zustimmung abhängig?

ALKMENE: Von Zugeständnissen für die Frauen! Von mehr Rechten! Ich beantrage: Erstens: Eine verheiratete Frau hat ein Recht auf einen Liebhaber, wenn ihr Mann ihr nicht mehr genügt; und nicht auf sie, sondern auf ihn fällt das zurück, wenn sie einen Liebhaber hat. Zweitens: Das Kinderkriegen und -erziehen muß in der gesellschaftlichen Achtung endlich höher stehen als das Töten, das ganz geächtet werden sollte! Schließlich kriegen wir die Kinder nicht so schwer, damit sie dann so leicht getötet werden!

THESSALA: Darf ich das ergänzen? Wenn Männner Kinder kriegen müßten, stiegen ihre Hemmungen, die zu töten, die zu gebären und großzuziehen so viel gekostet hat. Alle Männer sollten deshalb gezwungen werden, bei der Geburt ihrer Kinder dabeizusein und die Hälfte der Erziehungslast zu übernehmen.

ALKMENE: Außerdem müßten Haushaltsführung und Kindererziehung als produktive Arbeit anerkannt und entsprechend hoch bezahlt werden!

LEDA: Völlig richtig! Wer der Gesellschaft Kinder schenkt, der gibt ihr ihre Zukunft. Deshalb muß jede Frau das Recht erhalten, ein Kind oder auch zwei zu kriegen, ohne den Vater mit in Kauf zu nehmen! Das geht aus Alkmenes beiden Anträgen logisch hervor.

ALKMENE: Ach ja? Das war mir gar nicht aufgefallen!

LEDA: Na, das ist doch klar! Wenn eine Frau für's Kinderkriegen und -erziehen vom Staat bezahlt wird, wird sie vom Vater ihrer Kinder unabhängig und braucht ihn nicht als Ehemann. Oft ist der beste Liebhaber ein schlechter Gatte, und der, mit dem man Kinder haben möchte, etwa ein Genie oder Gott, der ist oft zu exzentrisch und querköpfig, als daß eine normale Frau mit ihm auch leben könnte. Und umgekehrt sind die Verträglichen und Angenehmen als Liebhaber besonders wenig inspirierend. Würde mein Antrag angenommen, wäre jede Frau frei von anderen Rücksichten und suchte für ihren Nachwuchs sich nur den besten aller möglichen Erzeuger. Nicht auszudenken sind die positiven Konsequenzen für die Evolution der Menschheit.

THESSALA: Richtig! Außerdem verlangen wir, daß im Olymp eine Frauenbeauftragte unsere Interessen wahrnimmt und daß mit der Demokratie, die sich von Athen aus auszubreiten beginnt, auch eine Quotenregelung für Frauen eingeführt wird.

NEPHROSYNE: Das alles nützt nichts ohne Chancengleichheit im Beruf. *(Alkmene, Thessala und Leda wenden sich erstaunt Nephrosyne zu, die bis jetzt ruhig das Protokoll geführt hat)*

ALKMENE: Nephrosyne, ich dachte, du seist auf der Seite der Götter!

THESSALA: Oder der Seite der Männer.

NEPHROSYNE: Ich bin nur eine Halbgöttin. Wenn ihr wüßtet, wie es einer Frau auf dem Olymp ergeht! Bei gleicher Qualifikation führt Merkur die Operationen durch, und ich assistiere. Er führt die Verhandlung und ich das Protokoll. Er ist ein Gott, und ich bin nur eine Halbgöttin, und das bei völlig gleicher Ausbildung!

JUPITER: Nephrosyne, das ist unsolidarisch! Es geht hier um die Reputation der Götter! Das ist standesunwürdiges Verhalten und wird ein Nachspiel haben!

NEPHROSYNE: Da seht ihr, wie man uns einzuschüchtern versucht. *(Anzüglich zu Jupiter)* Und dann muß man sich noch ständig die sexuelle Belästigung von Vorgesetzten am Arbeitsplatz gefallen lassen! Und wenn man angewidert ist und sich zu widersetzen wagt, dann riskiert man die Entlassung!

JUPITER: Nephrosyne, du bist entlassen!

THESSALA: Jetzt hat sich Jupiter verraten!

AMPHITRYON: Das ist nur eine Irreführung, denn so gemein, hier gleich mit Rausschmiß zu reagieren, ist kein Gott, so gemein kann nur ein Mensch sein.

NEPHROSYNE *(zu den anderen Frauen)*: Ihr macht euch hier unten keine Vorstellung, wie im Olymp die Frauen behandelt werden und welche Rolle sie dort spielen dürfen! Entweder sind sie nur Alibi-Frauen, wie Ceres oder Demeter, die dürfen sich dann auf Frauenfragen und die Fruchtbarkeit spezialisieren und werden doch nicht ernst genommen – oder es sind Karrierefrauen wie Diana oder Athene, die können sich dann nicht mehr leisten, als Frauen überhaupt zu leben, weil sie professionell doppelt so gut sein müssen wie die Männer, um konkurrenzfähig zu bleiben. Schaut sie euch an! Das sind schon gar keine Frauen mehr, und Männer sind es auch nicht. Und dann gibt es nur noch die Verräterinnen wie Aphrodite und die Gattinnen und die First Ladies wie Hera, die man zum Repräsentieren braucht. Doch sind sie völlig ohne Einfluß und werden von ihren Männern nur betrogen. Kurz und gut, ich beantrage: Schluß mit der Diskriminierung von Frauen im Beruf und in Regierungsämtern!

MERKUR: Also, ich muß hier unterbrechen; das läuft ja völlig aus dem Ruder; das ist nun längst kein ordnungsgemäßer Antrag mehr. *(Sosias meldet sich, und Merkur reagiert darauf)* – Ja bitte?!

SOSIAS: Ich beantrage, die Sitzung kurz zu unterbrechen.

ALKMENE: Wir stimmen zu.

LEDA, NEPHROSYNE UND THESSALA: Ja, wir stimmen zu. *(Alle Frauen erheben sich)*

MERKUR: Gut – die Sitzung wird für fünf Minuten unterbrochen.

ALKMENE *(zu den anderen Frauen)*: Kommt, ich zeige euch, wie ich mein

Boudoir einrichten möchte. *(Zu den Herren)* Aber so viel muß klar sein: Die Forderungen, die wir hier getrennt gestellt haben, werden von uns gemeinsam unterstützt! *(Alle Damen ab)*

AMPHITRYON *(zu Sosias)*: Bist du verrückt, jetzt eine Pause zu beantragen? Jetzt werden sie sich einigen und uns noch stärker unter Druck setzen.

SOSIAS: Im Gegenteil! Ich nehme ihnen ihre Gegner weg, und dann müssen sie sich mit sich selbst beschäftigen. Und weil sie gezwungen sind, sich zu einigen, werden sie sich streiten, da ist Verlaß drauf!

MERKUR: Da hat er recht, das ist realistisch. In Tausenden von Ehejahren ist den Frauen die Streitsucht angezüchtet worden, deshalb ist es ihnen nie gelungen, sich untereinander gegen die Männer zu einigen.

SOSIAS: Außerdem sind wir es, die sich einigen sollten. Denn das Junktim von Alkmene und die erhobenen Forderungen haben gezeigt, daß die Gruppierungen sich verschoben haben: Es gibt nicht mehr nur die Teilung zwischen Sterblichen und Göttern, wie bisher, sondern beide Gruppen sind jetzt in Frauen und Männer gespalten. Nephrosynes Ausbruch hat das völlig deutlich werden lassen.

JUPITER: Eine Unverschämtheit, zu behaupten, ich würde sie sexuell belästigen. Ihr aufreizendes Benehmen weckt ungewollt meine Impulse, und die belästigen zunächst mal mich!

SOSIAS: Auf jeden Fall sind die aufgestellten Forderungen so weitreichend und zum Teil auch widersprüchlich, daß man sie nicht als Paket zur Abstimmung stellen kann. Vielmehr muß man es aufschnüren und die Forderungen einzeln durchgehen, und dann müssen wir uns auf eine gemeinsame Linie einigen, sonst sind wir verloren! Schließlich haben Götter und Menschen doch gemeinsame Interessen.

AMPHITRYON: Also, das ist alles unakzeptabel. Bei der Geburt der Kinder anwesend sein! Darauf bin ich in meiner Sozialisation nicht vorbereitet worden, da wird mir schlecht!

SOSIAS: Das ist unwesentlich und nur ein Trick, um uns durch ihr Leiden ein schlechtes Gewissen beizubringen!

JUPITER: Ich finde einige der Forderungen gar nicht unvernünftig. Das Recht auf einen Liebhaber zum Beispiel scheint mir sinnvoll.

AMPHITRYON: Sosias hat recht! Wir dürfen jetzt nicht uneinig werden und uns gegeneinander ausspielen lassen.

JUPITER: Also ich kann alle Forderungen erfüllen, die mit der Fortexistenz der Liebe zwischen Mann und Frau vereinbar sind. Die Familie will ich gerne opfern, von ihr hab' ich noch nie viel gehalten! Und die Ehe ist wahrhaftig eine Plage, davon kann ich ein Liedchen singen. Doch die Liebe ist für mich nicht verhandelbar, sie kann ich nie und nimmer aufgeben: an ihrer Unerfüllbarkeit hängt nun mal die Existenz der Götter.

SOSIAS: Das ist es ja, dann müssen Sie die Forderungen nach Gleichberechtigung samt und sonders ablehnen, denn die sind mit der Liebe alle unvereinbar. Wer könnte da die Frauen noch lieben, wenn sie in allem den Männern ähnlich wären?

AMPHITRYON: Und was wären wir für Männer, wenn wir wie Frauen wären und Kinder großziehen? Das ist wider die Natur! Wir hätten keine Zeit mehr, uns der Politik zu widmen, das wär' das Ende aller Zivilisation!

JUPITER: Alle Forderungen kann ich nicht ablehnen; ihr habt uns da in die Ecke manövriert: die Sprachregelung, daß ich heut' nacht bei Alkmene war und nicht Amphitryon, ist völlig unverzichtbar. Das bin ich meinem Ruf nun einmal schuldig. Wenn die Wahrheit bekannt würde, wäre die Blamage für mich tödlich! Ich wäre nicht mehr Jupiter, wenn ich von einem Sterblichen mich so düpieren ließe! Euer Versuch, als Götter aufzutreten, ist es, der uns in diese Klemme gebracht hat. Und ihr müßt dafür büßen, nicht ich!

AMPHITRYON: Aber auf unsere Zustimmung sind Sie ja auch angewiesen.

JUPITER: Willst du mich erpressen?. Vergiß nicht, von uns beiden bin ich Jupiter, nicht du!

AMPHITRYON: Ja, aber ich werd' für Jupiter gehalten, nicht Sie!

SOSIAS: Bitte jetzt keine Uneinigkeit, die Lage ist zu ernst! *(Zu Jupiter)* Im übrigen hat sich Alkmene ebenso blamiert wie – mit Verlaub – Sie glauben, sich blamiert zu haben. Sie wird deshalb bei der Version bleiben, mit Jupiter die Nacht verbracht zu haben, auch wenn sie die Wahrheit ahnte.

MERKUR: Da bin ich nicht so sicher.

JUPITER: Die Lage ist ziemlich verfahren, findet ihr nicht?

MERKUR: Ich wüßte vielleicht eine Lösung.

AMPHITRYON: In allem nachgeben, nehme ich an. Das kommt nicht in Frage!

JUPITER *(zu Merkur)*: Die verteidigen ihren Status als Männer mehr als wir unsere Privilegien als Götter! Doch sag, wie lautet denn dein Vorschlag?

MERKUR: Sie könnten Amphitryon zum Gott erheben, dann wäre die Blamage nicht so groß, und Alkmene wäre sicher einverstanden, das sind die Ehefrauen bei Nobilitierung ihrer Gatten immer! Ja, meist drängen sie sich stärker noch danach als ihre Männer!

AMPHITRYON: Das ist eine prächtige Idee, ich stimme sofort zu!

JUPITER: Und ihn für seine Anmaßung noch belohnen?

MERKUR: Sie wissen, es ist gute Politik, wenn jemand von der Opposition zu gefährlich wird, ihn in die Regierung aufzunehmen.

JUPITER: Nein, das tue ich nicht. Ob er als Sterblicher mich nun düpiert oder als Gott, macht auch nicht so viel aus. Aber du bringst mich da vielleicht auf eine Idee – sie ist nur noch nicht ganz fertig.

MERKUR: Nun, vollenden Sie sie schnell, die Damen kommen bald zurück.

AMPHITRYON: Man merkt, Sie sind kein Ehemann. Wenn Alkmene ihren Freundinnen erläutert, wie sie ihr Boudoir einrichten will, dann kommt sie nicht so schnell zurück.

MERKUR *(zu Jupiter)*: Können wir bei der Geburt der Idee vielleicht ein bißchen helfen?

JUPITER: Wie willst du das machen?

MERKUR: Nach dem Verfahren des berühmten Sokrates: er nennt es ja Hebammenkunst.

JUPITER: Und worin besteht dieses Verfahren?

MERKUR: In Fragen stellen.

JUPITER: Das ist alles?

MERKUR: Nein – ich hätte sagen sollen, ›die richtigen Fragen stellen‹. Damit kitzelt er bei den dümmsten Leuten Ideen ans Tageslicht, von denen sie gar nicht wußten, daß sie sie hatten.

JUPITER: Ah, jetzt versteh' ich, warum er so populär ist. Nun gut, wir können's ja versuchen, aber ich stelle die Fragen! *(Pause − dann zu Merkur)* Was für eine Frage soll ich stellen?

MERKUR: Die den Gegenstand betrifft, den wir verhandeln.

JUPITER: Und welches ist der Gegenstand, den wir verhandeln?

SOSIAS: Es ist der Unterschied von Mann und Frau.

JUPITER: Nun gut − so frag' ich euch, worin besteht der wesentliche Unterschied zwischen Mann und Frau? Nun − was würdet ihr sagen?

MERKUR: Aber Majestät!

AMPHITRYON: Ich bitte Sie, das ist doch jetzt kein Thema!

SOSIAS: Mir fällt da immer nur dasselbe ein!

JUPITER: Nein, meine Herren, ich meine den wesentlichen Unterschied jenseits aller Rollenfragen, an dem die ganze Gleichberechtigung scheitern muß, die grundlegende Asymmetrie, die niemals aufzuheben ist, solange die Welt besteht; nun − welche ist das?

AMPHITRYON: Die Frauen sind einfach gefühlsbetonter als wir Männer.

MERKUR: Im Gegenteil, sie sind viel kälter und realistischer!

SOSIAS: Aber nur, wenn es um ihren Vorteil geht, darin sind sie unheimlich erfindungsreich!

AMPHITRYON: Aber das ist doch Unsinn. Sie haben nur einen lockeren Kontakt zur Wirklichkeit; deshalb meinen sie, es könnte alles möglich sein, wenn sie's nur kräftig wünschen. Im Wünschen sind sie uns maßlos überlegen.

SOSIAS: Das sind sie deshalb, weil sie uns für all das verantwortlich machen, was beim Wünschen nicht in Erfüllung geht. Deshalb neigen sie so zum Meckern.

MERKUR *(lacht)*: Euch geht es eben wie den Göttern, Ihr werdet für alles verantwortlich gemacht, was nicht klappt. Deshalb pflegen die Frauen die Fiktion eurer Allmacht: sie brauchen einen Schuldigen! Noch ein Grund für die Notwendigkeit der Götter, Majestät!

AMPHITRYON: Das ist vollkommen richtig! Und wir in unsrer Neigung zum Renommieren akzeptieren auch diese Verantwortung, weil sie uns schmeichelt, und quälen uns dann selber.

MERKUR: Also versucht's doch einmal mit der Gleichberechtigung.

Wenn dann die Frauen alles selbst bestimmen können, werden sie schon lernen, daß sie die Schuldigen nicht immer woanders suchen können.

AMPHITRYON und SOSIAS: Niemals!

MERKUR: Aber denkt doch mal nach! Sie verlangen gesellschaftliche Anerkennung und Bezahlung für ihre Tätigkeit als Hausfrauen und als Mütter. Vom Rest will ich hier nicht reden. Ja, wenn sie bezahlt werden, dann könnt ihr für euer gutes Geld auch Qualität verlangen. Stellt euch das mal vor! Ja, seht ihr denn nicht, was das heißt? Dann ist Schluß damit, daß Kinderaufzucht und Haushaltsführung von reinen Amateuren betrieben werden, dann müssen die Frauen das professionell angehen, und das heißt: ausgebildet werden. Ich habe sowieso nicht verstanden, warum die Menschen das wichtigste Geschäft von allen, die Aufzucht ihrer Kinder, einem unprofessionellen Haufen von Amateuren überlassen, die dann vor lauter Überforderung neurotisch werden und ihren Job vermasseln. Wenn sie aber bezahlt werden, müssen sie sich an professionellen Standards ausrichten, und wenn sie denen nicht genügen, dann bezahlt ihr eben weniger, und wenn eine total versagt, dann wird sie halt entlassen! Ja, seht ihr nicht, das ist für euch ein ungeheurer Vorteil! Den Unterschied könnt ihr nur ermessen, wenn ihr die ungelenken Bemühungen eurer Ehehälften, euch zu erfreuen, mit denen von ausgebildeten Hetären vergleicht!

SOSIAS *(zu Amphitryon)*: Da ist was dran!

AMPHITRYON: Er hat nicht ganz unrecht! Vielleicht ist diese Emanzipation keine schlechte Idee.

JUPITER *(der die ganze Zeit zugleich zugehört und nachgedacht hat)*: Ich hab's!

MERKUR: Aha, die Idee ist fertig?

JUPITER: Ja. Ihr habt's ja selbst gesagt: Die Emanzipation ist für Frauen nicht nur ein Vorteil. Wenn man das jetzt mit dem wesentlichen Unterschied verbindet ...

AMPHITRYON: Ach ja, den hatten wir ja gänzlich aus den Augen verloren!

JUPITER: Ich nicht. Was ihr gesagt habt, läuft alles auf ein und dasselbe Erscheinungsbild hinaus, in dem sich alle diese Eigenschaften treffen und anthropologisch sinnvoll werden. Ihr müßt das als eine Frage der Anthropologie sehen.

AMPHITRYON: Der Anthropologie?

JUPITER: Der Lehre davon, was den Menschen ausmacht! Um Anthropologie zu betreiben, braucht man den distanzierten Blick der Götter. Denn nur dann kann man sagen, was dem Menschen eigen ist, wenn man auch weiß, wo seine Grenzen liegen. Wo war ich stehengeblieben, Merkur?

MERKUR: Bei dem anthropologisch begründeten Unterschied zwischen Männern und Frauen!

JUPITER: Richtig! Alles, was ihr über die Frauen gesagt habt, läuft auf eins hinaus: Sie sind in allem kindlicher als Männer, und das heißt *(er zählt es an den Fingern auf)* unsentimental, selbstvergessen, zäh, maßlos, prinzipienlos und praktisch, verachtungsvoll gegenüber Theorien und weiteren Konzepten, erkenntnistheoretisch reine Empiriker, der Lebensauffassung nach Fatalisten, weil sie sich für nichts verantwortlich fühlen, mit unbewußten Techniken des Selbstschutzes und der Selbstentlastung ausgestattet, im Extremfall äußerst leidensfähig und dann schnell erholt, ablenkbar wie junge Hunde, letztlich an nichts weiter interessiert als an persönlichen Beziehungen und dabei ausgestattet mit dem Charme von Kindern, der uns immer neu entwaffnet. *(Die anderen drei klatschen Beifall)*

AMPHITRYON und SOSIAS: Äußerst treffend und genau beschrieben!

JUPITER: Ja?! Aber warum sind die Frauen so kindlich? Anthropologisch stellt sich hier die Frage nach dem Sinn. Sie sind es, weil sie dazu ausersehen sind, während der überlangen Kindheit des Menschen mit Kindern umzugehen, ohne dabei zu verzweifeln. Sie müssen selbst hinreichend kindlich sein, um mit Kindern auszukommen, um Kinder interessant zu finden. Das ist der wesentliche Unterschied, und hier werde ich ansetzen.

SOSIAS: Ich glaube, ich beginne zu verstehen.

AMPHITRYON: Ach ja? Dann geht das schneller als bei mir. Ich könnte noch etwas Hebammenkunst vertragen. Bei mir haben nicht einmal die Wehen eingesetzt!

SOSIAS: Im Prinzip hatte Alkmene nicht ganz unrecht, die Frage danach, was heute nacht geschah, mit dem Problem der Emanzipation zu koppeln. Das läuft alles darauf hinaus, von wem die Kinder stammen!

AMPHITRYON *(versteht noch immer nicht)*: Aha. *(Pause)* Wieso?

MERKUR *(erklärend)*: Sicher ist nur, daß das Kind eine Mutter hat, und welche. Wer jedoch jeweils der Vater ist, das ist nie ganz sicher und muß deshalb durch sozialen Konsens eigens festgelegt werden. Das ist wie bei den Begebenheiten dieser Nacht: die Vaterschaft ist auf nichts gegründet außer auf den Mythos. Der Mythos aber ist der Anfang der Geschichtsschreibung, und die Geschichtsschreibung ist nichts als Legitimation, die feststellt, daß, was sein soll, auch so war.

JUPITER: So ist es, all das gehört zusammen. Das Junktim, das Alkmene hergestellt hat zwischen dem, was letzte Nacht geschah, und der Emanzipation der Frauen, soll ihr zur Probe werden. Die Frauen können ihre Rechte haben, doch müssen sie dafür bezahlen. Was zu welchem Preis sie haben wollen, das müssen sie auch selbst entscheiden! Wir werden so die Nacht der Mißverständnisse mit einer fairen Probe für Männer, Frauen und Götter enden lassen. Das fordere ich von euch und nehme mir das Recht dazu mit dem Wagnis, daß ich meinen Ruf als Göttervater mit aufs Spiel setz'. Wenn ihr eure Vorrechte als Männer einbüßt, verlier' auf lange Sicht auch ich die Herrschaft. *(Zu Amphitryon und Sosias)* Nun, seid ihr einverstanden? Verbindet ihr euer Los mit meinem, und vertraut ihr euer Schicksal meinen Händen an?

AMPHITRYON: Da liegt es ja schon sowieso.

SOSIAS: Und ob wir mit der Emanzipation gewinnen oder verlieren, ist ja noch nicht entschieden!

MERKUR: Die Ungewißheit ist der Preis, den ihr für den Versuch zahlt, als Götter aufzutreten.

JUPITER: Nun denn, zum Zwecke dieser Probe werd' ich mich in Jupiter zurückverwandeln. Ein Mensch zu sein, fällt einem Gott zwar schwer, und dafür braucht er Hilfe. Er selbst zu sein, vermag jedoch ein Gott allein.

Blackout

VIII. Der Konflikt

Liebe und Konflikt sind Zwillinge

Nach all diesen halbwegs guten Nachrichten kommt jetzt eine wirklich finstere. Versteht man die Liebe als Kommunikation, so ähnelt ihre Form am stärksten der des Konflikts. Gehen wir – in ernüchterter Stimmung – diese Parallelen zwischen Liebe und Konflikt durch: Zunächst einmal geht es im Konflikt wie in der Liebe nur um zwei Parteien, die alles, was sie sagen und tun, mit den Aktionen des anderen begründen. Beide Parteien behaupten dabei, nur zu reagieren. (Der andere hat angefangen.) Dadurch wird, wie in der Liebe, der Konflikt kreisförmig. Er eskaliert und schließt sich nach außen ab. Alles, was außerhalb des Konflikts passiert, wird nur noch nach dem beurteilt, was es für den Konflikt bedeutet. (Ist er für mich oder gegen mich?) Die Parteien sind so ausschließlich aufeinander fixiert, daß sie die Außenwelt völlig vergessen.

Das macht auch den Konflikt selbstbezüglich. So wie die Widersprüchlichkeit der Liebeskommunikation stets neuen Stoff für weitere Liebeskommunikation schafft, so produziert der Streit die Anlässe für weiteren Streit selbst. Man streitet sich deshalb bald nicht mehr über den ursprünglichen Anlaß, sondern darüber, wie man streitet. Wir alle kennen die Vorwürfe. Unfair! Laß mich doch mal ausreden! Das ist eine Lüge! Du unterbrichst mich immer! Das ist eine bodenlose Gemeinheit! Wie die Liebe hebt der Konflikt ab. Er sorgt selbst für seine Fortsetzung. Und er verhext die Optik. So wie in der Liebe die Konsensunterstellung einen Tanz der gegenseitigen Bestätigung auslöst, so wird der Konflikt ein Wettbewerb wechselseitiger Entwertung. So wie man in der Liebe sich gegenseitig bereichern will, will man im Konflikt einander schaden. Und so wie man in der Liebe den anderen als Spiegelbild der Ähnlichkeit erlebt, so erscheint im Konflikt jedem der Kontrahenten der andere als völlig von ihm verschieden. Das ist aber nur in der Innenperspektive so. Für die Zaungäste, die den Streit von außen beobachten, werden die Kontrahenten einander immer ähnlicher. Der Konflikt verwandelt sie.

So sind Liebe und Konflikt beide symmetrische Formen der Kommunikation. Sie sind autonom, benutzen als Betriebsstoff die selbstproduzierten Anlässe, grenzen sich deshalb als sich selbst verstärkende Wirbel von der Außenwelt ab, schaffen ein erhitztes Binnenklima und verwandeln die beiden Beteiligten so sehr, daß sie einander zu ähneln beginnen. Wie die Liebe macht auch der Konflikt blind – blind vor Wut. Und wie in der Liebe wird der Gegner zur wichtigsten Person im Leben: Ihm zu schaden wird das höchste Ziel. Sich gegen ihn zu wehren zum Lebensinhalt.

Das führt zu einer betrüblichen Konsequenz: Wenn die Liebe nicht funktioniert, kann sie ohne große Veränderung als Konflikt weiterlaufen. Und das passiert immer dann, wenn der Mann zu seiner Macho-Natur zurückkehrt. Das empfindet die Frau als Verrat. Sie weiß nicht, daß die Liebe für den Mann äußerst anstrengend ist. Eine Stilisierung, während der er aufmerksam, liebevoll und selbstvergessen ist. Der Konkurrenzstil wird für eine Weile an den Nagel gehängt wie eine Uniform nach dem Ende des Krieges. Der Mann entdeckt seine musische Seite. Er liest Lyrik. Er hört Musik. Es eröffnet sich ihm seine Innenwelt. Der Ehrgeiz tritt für eine Weile zurück. Seine Kumpel erkennen an ihm beunruhigende Symptome. Er wird weibisch. Er achtet mehr auf sein Äußeres. Man entdeckt ihn häufiger vor dem Spiegel. Er legt Wert auf gepflegte, elegante Kleidung. Er kommt nicht mehr zu den Klüngelrunden. Für die Intrigen der Bürogemeinschaft und den Sportclub hat er plötzlich keine Zeit mehr. Irgend jemand hat ihn in einem Blumenladen gesichtet. Er hält sich beim Sprücheklopfen merklich zurück und hat ganz seinen Sinn für schräge Witze verloren. Bei einer Gelegenheit tadelt er sogar die Roheit, die sich darin ausdrückt. Man hört solche Äußerungen mit Staunen.

Kein Zweifel: der Mann bereitet sein zeitweiliges Exil aus der Männergesellschaft vor. Die politischen Machtkämpfe interessieren ihn plötzlich nicht mehr. Er findet sie albern und unwichtig. Es ist, als ob er an einem Fieber litte. Und eines Tages erwarten ihn abends die Freunde vergebens. Er hat die Welt der Männer verlassen. Seine Geliebte hat ihn in ein menschliches Wesen verwandelt. Die klassischen Liebeskomödien beginnen häufig mit dieser Emigration der Männer. Sie kehren heim aus dem

Krieg und legen die Waffen ab. So wie in Shakespeares »Viel Lärm um nichts«.

Claudio: »O mein Fürst!
> Eh' Ihr den jetzt beendeten Krieg begannt, sah ich Sie mit
> dem Auge des Soldaten,
> dem sie gefiel. Allein die rauhe Tätigkeit
> ließ Wohlgefallen nicht zur Liebe reifen.
> Jetzt kehr' ich heim, und jene Kriegsgedanken
> räumten den Platz. Statt ihrer drängen nun
> sich Wünsche ein von sanfter, holder Art...«

Der Krieg wird zur Kontrastfolie für die Liebe. Dabei kehrt sich das Verhältnis zwischen Konflikt und Liebe um: die Liebe wird in den Begriffen des Krieges beschrieben. Er zieht aus, sie zu erobern. Sie leistet Widerstand. Da beginnt er mit der Belagerung. Doch sie schießt mit Liebespfeilen. Sie verwundet ihn, bis sein Herz aus vielen Wunden blutet. Und grausam wie sie ist, legt sie ihn in Ketten. Doch er überlegt sich eine Strategie. Er will die Stolze aus dem Hinterhalt angreifen und demütigen. Doch sie ist wachsam. Und so folgt Schlacht auf Schlacht. Er raubt ihr eine Locke und findet das eine ungeheure Beute. Sie führen Krieg um Symbole und um kleinste Eroberungen.

Shakespeare inszeniert seine Liebesdramen immer als Konflikt zwischen Liebe und Freundschaft. Dabei zeigt er den Mann auf der Grenze zwischen zwei Welten. Um der Liebe zu Julia willen hält Romeo Frieden mit der verhaßten Sippe der Montague. Um den Tod seines Freundes Mercutio zu rächen, opfert er die Liebe zu Julia. Genauso im »Kaufmann von Venedig«: Um die geliebte Portia zu erobern, bringt Bassanio seinen Freund in Lebensgefahr. Um ihn zu retten, setzt er die Liebe wieder aufs Spiel. Genauso geht es Benedick in »Viel Lärm um nichts« oder Valentine in »Die beiden Veroneser« oder Troilus in »Troilus und Cressida«. Wenn Shakespeares Helden sich verlieben, sehen wir sie schwanken zwischen Intimität und Männerhorde. Oder, in Shakespeares Sprache: zwischen Liebe und Ehre.

Dieses Schwanken befällt den Mann auch in der Realität, nachdem er eine Weile im Land der Liebe und der Frauen geweilt hat. Er sehnt sich

plötzlich wieder nach Schwarzbrot. Der Zauber der Verwandlung läßt für
ein paar Sekunden nach. Und er schlüpft für eine kurze Zeit zurück in
seine alte Identität. Sie entdeckt ihn am Telefon, wo er in einer breiten,
häßlichen Weise lacht, ein Ton, den sie von männlichen Gelagen kennt. Als
er auflegt, lächelt er, aber er sagt nicht, wer das war. »Wer war das?« hört
sie sich fragen und hätte sich auf die Lippen beißen können. »Och, niemand«, sagt er so obenhin, »ein alter Kumpel.«

»Kenne ich ihn?«

»Nein.« Sie wartet auf mehr. Doch da kommt keine Erläuterung, kein
weiterer Kommentar, einfach nur »Nein«. Und damit weht der erste kalte
Lufthauch durch ihr Verhältnis. Sein »Nein« signalisiert ihr: da gibt es
noch eine Welt, zu der sie keinen Zugang hat, die Welt der alten Kumpel,
die er nicht mit ihr teilt. Kennt sie ihn, den alten Kumpel? »Nein.« Als ob
eine Tür hinter ihm ins Schloß fiele.

Und sie weiß: Diese Welt wird sich ab jetzt häufiger bemerkbar machen. Und je häufiger und je länger das der Fall ist, desto deutlicher wird
hinter ihrem Geliebten der andere sichtbar werden, der Bewohner dieser
anderen Welt. Dieser Unbekannte, der eigentlich konkrete, richtige
Mensch, ein Mann mit Eigenschaften und Gewohnheiten, der mit beiden
Beinen im Acker der Realität steht – alle anderen scheinen ihn zu kennen, nur ihr erscheint er wie ein Usurpator ohne ein Recht auf Existenz.
Sie redet sich ein, er existiere gar nicht. Ihr Geliebter, das ist der wirkliche,
echte Mensch; der zauberhafte Verzauberte, das ist ihr wahrer Geliebter.
Sie weiß nicht, daß mittlerweile ihr Geliebter den Aufenthalt in ihrem
Reich der Liebe als außerordentlich anstrengend empfindet. Er möchte
mal kurz zur Erholung seine Kumpel aufsuchen. Nicht für immer, aber
mal, um sich wieder »normal« zu fühlen. Um mal ein paar Beleidigungen
auszutauschen und irgend jemand anzugreifen. Nur ein paar Muskel-
übungen, vielleicht eine kurze Intrige. Ein Abend mit den »Jungs« für eine
Pokerrunde im Hinterzimmer, nur um zu hören, was sie so treiben. Er hat
ja völlig den Kontakt verloren. Mal sehen, wie sie so ohne ihn klarge-
kommen sind. Nicht, daß er nicht sofort wieder zurückkehren würde,
aber so ein Saufabend kann ja nicht schaden.

Jetzt ist die Zeit gekommen, in der die Spannung innerhalb des Verhält-

nisses steigt. Er benimmt sich nicht mehr so wie am Anfang. Er wirkt unaufmerksam und abwesend. Munter wird er nur, wenn er die Zeitung lesen oder wenn er die Nachrichten hören kann. Er redet auffallend häufig
über sachliche Themen. Die trauten Zwiegespräche weichen längeren
Pausen und längeren Vorträgen über abseitige Gegenstände. Und dann geschieht es: Eine Kleinigkeit löst den Konflikt aus. Sie hat für beide Theaterkarten gekauft, ohne ihn vorher zu fragen, ob er am Wochenende etwas
vorhat. »Aber wir wollten doch alles gemeinsam machen!« wendet sie ein.
»Ja, aber freiwillig, nicht gezwungen«, entgegnet er finster. »Du aber versuchst mich zu kontrollieren!«

Da ist es heraus, das Stichwort. Wenn sie es kennt, würde sie jetzt wissen, daß er geistig ins Macho-Reich zurückgekehrt ist. Denn da herrscht
die Konkurrenz um die Macht. Das heißt, es geht um die Frage: Wer kontrolliert wen? Wenn sie das begreift, wird sie verstehen, daß er das, was für
sie Gemeinsamkeit und Nähe ausdrückt, als Versuche erlebt, ihn zu kontrollieren.

Und langsam sieht die Frau hinter dem Phantomliebhaber das häßliche
Gesicht des wirklichen Mannes auftauchen. Für sie bedeutet das Verrat an
der gemeinsamen Liebe. Sie erlebt es als die pure Bosheit. Und sie macht
ihm Vorwürfe. Das findet er unfair. Erst provoziert sie ihn, und dann klagt
sie ihn an. Und so nimmt denn der Konflikt seinen Lauf. Er wird jetzt um
so heftiger, als er selbst die Fortsetzung der Liebe mit umgekehrten Vorzeichen ist. Sie selbst hat schon eine Vorgeschichte. Der ganze Apparat des
Konfliktes steht schon bereit: die Gegner, die symmetrische Kommunikation und die emotionale Ladung. Nichts braucht sich zu ändern. Alle Elemente sind schon versammelt. Der Konflikt hat schon Fahrt, wenn er anfängt. Er beginnt mit einem fliegenden Start. Und der Grund für ihn ist er
selbst. Das ist die beste Rampe für einen Konflikt, eine Rückkopplung
mit sich selbst.

Der Rosenkrieg

Von nun an erleben sich beide als Verräter ihrer Liebe. Sie fühlt sich getäuscht. Er ist in Wirklichkeit ganz anders, ein Macho-Schwein. Jene Sensibilität des Anfangs, die Zärtlichkeit der ersten Begegnung – alles Heuchelei. In Wirklichkeit ist er ein Egoist der alten Schule. Die Liebe wird jetzt zur Kontrastfolie, vor deren strahlendem Hintergrund sich sein finsteres Wesen um so deutlicher absetzt. Welch eine Enttäuschung!

Und so läuft der Konflikt auf den Gleisen der Liebe rückwärts, getragen von ihrem Schwung. Je größer die Liebe, desto bösartiger später der Konflikt. Wieder begründet jeder seine Handlung mit der Handlung des anderen. Wieder behauptet jeder, nur zu reagieren. Wieder bezieht jeder die ganze Motivation ausschließlich vom anderen. Und so wird der Konflikt auch ein Mittel, die Beziehung fortzusetzen. Man kann auch nicht voneinander lassen. Die Liebe ist noch zu frisch, als daß man ihn nicht dafür bluten lassen müßte. Er soll wenigstens so viel leiden wie ich. Und es lächelt die Göttin der Symmetrie. So billig kommt er mir nicht davon. Winseln soll er, wie ich auch. Wenn ich schon immer an ihn denken muß, soll er auch an mich denken. Ich werde ihm ein Andenken verpassen, daß er mich niemals vergißt.

Bekanntlich sind Bürgerkriege die grausamsten Kriege. Was der Bürgerkrieg für die Gesellschaft, ist die Scheidung im Privaten. Der Bürgerkrieg zwischen zwei englischen Dynastien des 15. Jahrhunderts wurde »The War of the Roses«, der Rosenkrieg, genannt, weil die beiden führenden Häuser, Lancaster und York, die um die Krone Englands kämpften, je eine weiße und eine rote Rose im Wappen führten. Deshalb wurde in einem spektakulären Film mit Michael Douglas über eine Scheidung das zerstrittene Ehepaar mit Hausnamen Rose genannt, damit man dem Film den Titel »The War of the Roses« geben konnte. Er ist seitdem sprichwörtlich geworden.

So sind auch die Scheidungskriege oft schrecklicher als andere Konflikte. Weil die Intimität die Gegner schutzlos gemacht hat, wirkt ein Angriff besonders perfide. Entsprechend münden Scheidungen häufig in einem Amoklauf. Sie lösen immer wieder Massaker von irrsinnig werdenden Männern aus. Ein erschreckend großer Prozentsatz der Mütter, die um das Sorgerecht und also auch um ihren Versorgungsanspruch kämpfen, beschuldigen ihre Männer fälschlich des sexuellen Mißbrauchs der Kinder. Die Liebe scheint der beste Vorlauf für wirklich schlimme Kriege.

Die Bösartigkeit solcher Kriege könnte vielleicht durch die Einsicht gemildert werden: Ein Mann verändert sich durch die Liebe viel stärker als eine Frau. Wenn sie das Ausmaß dieser Verwandlung als beglückend erlebt, weil sie es ihrer magischen Wirkung zurechnet, darf sie sich nicht über den Unterschied zwischen dem Phantomliebhaber und dem wirklichen Menschen beklagen. Je mehr der Mann sich in der Liebe verwandelt, desto größer die Fallhöhe des Rückfalls. Solange es dauert, bringt er die größere Leistung. Aber es dauert nicht so lange. Auch hier ist wieder die Parallele zur sexuellen Erregungskurve auffällig. Auf seiten der Frauen gibt es Enttäuschungen. Soviel Aufwand, so viele Versprechungen und dann solch ein Absturz! Diese Reaktion ist verständlich, aber unlogisch. Statt dessen müßte es heißen: solch ein Aufwand, so viele Versprechungen und deswegen dieser Absturz.

Und man muß wissen: Das, was eine Frau in der Liebe als Eigenschaften des Geliebten wahrnimmt – diese wunderbare Zärtlichkeit, diese hinreißende Sensibilität –, ist in Wirklichkeit der Form der Kommunikation geschuldet. War es der große Gustav Württemberger, der sagte: »Nicht der Mensch kommuniziert mit dem Menschen, sondern es ist die Kommunikation, die kommuniziert?« Das klingt etwas fremd, aber in der Liebe kommt es der Realität ziemlich nahe. In ihr verselbständigt sich die Kommunikation durch interne Beschleunigung zu einem Wirbel, und dann sucht sie sich dazu Personen als ihre Träger. Liebe ist Kommunikation auf der Suche nach Menschen. Hat sie ein Paar eingefangen, werden sie immer gleich. Die Liebe wirkt wie eine heftige Strömung, die das Schilf in eine Richtung biegt. Diese Richtung als die individuelle Neigung eines jeden Schilfhalms zu verstehen, wäre ganz und gar abwegig. Gerade in der Strömung können wir nicht sehen, wohin sich das Schilfgras gerne neigen möchte. Das bemerken wir erst, wenn die Strömung aufhört.

Vielleicht läßt sich diese Verselbständigung der Kommunikation am Konflikt noch besser begreifen. Gerät irgend jemand in einen Konflikt, wird er aggressiv, unabhängig davon, ob er sonst eher friedlich oder kämpferisch ist. Fletscht der Gegner die Zähne, tut er das auch. Wer aber tut, was der Gegner tut, an dem erkennen wir nicht mehr seine Eigenschaften, sondern wie ihn die Dynamik des Konflikts verändert. Das ist auch in der Liebe so. Die Liebe macht den Mann unsichtbar. Er wird zu einem Phantom, dem die Frau später nicht verzeihen kann, daß er nicht der wirkliche Mann ist. Sie kann nicht begreifen, daß die Eigenschaften, die sie so an ihm schätzte, nicht ihm gehören, sondern der Liebe. Und sie versteht es nicht, weil sie die Liebe nicht als Kommunikation versteht.

Weil die Liebe die gleiche Struktur wie der Konflikt hat, schlägt sie bei der leisesten Enttäuschung in den Konflikt um und kann dann in dieser Form weitermachen. Der Konflikt ist dann die zweite Phase der Liebe. Die meisten von uns kennen mehr Paare, die in einem soliden Dauerkonflikt leben, als solche, die sich lieben. Tatsächlich scheinen – was die Stabilität betrifft – Konflikte wesentlich verläßlicher zu sein als die Liebe. In vielen Fällen, wenn nicht in den meisten, ist der Konflikt natürlich die Inversion der ermordeten Liebe. Er ist ihre radikale Kehrseite. Und darin selbst Grund seiner eigenen Existenz. Er ist der mephistophelische Begleiter des Liebesgottes. Der Geist, der stets das Gute will und stets das Böse schafft. Er mästet sich am Kadaver der Liebe.

Der Konflikt als zweite Phase der Liebe und die Liebe als erste Phase des Konflikts

Die Liebe hat also in der Regel zwei Phasen: die Liebe selbst als Aufbauphase und den Konflikt als Phase des Abbaus. Entweder geht dann das Verhältnis auseinander, und dann ist man mit einem blauen Auge davongekommen. Oder man zieht zusammen und heiratet, und dann fällt die Abbauphase mit dem Beginn der Ehe zusammen.

Das ist die Phase des Realismus. Zahllose praktische Dinge müssen geregelt werden. Eine Wohnung wird bezogen und eingerichtet, der Alltag organisiert, die Hausarbeit zugeteilt, und es wird geregelt, wer welcher Arbeit nachgeht und wie das Geld verwaltet und zugeteilt und wofür es ausgegeben oder gespart wird. Das Leben zu zweit muß vollständig neu organisiert werden. Das ist die Zeit, auf die sich manch eine Frau gefreut hat. Jetzt baut sie sich ihr eigenes Nest. Erst jetzt macht sie sich von ihrer Mutter unabhängig. Jetzt kann sie zeigen, was sie alles anders macht. Sie genießt die Beratschlagung mit Freundinnen. Ein kreativer Rausch nimmt von ihr Besitz. Soll sie die blauen Vorhänge nehmen oder die grünen? Und der Teppichboden: der dunkle sieht so umwerfend gut aus, aber ist er auch nicht zu empfindlich?

Mit solchen Fragen möchte sie ihren Mann am Nestbau beteiligen. Sie hat sich auf diese Gemeinsamkeit gefreut. Da kann sie unter seinem Blick ihre hausfrauliche Zauberkunst entfalten und vorführen, wie ein geschmackvolles Heim eingerichtet wird. Welche Wonne, es anders zu machen als ihre Eltern oder ihre Freundinnen! Sie hat ja schon so viele Ideen! Und ihr Mann hat doch auch gezeigt, daß er sich für solche Dinge interessiert. Hat er sie nicht ständig beim Window-Shopping begleitet?

Sein Verhalten entspricht allerdings so gar nicht ihren Erwartungen. Bei ihren Vorschlägen wirkt er seltsam abwesend. Auf ihre Fragen antwortet er ohne Enthusiasmus. Ja, man könnte seine Antworten einsilbig nennen, ohne die Wahrheit allzusehr zu verbiegen. Die spannende Frage, ob sie den dunklen oder den hellen Teppich nehmen soll, scheint ihn weitgehend kaltzulassen. Er wirkt bei all ihren Fragen irgendwie unbeteiligt. Ob ihn das gar nicht interessiert? »Entscheide du das«, antwortet er in einem Ton, als ob das der Gipfel der Großzügigkeit sei. Sie will die Einrichtung aber nicht allein aussuchen, sondern mit ihm zusammen. Schließlich besteht darin der Sinn der Ehe: sich eine gemeinsam bewohnte Welt zu schaffen. Aber gerade dieses Thema scheint ihn zu deprimieren. Je mehr Enthusiasmus sie dabei entfaltet, desto einsilbiger wird er. Manchmal sieht es gerade so aus, als sei er dem Erstickungstod nahe. Dann zieht er schleunigst die Jacke an, sagt, er müsse mal an die Luft und verschwindet. Und sie fragt sich, was das zu bedeuten hat. Ob er vielleicht krank ist? Ob ihn eine Neurose quält, etwas, das aus seiner Kindheit zurückgeblieben ist? Oder ob sie etwas falsch macht?

Was sie nicht weiß, ist, daß das Gebiet der Wohnungseinrichtung für ihn ein unbekanntes Gelände ist. Daß ihre Sachkunde, ihre differenzierten Kenntnisse, ihr Urteilsvermögen ihn hoffnungslos überfordern. Daß ihr Enthusiasmus ihn auf die hohe See der Desorientierung hinaustreibt wie eine tückische Strömung. Und daß er sich dort hilflos und verloren vorkommt. Das ist er nicht gewohnt. Er fühlt sich schwach. Sozialisiert in den Künsten der Konkurrenz und des Gerangels um Status, erlebt er ihre Anläufe, ihn einzubeziehen, als Versuche, ihn zu erniedrigen, zu unterjochen, sein Leben zu organisieren und unter ihre Kontrolle zu bringen. Indem sie ihn dazu zwingt, sich mit der Farbe des Teppichs und der Anzahl der Untertassen im Kaffeeservice zu beschäftigen, versucht sie, ihn auf die Dimensionen eines Puppenhauses zu reduzieren. Dabei ist seine Bühne die Welt. Er muß noch an der Rede über das Flüchtlingsproblem für die UNO feilen. Sie aber belemmert ihn mit der Farbe der Vorhänge. »Was weiß ich?« ruft er entnervt. »Meinetwegen nimm welche mit sämtlichen Farben des Regenbogens!« Er kommt sich vor wie Gulliver, der unter dem Kommando seiner Frau von einer Armee von Liliputanern gefesselt wird. Kein Zweifel, sie möchte ihn kleinmachen. Er soll auf Pantoffelformat zurückgeschnitten werden. Sie bombardiert ihn mit einer Fülle von Details. Wie soll die Tapete im Schlafzimmer aussehen? Lassen wir das Bad ganz umbauen? Sollen wir im Schlafzimmer die Schalter mit Dimmern versehen? »Dimmer?« »Ja, das wäre doch schön: Dimmer im Schlafzimmer.« »Wieso?« »Wieso, fragt er. Hörst du mir überhaupt zu?« »Ja, sicher, du willst Dimmer im Schlafzimmer. Ach so, Dimmer!« »Endlich hast du's kapiert. Was ist los mit dir?« »Nichts. Was soll mit mir los sein?« »Ach, vergiß es!« »Was hat sie nur wieder?«

»Und was hat er bloß?« wird sie sich fragen. Nun, die Sache ist einfach. Er fühlt sich durch ihre Überlegenheit eingeschränkt. Eingeengt, eingepfercht und gefesselt. Sein Leben wird neu organisiert, aber nach ihrem Geschmack. Er selbst ist wie eine Krähe beim Nestbau: unwählerisch, denn sie kann dafür alles an Materialien benutzen, vom traditionellen Birkenzweig bis hin zur Plastiktüte und zum Styropor-Fragment. Insofern ist er zwar vulgär und geschmacklos, aber frei. Sein Prinzip ist die sachliche

Funktionalität. Alles wird genommen, was paßt, und dafür wird nicht lange gefackelt.

Die Frau dagegen ist wie eine Grasmücke, die für ihr Nest fünfzig verschiedene, genau vorgeschriebene Gräser braucht. Für sie ist das Nest ein Kunstwerk. Ihre Wahrnehmungsfähigkeit ist gegenüber der seinen ungeheuer differenziert. Dabei vermitteln sich Funktionalität und Geschmack. Sie baut sich eine Umwelt, an der man ihr Wesen ablesen kann. Dabei vergißt sie, daß es nicht seine Umwelt ist. Wird sie die Einrichtung allein bestimmen, wird er später in den Hobbykeller, die Werkstatt, die Garage oder das Arbeitszimmer auswandern.

Die Einrichtung ihres gemeinsamen Lebens erlebt also der Mann als langsame Fesselung. Will sie ihn an allem beteiligen, fühlt er sich auf ein Bonsai-Format reduziert. Dann wird er sich irgendwann von dem Gespinst befreien, das seine Glieder umgibt, und seine Fesseln sprengen. Das geschieht entweder durch Flucht oder durch einen Konflikt. Und wie in der Liebe ist die Form des Konflikts nicht mehr zu durchschauen, wenn sie in ihm stecken.

Hier gilt: Derjenige hat den Konflikt schon gewonnen, der weniger Angst vor ihm hat. So kann der Konfliktscheuere mit der Androhung eines Konflikts erpreßt werden.

Wie Männer Konflikte erleben

In der Regel ist der Mann durch seine männliche Sozialisation wesentlich besser an Konflikte gewöhnt als seine Frau. Für sie ist der Streit eine kleine Katastrophe. Für ihn ist er normal. Männer haben aufgrund ihres spielerischen Kampftrainings den Konflikt ritualisiert. Das heißt, er wird gewissermaßen durch ein Regelsystem beherrschbar gemacht. Zu den ungeschriebenen Regeln gehört: Der Konflikt wird als eine eigene, selbständige Sozialform durchschaut. Dann kann man ihn behandeln wie ein Fußballspiel. Er fängt an, man kämpft gegeneinander, vielleicht gibt es eine Pause, der Kampf bleibt innerhalb des Spielfelds, man bricht nicht die Regeln, Fouls kommen zwar vor, gelten aber als unanständig, und wenn beide erschöpft sind, hört man wieder auf. Will jemand ausscheren, wird die Einhaltung der Regeln durch die Zuschauer erzwungen. Wenn der Konflikt zu Ende ist und feststeht, ob das Ergebnis Sieg, Niederlage oder Unentschieden heißt, muß der Konflikt auch beendet sein. Das heißt, beide müssen sich auf ein Ende verständigen. Nachtreten gilt nicht. Wer noch kämpft, während der andere schon unter der Dusche steht, verliert sein Gesicht. Das gilt sowohl im Sport als auch in der Politik. Da Männer das alles wissen, haben sie keine überwältigende Angst vor Konflikten. Er bestimmt ja den Sozialstil der Männerhorde.

Wir wissen nun schon, daß das alles für Frauen nicht gilt. Sie halten Konflikte mit dem für unvereinbar, was für sie Intimität ausmacht: wechselseitige Selbstauslieferung, Nähe, Schutzlosigkeit, Verletzlichkeit und Harmonie. Sie erleben deshalb den Konflikt als eine Art Verrat, als einen unfairen und empörenden Vertrauensbruch. Das ist schon schlimm genug. Aber zwei weitere Gesichtspunkte sorgen dafür, daß der Konflikt zur richtigen Katastrophe wird.

1. Der Konflikt ist der Anfang vom Ende der Liebe. Zum ersten Mal zerreißt der Schleier der Illusion, und sie sieht die häßliche Fratze ihres Mannes. Und wie Titania aus dem »Sommernachtstraum« ruft sie aus: »Oh, wie meine Augen sein Gesicht verabscheuen!«

2. Die Frau nimmt dem Mann nicht nur seinen Widerstand, sondern auch den Konflikt selbst übel. Denn sie versteht Konflikte nicht als notwendiges Übel des Lebens. Und schon gar nicht kann sie sie mit ihrer Vorstellung von Intimität vereinbaren. Also macht sie ihren Mann für den Konflikt selbst verantwortlich. Da sie ihm den Streit also als Missetat zurechnet, hat er sie in ihren eigenen Augen viel stärker verletzt, als er ahnt. Entsprechend erbittert schlägt sie zurück. Das überrascht nun wiederum ihn, der sie zugleich für überempfindlich und bösartig halten muß. Es wäre also für jede Frau ein Segen, wenn sie wüßte: Männer finden Konflikte nicht so entsetzlich. Dabei setzen sie voraus, daß der Konflikt nicht ewig dauert, daß die Gegner ihn sich nicht persönlich zurechnen und daß er nach dem Ende des Konflikts in gemeinsamer Kameraderie in einem humoristischen Ritual oder einer Sauferei begraben wird. Weil ihr Mann

einen Konflikt für weniger bedrohlich hält, wird er ihn leichter riskieren, ihn aber auch leichter beenden.

Das alles aber ist auch der Grund, daß ihn ihre Reaktion (sie ist tief verletzt) entweder erbittert oder hilflos macht. Auf jeden Fall ist er sie nicht gewohnt und kreidet sie ihr an. Er verbucht sie deshalb unter den Rubriken »hypersensibel«, »überempfindlich«, »übertrieben«, »hysterisch« oder »heuchlerisch«.

An sich ist der Mensch so konstruiert, daß seine Vorstellung von Gerechtigkeit durch die Idee der Symmetrie, der Äquivalenz und des Ausgleichs bestimmt wird. Wer gesündigt hat, muß büßen, wer jemand geschädigt hat, muß Wiedergutmachung leisten, wer ein Verbrechen begangen hat, wird bestraft, wer aber etwas Gutes getan hat, dem wird gedankt. All diesen Mustern liegt die Vorstellung der Äquivalenz zugrunde. Das Ausmaß der Strafe muß der Schwere des Verbrechens entsprechen. Wer einen spöttischen Witz mit einem Nervengasangriff beantwortet, findet wenig Verständnis. Aber es gibt Leute, die eine gewisse Schlagseite haben. Sie verbinden höchste Dünnhäutigkeit mit äußerster Derbheit, wenn sie selber zuschlagen. Der Schriftsteller Arthur Koestler hat für solche Menschen den Begriff »Mimofant« geprägt: zur Hälfte Mimose, zur Hälfte Elefant im Porzellanladen. Fast jeder Konflikt zwischen Mann und Frau führt beide zu der Auffassung: Mein Mann/meine Frau ist ein/e Mimofant/in. (Bitte Zutreffendes ankreuzen!) Das ist dasselbe, was Hunde und Katzen voneinander denken. Sie wissen nicht, daß sie verschiedenen Gattungen angehören, und halten sich gegenseitig für Mimofanten.

Die Angst vor dem Konflikt

Nun enthält der Konflikt noch mehr Tücken, ja, er ist geradezu ein Minenfeld von Paradoxien, die schwer durchschaubar sind. Wir haben gesehen, daß der Konfliktscheuere schon durch die Androhung eines Konfliktes zum Nachgeben gezwungen wird. Die Konfliktscheu in der Ehe hat aber auch noch eine andere Komponente. Sie hängt davon ab, ob sich die

Auffassung der Partner von Liebe und Intimität mit dem Vorkommen gelegentlicher Keilereien verträgt. Herrscht hier Übereinstimmung in den Erwartungen, gibt es keine Probleme. Dann verträgt eine Ehe durchaus ein gerüttelt Maß an Kampfhandlungen. Wichtig ist, daß sich beide einig sind. In seinem Roman »Kontrapunkt des Lebens« hat Aldous Huxley ein ideales Ehepaar vorführen wollen und dabei ein Porträt von D. H. Lawrence und seiner Frau Frieda von Richthofen geliefert. Interessanterweise zeigt er die beiden während eines Konflikts. Als im Laufe einer Diskussion seine Frau Mary dieselben Ansichten wie ihr Mann Mark äußert, fährt dieser ihr über den Mund.

Mark: »Um Himmels willen, halt den Mund!«

Mary: »Aber ist es nicht das, was du selbst immer sagst?«

Mark: »Was ich sage, ist, was ich sage. Es ist ganz etwas anderes, wenn du es sagst.«

Mary: »Na gut, Logik war nie meine starke Seite. Aber ein bißchen mehr Höflichkeit mit deinen Kommentaren in der Öffentlichkeit könntest du schon zeigen.«

Mark: »Idioten verursachen mir eben Magenschmerzen.«

Mary: »Gleich verursacht einer dir noch ganz andere Schmerzen, wenn du nicht aufpaßt.«

Spandrell (ein weiterer Diskussionsteilnehmer): »Wenn du einen Teller nach ihm werfen möchtest, nimm keine Rücksicht auf mich!«

Mary: »Das würde ihm guttun. Er wird so aufgeblasen.«

Mark: »Und dir würde es nicht schaden, wenn ich dir ein Veilchen verpassen würde.«

Mary: »Versuch's doch. Ich nehm's mit dir auf, selbst mit einer Hand auf den Rücken gebunden.«

Sie brechen alle in Lachen aus.

Und dann heißt es über die Reaktion von Spandrell: »Er blickte von einem zum andern – von dem dünnen, wilden, unbezähmbaren kleinen Mann zu der großen goldenen Frau – jeder für sich genommen war schon gut, aber zusammen als Paar waren sie noch besser.«

Ihre Ansichten darüber, wieviel Aggressivität eine intime Beziehung vertragen kann, entsprechen einander. Fatal wird es, wenn hier die Erwartungen auseinanderklaffen. Und wer es dann mit seiner Auffassung von Liebe und Intimität nicht vereinbaren kann, daß der Partner eine gehörige Prise Aggressivität beimischt, wird die Konflikte eher vermeiden wollen und hat damit schon den kürzeren gezogen.

Die größere Konfliktscheu des friedlicheren Partners ist also die Markierung, an der sich das Verhalten eines Ehepaares einpendelt. Dann wird das Verhältnis asymmetrisch oder komplementär. Der eine gibt immer nach, und der andere setzt sich immer durch. Man könnte nun meinen, aufgrund ihres Trainingsvorsprungs in der Sparte der Konkurrenz würden in der Regel die Männer weniger konfliktscheu sein und sich durchsetzen. Und häufig ist das auch der Fall. Das ergibt dann den typischen Ehestil, wie wir ihn aus der Vergangenheit kennen: Der Mann, der von keinem Widerstand mehr kontrolliert wird, wächst sich langsam zu einem autoritären Ekel aus. Seine Frau dagegen nimmt ihn als Kommunikationspartner nicht mehr ernst, sondern behandelt ihn nur noch wie einen bösartigen, unberechenbaren Tyrannen, den man mit gewissen Tricks und speziellen Beruhigungstechniken friedlich halten kann. Die Kommunikation der Ehe stabilisiert sich dann an der Druckobergrenze eines Explosivkörpers: Weil er jederzeit explodieren kann, legt er das Verhalten der anderen Familienmitglieder darauf fest, die Explosion ständig zu vermeiden. Das setzt die Familie in einen latenten Alarmzustand und führt zu schweren Deformationen des Verhaltens.

Der Mann, der seine Überlegenheit seiner Konfliktfähigkeit verdankt, wird seinerseits die Friedlichkeit seiner Frau nicht honorieren. Im Gegenteil. Da für ihn der Konflikt eine Form sich auszudrücken darstellt, empfindet er ihre Vermeidungsstrategie als eine Kommunikationsverweigerung. Um sie zu einer Reaktion zu bewegen, wird er deshalb zunächst die Provokation erhöhen und sie noch stärker beleidigen. Entweder setzt sie sich dann zur Wehr. Dann wird sich das Verhalten der Familie an diesem Konfliktniveau orientieren. Oder die Frau weicht weiter aus und läßt sich eher völlig erniedrigen, als einen Konflikt zu riskieren. Dann wird er sie latent verachten und wie einen Putzlappen behandeln. Sie haben sich dann beide aufgegeben, und sie bestätigen einander in ihrer wechselseitigen Verachtung.

Für die Frau ist ihr Mann zu einem Monster geworden. Dies Monster hat sich zu einem gruseligen Typ ausgewachsen, den wir nun in der Typengalerie besichtigen wollen.

Elfter Abstecher in die Porträtgalerie der Männertypen: Der Haustyrann und seine Frau

Dieser Typ muß alles unter Kontrolle halten. Das gilt primär für seinen Körper und seine Gefühle. Nur so kann er sich seiner Abgrenzung gegenüber allem Femininen sicher sein. Er neigt deshalb zur Starre und zur Verpanzerung. Alles Weibliche erscheint ihm flüssig. Dagegen muß er Dämme aufrichten. Ihm geht es also um die Sicherung seiner Körpergrenzen. Er neigt daher zur Angst vor Beschmutzung, zum Ekel, zur Furcht vor Berührungen, zu Allergien und zur Infektionspanik.

Zugleich muß er seine unmittelbare Umgebung unter Kontrolle haben. Das betrifft sowohl den Raum als auch die Zeit. In seinem Umfeld achtet er auf eine pedantische Ordnung. Wenn etwas verlegt wird, rastet er aus. Bei unangemeldetem Besuch gerät er in Panik. Kinder, die alles anfassen, sind ihm ein Greuel. Hunde findet er anarchisch und verfolgt sie mit Feindschaft. Wenn er Tiere mag, dann allenfalls Katzen, die sachte herumschleichen und nichts umwerfen. Alles muß bei ihm einen festen Platz haben, und wehe, er findet den Briefbeschwerer nicht da, wo er ihn hingelegt hat.

Nur wenn er das Gefühl hat, alles unter Kontrolle zu haben, ist er einigermaßen ruhig. Deshalb erschrecken ihn plötzliche Geräusche. Im ersten Moment kann er sie nicht orten, und deshalb glaubt er, daß in der Nähe vielleicht eine Mine hochgeht. Das aber signalisiert ihm, daß er den Überblick verloren hat.

Die Kontrolle über sein unmittelbares Hoheitsgebiet ist also das Fundament, auf das sein Sicherheitsgefühl gegründet ist. Es erfüllt die Funktion einer Mauer. Dadurch kann er Abstand halten. Jede Übertretung empfindet er als Invasion. Darauf reagiert er gereizt. Seine Ordnung ist sein Alarmsystem. Wird sie verändert, kann das nur heißen, daß ein Fremder eingedrungen ist und seine Spuren hinterlassen hat.

Das gleiche gilt für die Zeit. Sie ist bis ins Detail verplant. Er schätzt die Routine. Nichts darf sich daran ändern. Jede Handlung hat den für sie vorgesehenen Platz. Sein Leben verläuft nach der Uhr. Nichts wird dem Zufall überlassen. Für spontane Reaktionen ist da kein Raum. Für Improvisationen auch nicht. Überraschungen sind bedrohlich. Den Tageslauf hat er ebenso unter Kontrolle wie die unmittelbare Umgebung.

Deshalb kann er die Nähe anderer Menschen nur schwer ertragen. Intimität ist für ihn nur dann möglich, wenn er die Kontrolle behält. Frauen muß er unterwerfen. Aber auch wenn er seine Lebensabschnittsgefährtin völlig versklavt hat, stellt sie eine latente Bedrohung dar. Als potentielle Störungsquelle ist sie eine ständige Irritation. Er wird sie mit Mißtrauen verfolgen. Sein Leben besteht darin, sie zu überwachen. So wird er zum Tyrannen.

Für seine Gefährtin wird das Leben mit ihm zur Qual. Die Ehe wird zu einem totalitären System. Sie unterliegt der polizeilichen Überwachung. Die Vorschriften sind so engmaschig, daß man sie übertreten muß. So wird sie sich ständig schuldig fühlen. Sie wird anfangen, auf Zehenspitzen zu gehen. Wie in einer Diktatur wird sie vermeiden, die Aufmerksamkeit der Obrigkeit auf sich zu ziehen. So wie er sie beobachtet, wird sie ihn beobachten, ob er sie beobachtet. Sie wird immer unauffälliger. Sie versucht sich in Luft aufzulösen. Sie nimmt sich zurück, bis sie selbst das Gefühl verliert zu existieren.

Und sie zittert, wenn sie ihm in die Quere kommt. Jede Selbständigkeit von ihrer Seite erlebt er als Angriff. Jede spontane Regung als Bösartigkeit. Jede Störung der Ordnung als Eröffnung von Feindseligkeiten. Das treibt ihn in einen Beziehungswahn. Nichts kann geschehen, ohne daß er es als absichtliche Schikane erlebt, eigens erdacht, um ihn zu erschrecken. Sie weiß doch, daß er es nicht ertragen kann, wenn die Balkontür quietscht. Welche Bosheit, daß sie trotzdem auf den Balkon geht! Schon schießt ihm das Adrenalin ins Blut, und er brüllt: »Mußt du unbedingt jetzt die Scheißblumen gießen?« Wenn er richtig in Fahrt ist, stürzt er auf den Balkon und wirft die Blumen hinunter. Ein anderes Mal hat sie wieder zwei Lexikonbände vertauscht. E–F statt S–T. Kein Wunder, daß er sie nicht finden konnte! Da kann er ja lange suchen! Wie oft hat er ihr schon gesagt, daß er das haßt! Aber sie kümmert sich ja nicht um das, was er wünscht! Da muß er mal andere Seiten aufziehen! Er muß sich deutlicher ausdrücken! Daß sie es sich ein für allemal merkt! Er brüllt: »Sabine, was hast du mit den Lexika gemacht?« Sie kommt zitternd herein und sieht ihn an: »Mit den Lexika?« »Was glotzt du mich so an?« brüllt er und schleudert sie gegen das Bücherbord. »Da stehen die Lexika! Sieh dir gefälligst an, was du für ein Chaos angerichtet hast!« Sie steht mit dem Rücken gegen das Bücherbord und erwartet mit weitaufgerissenen Augen einen weiteren Angriff. »Hast du nicht gehört? Da sind die Lexika!« brüllt er und zeigt an ihr vorbei auf die Bücher. Dann packt er sie am Arm, dreht sie gewaltsam herum und knallt sie mit der Stirn gegen die Bücherwand. »Hier sind sie, falls du das vergessen haben solltest! Und ich wünsche nicht, daß man sie vertauscht!« Sie schluchzt. Er schüttelt sie und stößt ihren Kopf wiederholt gegen das Bücherbord, bis sie blutet. »Hast du das kapiert, du Schlampe! Hast da das kapiert? Hast du es jetzt verstanden? Ich will nicht, daß man sie vertauscht! Verdammt, du versaust mir mit deinem Blut ja die ganzen Bücher!«

Wie in einer Diktatur ist der Tyrann gewalttätig. Er regiert mit Terror. Seine Wutanfälle rechnet er sich nicht selbst zu. Sie sind ihm doch aufgezwungen! Anders kann er sich ja nicht verständlich machen! Eine andere Sprache scheint sie nicht zu verstehen! Er muß so reagieren! Sonst verliert er die Kontrolle! Und das Chaos bricht aus! Wenn sie die Lexika nicht vertauschen würde, wäre das alles nicht nötig! Das ist doch nur so ein kleiner Wunsch! Das ist doch wirklich nicht zuviel verlangt! Aber nein, nicht mal diesen Wunsch kann sie ihm erfüllen! Muß er eben deutlicher werden! Sie selbst hat es so gewollt!

Daß viele Frauen sich diese Art Gewalttätigkeit gefallen lassen, ist ein monströses Rätsel. Man hat es sich damit erklärt, daß sie sich für ihre Männer genieren. Daß sie deshalb nicht an die Öffentlichkeit gehen und Hilfe suchen. Oder daß sie dem Wahn anhängen, sie könnten ihn durch ihre Liebe erlösen. Außerdem hat man herausgefunden, daß solche Frauen wieder Gewalttäter heiraten, die auch tyrannische Väter hatten. Daß diese Väter in ihnen die Erfahrung befestigt haben, daß Gewalt und Liebe zusammengehören.

Aber es spielt wohl etwas anderes noch eine Rolle. Tyrannen errichten mit ihrer pedantischen Ordnung ein Wahnsystem. Ihm wird auch die Frau unterworfen. Sie paßt sich an. Sie lernt in dieser Ordnung zu leben. Weil alle spontanen Beziehungen diese Ordnung bedrohen, bricht der Tyrann alle sozialen Kontakte ab. Seine Sicherheitszone wäre damit nicht vereinbar. Gute Bekannte oder gar Freunde gibt es nicht. Da sie niemanden einladen, werden sie auch nicht eingeladen. Weil sie sich geniert, ist ihr das recht. Nach und nach werden sie völlig isoliert. Ihr Leben gleicht immer mehr dem Aufenthalt in einer totalen Institution. Eine totale Institution ist eine Einrichtung mit einer totalitären Ordnung, die die Insassen zugleich isoliert und total erfaßt: etwa eine Irrenanstalt, ein Krankenhaus, ein Gefängnis oder ein Konzentrationslager.

Nach einiger Zeit verhält sich die Frau wie ein Häftling. Und sie empfindet auch so. Die totalitäre Ehe ist für sie die einzige Welt, die sie kennt. Die Welt draußen wird zunehmend unwirklich. Sie wird als diffus erlebt. Die Vorstellung, das Zwangssystem zu verlassen, macht ihr Angst. Und zu dem Tyrannen entwickelt sie eine perverse Zuneigung. Die Gewalttätigkeit ist nämlich eine eigenartige Form der Intimität. Sie muß ihn ständig beobachten. Sie lernt, die Welt aus seiner Perspektive zu sehen. Nur so kann sie seine Reaktionen vorwegnehmen. Sie empfindet mit ihm und gegen sich selbst. Sie nimmt sich zurück und erfährt sich, wie er sie erfährt: als Störung. Sie entwickelt das Selbstgefühl, das ständige Mißhandlungen hervorbringt. Sie fühlt sich als der letzte Dreck.

Der Tyrann zerstört nach und nach ihr Ich. Und setzt sein eigenes an die Stelle. Sie vergißt, daß sie eigene Wünsche hat. Sie hat keine Bedürfnisse mehr. Dabei verfällt sie einem Automatengehorsam. Sie ist gewissermaßen ferngesteuert. Man kennt derartige Identifikationen mit dem Angreifer aus der Erfahrung mit Opfern von Geiselnahmen. Diese werden durch den Terror so traumatisiert, daß sie eine Art perverse Intimität mit den Folterern verspüren.

Auf jeden Fall entwickelt die Frau eines Gewalttäters mit der Zeit eine solche Bindung an ihren Haustyrannen, daß es außerhalb seiner Ordnung gar keine Welt mehr für sie gibt. Für die gilt, was Rilke über den Panther im Käfig sagt: »Sein Blick ist vom Vorübergehn der Stäbe / so müd geworden, daß er nichts mehr hält. / Ihm ist, als ob es tausend Stäbe gäbe, / und hinter tausend Stäben keine Welt.« Die Vorstellung, sie sollte diese Welt verlassen, löst deshalb intensive Ängste aus. Sie reagiert wie ein Knastbruder, der nach fünfzehn Jahren entlassen werden soll. Er hat Angst davor. Oder wie Zootiere, die ausgewildert werden sollen, anfangs in ihre Käfige zurückkehren. Sie leidet an Hospitalismus. Die Freiheit schreckt sie. So wie Untertanen einer Diktatur, denen nach einer Rebellion plötzlich die Freiheit geschenkt wird, sich exponiert und verlassen fühlen, wie viele Bewohner der Ex-DDR. Sie sehnen sich nach ihren Vorschriften. Die Vorschriften künden von der Anwesenheit des Tyrannen. Und hinter dem Tyrannen steht für viele Frauen der Vater. Er ist wie Gott: er liebt und züchtigt. Er erläßt Vorschriften und straft. Und er hält in Unmündigkeit.

Frauen, die sich von solch einem Tyrannen versklaven lassen, entwickeln also eine Komplementärpathologie. Man spricht in diesem Fall von einem »Wahnsinn zu zweit«. Er versklavt sie, und sie macht ihn zum Sklavenhalter. Sie findet allein aus diesem Gefängnis nicht mehr heraus. Ihr hilft nur eins: der Aufbau sozialer Kontakte nach außen, die Entwicklung von Freundschaften, die Kommunikation mit anderen, die sich ihre normalen Maßstäbe erhalten haben, oder eine Therapie. Auf jeden Fall sollte sie sich anderen Menschen anvertrauen. Dazu muß sie unbedingt ihr Schamgefühl überwinden. Sie muß wissen, daß ihre Identifikation mit dem Tyrannen ihren Geist verwirrt hat. Sie fühlt sich schuldig für etwas, das er tut. Und sie entschuldigt ihn, sie findet mildernde Umstände. Um sich weniger für ihn genieren zu müssen, gibt sie sich für seine Reaktionen die Schuld. Sie erklärt seine gewalttätigen Ausbrüche mit ihrer eigenen Zickigkeit. Dabei verdreht sie wie er grotesk die Maßstäbe. Sie findet es gerechtfertigt, daß er sie wegen der Vertauschung der Lexika mit dem Schädel gegen das Bücherbord knallt.

Das alles ist ein Zeichen, daß sie nicht mehr ganz bei Trost ist. Sie ist zu einer Lagerinsassin geworden. Sie muß sich außerhalb nach Hilfe umsehen. Vor allem aber muß sie ihre Angst überwinden und so einen Tyrannen sofort verlassen. Denn es handelt sich um einen blühenden Zwangs-

neurotiker. Er leidet an einer pathologisch gewordenen Männlichkeit.
Ihm ist nicht mehr zu helfen. Am wenigsten von seiner Frau.

Noch verrückter ist der Paranoiker. Bei ihm ist die Grenze zwischen
sich selbst und der Außenwelt schon durchlöchert worden. Er hat Mühe,
zwischen innen und außen zu unterscheiden. Er ist in dem Wahn befan-
gen, die Kontrolle über sein Hoheitsgebiet schon verloren zu haben. Dieses Hoheitsgebiet kann sein Körper sein, sein Haus, seine Familie oder sogar sein Hirn. Die Grenzen mögen mehr oder weniger weit gesteckt sein,
aber immer handelt es sich um die Grenzen seines Ich. Und für den Paranoiker hat der Feind diese Grenzen immer schon überschritten und ist in
das Innere eingedrungen.

Deshalb ist der Paranoiker grundsätzlich in Panik. Er wittert überall
Spione und Verräter. Für ihn trägt jeder Mensch eine potentielle Maske.
Er verdächtigt jeden, nur noch zum Schein auf seiner Seite zu stehen, in
Wirklichkeit aber schon zu seinem Feind übergelaufen zu sein. Die, die
ihm am nächsten stehen, sind am gefährlichsten. Und dazu gehört seine
Frau. Sie hält es mit seinen Gegnern, liefert ihn seinen Feinden aus und
gibt seine Geheimnisse preis.

Identifiziert sich der Paranoiker dagegen mit seinem Haus und seiner
Familie, ist der äußere Feind entweder der Nachbar oder der nächtliche
Einbrecher. Gegen den Nachbarn wird er Krieg führen und gegen die
Einbrecher sein Haus zu einer Festung ausbauen. Vor allem geht es ihm
um Sichtschutz. Jeder mögliche Blick des Nachbarn in sein Heim wird
ihm verstellt. Mauern werden errichtet, Palisadenzäune werden gezogen
und Tannenwälder gepflanzt. Der Nachbar will ihn ausspionieren. Er will
wissen, wo seine Schwächen sind, die verwundbaren Stellen herausfinden.
Klingelt die Nachbarin an der Haustür, um sich etwas Pfeffer auszuleihen,
darf seine Frau sie um Himmels willen nicht in die Küche lassen. Das ist
nur ein Vorwand, um sie auszukundschaften. Besucher sind alle verdächtig. Sie schleichen sich ins Innere der Festung ein. Im Grunde sind sie le-
gale Einbrecher. Am gefährlichsten aber sind die behördlichen Kontrol-
leure: Der Stromableser, der Wasserkontrolleur, der Schornsteinfeger —
alles getarnte Spione. Die Ehefrau wird vergattert, sich die Ausweise zeigen zu lassen. Es könnten ja Einbrecher sein, die sich Ortskenntnisse ver-

schaffen wollen. Und erst Hausierer oder die Zeugen Jehovahs! Alles Ha-
lunken und Spione! Abgesandte von Einbrecherbanden! Sie darf nur die
Tür einen Spalt aufmachen und die Antwort hinausschleudern: »Wir kaufen nichts!« Wehe, die Ehefrau hält sich nicht an diese Anweisung! Dann
wird sie verdächtigt, zu einer Verschwörung gegen ihn zu gehören. Kritisiert sie gar diesen Wahn ganz offen, ist die Sache klar: Sie ist eine Verräte-
rin! Heimlich ist sie mit den Nachbarn im Bunde. Sie ist auf der Seite seiner Feinde. Vielleicht spioniert sie ihn gar aus! Ihre sozialen Kontakte
werden mit Mißtrauen beäugt. Ihre Freundinnen werden der Aufwiegelei
verdächtigt. Er wünscht nicht mehr, daß sie sie nach Hause einlädt. Daß
sie plötzlich verstummen, wenn er das Zimmer betritt, ist ein sicheres
Zeichen, daß sie etwas verschweigen. Vor ihm können sie nicht mehr frei
reden. Das ist doch eindeutig. Kann man noch klarere Hinweise verlangen? Seine Abwehrmaßnahmen werden von seiner Frau sabotiert. Sie hält
es mit den anderen! Womöglich lacht sie über ihn hinter seinem Rücken!
Was weiß denn er, was sie treiben, wenn er nicht da ist und sich abarbei-
tet für den gemeinsamen Lebensunterhalt!

Und wehe, wenn die Paranoia das Bett erreicht! Dann wandelt sie sich
zur rasenden Eifersucht. Dann wird der Verrat im Innersten des Palastes
verübt. Er wird an seiner empfindlichsten Stelle getroffen. Dann lassen ihn
die Visionen nicht mehr los, seine Frau habe das Allerheiligste dem äußeren Feind ausgeliefert. Sie hat die Zugbrücken heruntergelassen und von
innen die Tore entriegelt. Er sieht das Bett bevölkert von virtuellen Rivalen. Sie erscheinen ihm wie Einbrecher, denen die Frau das Küchenfen-
ster geöffnet hat. Vorstellungen von Invasionen, perforierten Körpergrenzen, Besudelungen und Befleckungen belästigen ihn. Die Penetration
wird zu einer paranoischen Zwangsidee. Und dann erhebt sich das grün-
äugige Monster: die Eifersucht. Sie ist eine spezielle Form der Paranoia,
mit der früher der Kult der Jungfräulichkeit begründet wurde.

Auch sie führt zum Versuch der totalen Überwachung. Jede unkontrol-
lierte Bewegung seiner Frau wird für den eifersüchtigen Mann zum Anlaß des Mißtrauens. Wenn sie das Haus verläßt, muß sie sich abmelden und
sagen, wann sie wiederkommt. Er will immer wissen, wo sie sich gerade
befindet. Sie muß bei Exkursionen die Wegstrecken angeben und vorher

eine Genehmigung beantragen. So verwandeln sich Ehen in Behörden. Das wird durch die Überwachung des Staates erleichtert. Der Eifersüchtige kann dessen Kontrollinstrumente mitbenutzen. Er kontrolliert sie durch die Abrechnungen von Kilometergeld. Das braucht man fürs Finanzamt sowieso. Er rechnet die Ausgaben für die verschiedenen Sparten nach: Lebensmittel, Textilien, Gebühren, Autoversicherungen, Miete etc.

Aber natürlich ist keine Überwachung perfekt. Im Gegenteil! Erst sie macht bewußt, wo es Lücken gibt. Wer vertraut, kann die Lücken gar nicht bemerken. Er vergibt einen Blankoscheck und hat sein Mißtrauen schon im Vorfeld überwunden. Er nimmt es in Kauf, vielleicht betrogen zu werden. Die Möglichkeit besteht, aber er hält sie für so unwahrscheinlich, daß sie den Aufwand der Überwachung nicht rechtfertigen würde.

Der Kontrolleur aber stößt immer auf Lücken, auf Kosten und Aufenthalte und Ausgaben, die nicht erklärt werden können. Das bestätigt sein Mißtrauen. Noch kann er sie nicht überführen, aber er behält sie im Auge. Und eines Tages, wenn sie sich sicher fühlt, wird er sie in flagranti erwischen. Dann wird er zum Detektiv, der ihr nachspioniert. Er verfolgt sie heimlich und wird ihr Schatten. Jede männliche Person, mit der sie in Kontakt gerät, wird zum potentiellen Liebhaber. Ein normaler Begrüßungskuß wird da zum Indiz. Ein flüchtiger Körperkontakt, ein herzliches Lächeln werden zu unwiderleglichen Beweisen.

Oder er beschießt sie mit pausenlosen Vorwürfen: »Was wolltest du denn plötzlich in der City? Gib zu, du hast dich mit ihm getroffen! Wer so heftig leugnet wie du, hat sich schon verraten. Glaubst du, ich bin so blöd und merke nichts? Wie kommt es wohl, daß du so lange zum Einkaufen brauchst? Früher hast du das doch viel schneller erledigt! Aber ich lasse mich nicht für dumm verkaufen! Ich nicht! Und von dir schon gar nicht! Und warum mußt du wohl plötzlich so häufig zum Friseur? Ich weiß doch, wenn ich weg bin, lädst du ihn hierher ein! Na, warum war wohl der Rasierspiegel verstellt? Ja, jetzt staunst du, was? Mir entgeht nichts! Ich habe es längst gewußt! Du bist nur eine billige Nutte! Ich hätte damals gewarnt sein sollen, als wir es schon miteinander trieben, während du noch mit Alfred liiert warst. Du hast Alfred betrogen, also wirst du auch mich betrügen. Eine dreckige Hure bist du, der letzte Dreck! Aber ich lasse mir das nicht bieten! Eher sperre ich dich ein und werf' den Schlüssel weg! Ab morgen hören die Friseurbesuche auf! Und einkaufen werde ich ...«

Die Frau, die einem Paranoiker oder einem Eifersüchtigen in die Hände gefallen ist, hat keine andere Chance, als das Weite zu suchen. Paranoia ist eine krankhafte Verhaltensstörung. In ihrer gefährlichsten Form wird sie zu einer Unterabteilung der Schizophrenie. Dann betrifft die Invasionsfurcht des Paranoikers sein eigenes Hirn. Er bildet sich ein, er sei nicht mal eigener Herr im Oberstübchen. Seine Gedanken würden durch Strahlen von außen gelenkt. Er werde durch Hypnose beeinflußt. Verborgene Feinde würden durch Vergiftung des Grundwassers sein Bewußtsein trüben. Er vermutet, daß eine Verschwörung gegen ihn im Gang ist, um ihn durch Gehirnwäsche zu versklaven.

In diesem Wahn steht seine Frau dann häufig im Dienst seiner Feinde. Sie ist beauftragt, das Essen zu vergiften. Oder ihn durch absichtlich herbeigeführte Störungen zu verwirren, seine Anstrengungen zu sabotieren, sein Werk zu hintertreiben und ihn vom Pfade seiner Mission abzubringen. Ihre sexuelle Hingabe ist dann geheuchelt, ihre Liebe nur Fassade. Alles, was sie tut, ist nur Theater, veranstaltet, um seine Abwehr zu unterlaufen und seine Stärke von innen zu zerstören.

Einer Paranoia kann man nicht mit Argumenten beikommen. Denn sie verfügt über ein Immunsystem. Da ein Paranoiker jeden verdächtigt, eine Maske zu tragen, ist ein Argument gegen sie eine Bestätigung.

Eine Frau, die sich auf so etwas einläßt, wird bald ebenfalls Teil einer Wahnwelt. Das überleben nur starke Geister unbeschadet. Auch hier gibt es nur einen einzigen Ausweg: die Flucht. Eine voll entfaltete Paranoia ist etwas für den Therapeuten. Aber auch die milderen Formen der Eifersucht und der Invasionsfurcht sind in der Regel nicht kurierbar. Die Frau, die das Leben eines Paranoikers teilt, lebt bereits in der Hölle. Sie kann nur noch von außen erlöst werden. Oder sie findet die Kraft zum Ausbruch.

Deshalb verlassen wie jetzt diesen bedrückenden Ort, brechen ebenfalls aus und kehren zurück zur Hauptstraße des Textes.

Guerillakrieg und Materialschlacht

Im Konflikt ist derjenige im Vorteil, der das Schlachtfeld festlegt, das heißt, Zeitpunkt, Thema und Anlaß des Konflikts bestimmt. Damit zwingt er den Gegner auf sein Niveau. Und das kann schon das entscheidende Manöver sein. Wenn ein Politiker seinen Gegner nicht mit politischen Mitteln, sondern durch eine sexuelle Denunziation bekämpft, zwingt er ihn dazu, sich dagegen zu wehren. Und selbst wenn sich die Beschuldigung als falsch herausstellt: der Angegriffene mußte plötzlich über seine sexuellen Gewohnheiten reden, und das allein bedeutete schon eine Erniedrigung. Deshalb heißt es in der politischen Folklore: Kämpfe nie mit Schweinen, sonst machst du dich schmutzig! Und Schweine lieben den Schmutz. In ähnlicher Weise hat auch jeder Mensch sein ganz persönliches Lieblingsschlachtfeld. Damit ist das Terrain bezeichnet, auf dem er seine Waffen am besten entfalten kann. Da wird er auch die Anlässe und die Themen suchen, über die er sich am liebsten streitet.

Im Konfliktverhalten gibt es deutliche Unterschiede zwischen Männern und Frauen. Sie sorgen dafür, daß Frauen es fertigbringen, Männer zur Weißglut zu reizen, ohne es zu wollen. Der Schlüssel liegt in ihrer Neigung, jeden großen Krieg zu vermeiden. Um ihr Mißfallen auszudrücken, dosieren sie ihre Aggressivität so niedrig, daß sie gerade unterhalb der Schwelle bleibt, die eine offene Kriegserklärung rechtfertigen würde. Das heißt, sie betreiben einen Krieg der kleinen Nadelstiche. Das geschieht durch Meckern. Sie nörgeln, sie nerven, sie halten die Anlässe klein. Ihre Miniattacken rechtfertigen keinen großen Gegenschlag. Sie nutzen es aus, daß ihr Gegner gegenüber diesen Aktionen hilflos ist. Er verfügt nur über schweres Gerät und eine hochgerüstete Armee. Zur Bekämpfung von Sabotageakten und Partisanenangriffen sind sie nicht geeignet. Frauen neigen also zum Guerillakrieg. Mit ihm kann man den Mann nicht in offener Schlacht besiegen, aber man kann ihn zermürben. So sind von Hannibal bis Amerika immer die Stärkeren von den Schwächeren besiegt worden.

Das Schlachtfeld des Guerillakriegs ist nicht mehr abgegrenzt und wohldefiniert. Es ist überall. Es ist der Alltag. Alles dient da als Anlaß. Und vor allem: die Anlässe müssen vergleichsweise nichtig sein. Sie betreffen die Alltagsroutine und den Haushalt. »Aber, Albert, Liebling, ich habe dir doch schon letztes Mal gesagt: diese Brötchen sind zum Aufbacken! Der Unterschied ist doch nun wirklich nicht schwer zu merken! Diese hier hättest du gar nicht erst zu holen brauchen! Na und? Dann hättest du eben zu einem anderen Bäcker gehen sollen! Aber an der Tankstelle gibt es doch welche, du Dummerchen. Du bist aber auch zu hilflos! Und warum hast du nicht den Wagen genommen? Nun komm mir aber nicht damit! Was heißt, da war kein Benzin im Tank? Schließlich warst du ja nicht da. Da blieb es wieder an mir hängen, Mama nach Hause zu bringen. Oder sollte ich sie etwa nach Hause laufen lassen, die dreißig Kilometer? Und das ist nun einmal deine Aufgabe, dafür zu sorgen, daß das Auto fahrtüchtig ist. Außerdem geht der Scheibenwischer nicht...« Keiner dieser Sätze rechtfertigt für sich einen massiven Gegenschlag. Aber es soll Männer gegeben haben, die, nachdem sie mehrere Tage und Wochen solch einem Dauerkommentar ausgesetzt waren, ohne Vorwarnung durch die Jahrtausende hindurch zum Wurfpfeil des Höhlenmenschen gegriffen haben, um die Folter abzustellen. Andere, zivilisiertere Männer stürmen plötzlich aus dem Haus oder erheben ein Gebrüll wie ein gequälter Löwe.

So wie für Männer der massive Konflikt normal ist, ist für Frauen der Konfliktvermeidungsguerillakrieg normal. Und so wie Frauen sich im großen Krieg hilflos fühlen mögen, sind Männer im Guerillakrieg praktisch hilflos. Sie fühlen sich dann wie ein Wal an Land, unbeweglich und viel zu schwer. Dabei zwingt die Frau ihm ihr Schlachtfeld auf: den Haushalt und den Alltag. Die Dinge, um die es geht, liegen unterhalb seiner Wahrnehmungsschwelle. Ob frische Brötchen oder welche zum Aufbacken, was soll's? Es lohnt nicht, deswegen einen Aufstand zu machen. Indem sie ihn durch ihre Meckerei dazu nötigt, sich um diese Kleinigkeiten zu kümmern, verkleinert sie ihn in seinen eigenen Augen selbst. Würde er darauf reagieren, müßte er seine ganze Einstellung ändern. Um dagegenzuhalten, müßte er solche Fragen interessant finden können. Dagegen sträubt sich sein ganzes Wesen. Er weigert sich und leidet und schweigt. Sie meckert ins Leere, er schweigt und leidet. Da erhöht sie die

Dosierung: Er leidet und schweigt. Und je nach Temperament und Widerstandskraft dauert es mehr oder weniger lange, bis er es nicht mehr aushält. Dann ist der Guerillakrieg zu einem konventionellen Krieg geworden.

So wie Männer sich oft darüber wundern, daß Frauen derart heftig auf einen ganz gutmütigen Angriff reagieren, so wundern sich Frauen, daß Männer so explosiv auf eine harmlose Nörgelei reagieren. Aber wenn sie das tun, dann haben sie schon Wochen der Frustration und der Hilflosigkeit hinter sich. Sie sind erschöpft von der Spannung, die sich zwischen dem Bedürfnis, zurückzumeckern, und der Weigerung, sich in solche Niederungen zu begeben, aufgebaut hat. Und wenn sie dann explodieren, dann verlegen sie das Schlachtfeld dahin, wo sie sich auskennen: den heftigen, aber zeitlich begrenzten Krieg. Deshalb könnte man die Geschlechterdifferenz mit Bezug auf dieses Konfliktarrangement auf die Formel bringen: Stehen die Männer für das heftige Ende mit Schrecken, stehen die Frauen für den niedrigtourigen Schrecken ohne Ende.

Aufgrund ihrer Überlegenheit kämpfen Männer eher wie Amerikaner: Sie brechen immer den Widerstand des Gegners durch Massierung der Feuerkraft. Ihr Genre ist die Materialschlacht. Sie genießen die große Zerstörung, schonen aber Menschenleben. Wie Jungs demonstrieren sie gern ihre Überlegenheit. Sie lieben den Krach.

Der Gegenzauber

Paradoxien sind Kommunikationsfallen. Viele Ehepaare tapern unbewußt hinein und finden nie wieder heraus. Das macht sie für Außenstehende oft so langweilig. Sie kurven immer wieder durch die gleichen Kommunikationsbahnen. Es kostet eine große Anstrengung, sich daraus zu befreien. Die Anstrengung besteht darin, seine eigene Beteiligung an der Fortsetzung des Problems zu durchschauen; und dabei zu begreifen, daß der Versuch, das Problem zu lösen, das Problem verlängert. Insofern wirken Paradoxien wie Flüche. Sie sind Verwünschungen, die Gutgemeintes in Schlechtes verwandeln.

Um sich gegen diese Flüche zu wappnen, braucht man einen Gegen-
zauber. Ihn findet man, wenn man die perverse Logik der Konflikte
durchschaut. Das ist außerordentlich schwierig. Es verlangt einem ab, daß
man, während man in einem Konflikt steckt, ihn zugleich von außen beobachtet. Man muß dazu die Erfahrung benutzen, die man bei der Beobachtung der Konflikte anderer gesammelt hat, und versuchen, den eigenen Konflikt mit denselben Augen zu sehen.

Dann lernt man Konflikte als objektive Szenarien zu sehen und Ab-
laufprogramme als Dramen mit ihren eigenen Gesetzen, die einer inneren
Logik folgen. Darauf ist man am besten vorbereitet, wenn man die ersten
Erfahrungen mit der Stagnation hinter sich hat, wenn man erlebt hat, wie
Zweierbeziehungen, die vom planetarischen Magnetfeld eingefangen und
in die Kreisbahn eines Konflikts eingemündet sind, zu Heimstätten uner-
träglicher Monotonie, trübster Langeweile und absoluter Erfahrungsleere
geworden sind.

Wenn dieser optische Umsprung gelingt, wenn man es fertigbringt,
den ungeheuren Sog zu überwinden, der die Beteiligten innerhalb des
Bannkreises des Konfliktes hält, und das Ganze von außen in den Blick
nimmt, dann sieht man mit den neuen Möglichkeiten zugleich auch das
Ausmaß, in dem die Innenperspektive die Optik beschränkt hatte.

Als erstes gerät dann die Möglichkeit in den Blick, daß man vielleicht
das Problem einer Zweierbeziehung nicht da lösen kann, wo es sich
stellt: in der Zweierbeziehung. Da sieht man plötzlich, daß dieser Versuch
das Problem erst hervorgebracht hat. Stellen wir uns ein verliebtes Paar
vor. Der Frau ist es gelungen, ihren Geliebten aus seiner Kumpelhorde zu
lösen und ihn ganz für sich zu gewinnen. Aber jetzt findet sie ihn etwas
fad. Also ermuntert sie ihn, etwas mehr Temperament zu zeigen, etwas
aus sich herauszugehen. Sie versteht nicht, warum ihn das eher depri-
miert. Ihr entgeht, daß die einzige Anregung, die er noch hat, aus ihrer
Aufforderung besteht, etwas munterer zu sein. So etwas macht melancholisch. Innerhalb der Reichweite der Paarbeziehung kann das Problem
gar nicht gelöst werden. Das Problem ist die Paarbeziehung selbst, ihre
Abgeschlossenheit und Weltlosigkeit. Und diese Abgeschlossenheit wird
mit jedem Versuch stärker, das Problem innerhalb der Beziehung zu lö-

sen. Denn es veranlaßt die beiden, sich nur noch mit sich selbst zu beschäftigen.

Zweierbeziehungen schaffen dem Konflikt ideale Ausgangsbedingungen.Normalerweise muß sich ein Konflikt erst seine Gegner schaffen. Er muß geeignete Partner finden, sie miteinander in Beziehung setzen und sie durch die Eskalation so aufeinander fixieren, daß sie sich von der Welt isolieren.

Das alles ist in der Zweierbeziehung nicht mehr nötig. Die beiden sind schon durch Liebe aufeinander fixiert. Sie haben schon gelernt, alles, was sie tun, vom Gegenüber abhängig zu machen. Sie sind schon von der Welt isoliert. Zugleich hat die Liebe dafür gesorgt, daß die Erwartungen aneinander so unrealistisch hoch sind, daß sie auf jeden Fall enttäuscht werden müssen. Wenn sie es werden, rechnen sich beide das als Schuld zu. Darüber hinaus verfügt in der Zweierbeziehung jeder über ein totalitäres Druckpotential. Jeder einzelne kann die Beziehung für beide sprengen. Das macht den Konflikt besonders spannungsgeladen. Beide müssen besonders vorsichtig sein, weil jeder eine Atombombe hochgehen lassen kann. Entsprechend gleicht die Zweierbeziehung dem Verhältnis der Supermächte im Kalten Krieg. Jeder von ihnen konnte beide vernichten. Ähnlich enden Ehen oft im Gleichgewicht des Schreckens. Daraus gibt es nur einen Ausweg: den Perspektivensprung. Man muß lernen, sich selbst von außen zu sehen.

In dieser Disziplin gibt es ein Feld, auf dem die Frauen einen Trainingsvorsprung vor den Männern haben: Frauen lesen sehr viel häufiger Romane. Warum tun sie das? Weil Romane das Miterleben ermöglichen. Der Roman ist die einzige Mitteilungsform, in der man eine Welt aus der Perspektive einer anderen Figur erlebt. Er ist geradezu so gebaut, daß er die Identifikation mit der Figur erzwingt. Für diese Sonderstellung gibt es ein Indiz in der Erzählgrammatik. Dabei handelt es sich um eine eigenartig perverse Technik, in der die Gedanken und Gefühle einer Figur wiedergegeben werden können. Hier ist eine Stelle aus dem Roman »Emma« von Jane Austen: Die Heldin muß gerade erkennen, daß sie in ihrer Verblendung ihren Geliebten in die Arme ihrer besten Freundin getrieben hat.

»Wie gedankenlos, wie unsensibel, wie unvernünftig, wie gefühllos hatte sie sich gegenüber Harriett verhalten! Welche Blindheit, welcher Wahnsinn hatten sie geleitet ... Mr. Knightley und Harriett Smith ...! War das möglich?! Nein, es war unmöglich. Und doch war es weit davon entfernt, ganz undenkbar zu sein ... Hätte sie doch Harriett niemals in die Gesellschaft eingeführt – hätte sie doch nicht mit einer Torheit, die jeder Beschreibung spottete, sie daran gehindert, den tadellosen jungen Mann zu heiraten, der sie glücklich gemacht hätte ...«

Was wir hier lesen, sind die Gedanken der Heldin. Wir folgen ihnen durch alle emotionalen Kurven. Und doch spricht sie über sich nicht in der ersten Person. Sie sagt nicht: »Wie gedankenlos, wie unsensibel, wie unvernünftig, wie gefühllos habe ich mich gegenüber Harriett verhalten ...« Statt dessen protokolliert der unsichtbare Erzähler ihre Gedanken in der dritten Person, so als ob es von außen wäre. Diese Merkwürdigkeit ist so sehr zum Bestandteil der Erzähltechnik des Romans geworden, daß sie uns gar nicht mehr auffällt. Aber sie macht etwas möglich, was es in der Realität nicht gibt. Wir sehen eine Figur zugleich von innen und außen. Wir nehmen an ihren innersten Überlegungen teil und können doch weiter sehen als sie. Wir erleben mit ihr und sehen doch ihre Begrenztheit.

In der Realität geht das normalerweise nicht, mit einer Ausnahme. Das ist eine Krise, wie sie an dieser Stelle geschildert wird. Wenn man in einer plötzlichen Erleuchtung sieht, daß man bisher mit Blindheit geschlagen war. Das ist, wie auch in diesem Fall, immer eine Desillusionierung. Man sieht dann mit zwei verschiedenen Optiken gleichzeitig. Die vergangene Beschränktheit ist noch so frisch, daß der dadurch erzeugte Eindruck noch sichtbar ist. Seine Überzeugungskraft klingt noch nach. Zugleich sieht man ihn aber schon von außen, und man sieht dann auch, was man vorher nicht gesehen hat. Dann wird das vorherige Bild zum Ausschnitt aus einer größeren Leinwand. Das ist dann die Erfahrung einer großen Ernüchterung.

Das gleiche geschieht, wenn ich einen Konflikt, an dem ich beteiligt bin, plötzlich von außen sehe. Mit einem Unterschied: es bleibt nicht bei der bloßen Ernüchterung. Ich sehe nicht nur, daß meine Perspektive begrenzt war, ich erkenne auch, daß meine Illusion zur Unlösbarkeit des Konflikts beigetragen hat. Ja, mehr noch, daß sie ein notwendiges Element des ganzen Konfliktszenarios war. Etwa, daß meine Feindseligkeit – selbst wenn sie von meinem Gegner provoziert wurde – mehr als alles andere dazu beigetragen hat, daß er so wurde, daß meine Feindseligkeit gerechtfertigt war. So etwas nennt man dann eine »sich selbsterfüllende Prophezeiung«; oder die Illusion, daß mein Gegner und ich nichts miteinander gemein haben, macht dafür blind, daß wir uns immer ähnlicher werden; oder daß meine Konfliktscheu die Aggressivität des Gegners nicht beruhigt, sondern anheizt; oder daß meine Drohung, das Verhältnis zu beenden, wenn er weiter so klammert, die Intensität seines Klammerns verstärkt; oder daß meine Meckerei darüber, daß er sich so wenig an der Hausarbeit beteiligt, die Beteiligung auf ein Minimum sinken läßt; oder daß meine Beschwerden über die Monotonie unseres Daseins eine nicht unerhebliche Bereicherung der beklagten Monotonie darstellen und so weiter und so weiter.

Der Teufelskreis und der Weg ins Freie

Unsere Überlegung hat das übliche Verständnis der Liebe umgedreht: Gewöhnlich denkt man, daß die Liebe ein Gefühl ist, über das man kommuniziert. Wir aber haben die Kommunikation in den Vordergrund gerückt und das Gefühl von der Form der Kommunikation her erklärt. Dabei haben wir eine Figur als besonders bedeutsam herausgestellt: die paradoxe Kommunikation. Obwohl wir schon viele Beispiele dafür genannt haben und obwohl jeder Mensch täglich mit Fällen paradoxer Kommunikation konfrontiert wird, sind diese in der Wirklichkeit nicht leicht zu durchschauen. Man erkennt sie in der Regel nur an dem Unbehagen, das man bei ihnen verspürt oder an der Verzweiflung, die sie auslösen können. Sie bewirken, daß sich jeder Mensch in ihnen verheddert, und zwar deshalb, weil er sich scheinbar vernünftig verhält. Sie wirken darin wie Mini-Tragödien: Dabei verstehen wir eine Tragödie als die Auslösung von Konsequenzen beim Versuch, sie zu vermeiden.

So etwas kennen wir auch in der Kommunikation. Eine Frau nörgelt, weil ihr Mann sich so zurückzieht; aber er zieht sich weiter zurück, weil sie nörgelt. Ein Mann schnauzt seine Frau an, sie solle nicht so zurückhaltend sein; aber weil sie angeschnauzt wird, wird sie noch zurückhaltender. Beide Partner verhalten sich von ihrem Standpunkt aus logisch. Aber beider Logik zusammen führt zum Gegenteil dessen, was sie möchten. Wenn man solche Mechanismen nicht durchschaut, wenn sie in der Wirklichkeit auftreten, wird man ihr Opfer. Das liegt an einem besonderen Merkmal der Kommunikation: Man sieht den anderen als jemanden, der auch anders könnte. Aber sich selbst sieht man nicht so.

Nehmen wir das Beispiel des Autofahrens. Er fährt, und sie sitzt auf dem Beifahrersitz. Dabei ist für den Mann am Steuer sein Verhalten allein durch die Situation auf der Straße bedingt. Er fährt, wie es die Verkehrslage erfordert. Er reagiert nur. Die Situation zwingt ihm sein Verhalten auf. Wer vernünftig fährt, kann nicht anders fahren als er. Sie aber sieht als Quelle seines Verhaltens ihn selbst. Im Geist umgibt sie ihn mit einer Fülle von Alternativen. Er könnte langsamer fahren, vorsichtiger, nicht so hektisch und so besessen, nicht so angespannt, eher so wie Dieter, bei dem sie nicht ständig zusammenzuckt. Aber nein, er fährt angeberisch, weil er in allem und jedem mit anderen konkurrieren muß. Während er selbst als Grund für seine Fahrweise nur die Umwelt sieht (er reagiert ja nur), sieht sie darüber hinaus noch ihn selbst. Sich selbst kann er aber auf diese Weise nicht sehen, weil er – also sein Charakter und seine Natur – ja die Voraussetzungen dafür darstellt, wie er sieht.

Hier herrscht also eine grundsätzliche Asymmetrie. Man beobachtet immer nur den anderen im Kontext anderer Alternativen. (Er könnte doch ein bißchen rücksichtsvoller sein! Ist das so schwer?) Man selbst sieht nur die Umwelt, auf die man so reagiert, wie man muß. Diese Asymmetrie verschärft sich in der Kommunikation, weil da die Umwelt aus den anderen besteht. Handelt es sich gar um Zweierkommunikation wie bei Paaren, dann besteht die ganze Umwelt eines jeden nur aus einer einzigen Person. Und ausgerechnet für diese Person ist man selbst auch die gesamte Umwelt. Unter diesen Voraussetzungen wird die Kommunikation sehr schnell widersprüchlich. Befragen wir etwa das zerstrittene Ehepaar, so wird sie sagen, sie nörgele nur, weil er sich zurückzieht, und er wird empört einwenden, er ziehe sich nur zurück, weil sie nörgelt. Beide erleben ihre Kommunikation so, daß die Anklagen ausgerechnet von der Instanz ausgehen, auf die sie zu reagieren meinen. Beide können den anderen beschuldigen, das zu verursachen, was sie beklagen. Weil in der Zweierbeziehung die ganze Umwelt immer nur aus einer Person besteht, sind sie für diesen Widerspruch besonders anfällig.

Will man aus diesem Konflikt aussteigen, muß man einen Sprung über einen Abgrund wagen. Man muß das Terrain des Plausiblen verlassen. Und man muß die Erkenntnis in sich eindringen lassen: Man selbst trägt mit dem Verhalten, das einem normal, vernünftig und logisch erscheint, zu dem Konflikt bei. Verständlich wird der Konflikt nur, wenn man die eigene Blindheit miteinrechnet. Erst das weckt in einem die Bereitschaft, das Gegenteil von dem zu tun, was einem vernünftig und logisch erscheint. Wenn also die Frau, deren Mann sich zurückzieht, sich nicht mehr beschwert – obwohl sie eigentlich damit recht hätte – sondern ihn lobt und ihm die Zeit, in der er da ist, angenehm macht, dann fällt der Grund für seinen Rückzug weg. Dann wird er immer länger bleiben, um noch mehr von dem Lob zu hören.

Das alles aber ist nur die Vorstufe zur Paradoxie, die aus einer besonderen Eigentümlichkeit der sprachlichen Kommunikation herrührt. Man kann sie sich vielleicht am besten an einer Geschichte von Franz Stockton mit dem Titel »The Lady or the Tiger?« verständlich machen: Ein orientalischer Herrscher mit einem Sinn für das Makabre macht das Schicksal eines jeden Verbrechers, der vor Gericht kommt, von einem poetischen Gottesurteil abhängig. Vor versammeltem Volk muß der Angeklagte in einer Arena eine von zwei sich gegenüberliegenden Türen öffnen. Hinter der einen wartet ein Tiger, hinter der anderen eine vom König für den Angeklagten zur Gattin bestimmte Dame. Nun macht ein junger Edelmann sich des Verbrechens schuldig, die Zuneigung der Königstochter gewonnen zu haben. Er wird ins Gefängnis geworfen, während die Prinzessin sich erkundigt, hinter welcher Tür die für ihn ausgesuchte Lady auf ihren Geliebten warten wird. Dabei muß sie feststellen, daß die Auserwählte eine Hofdame ist, deren Zuneigung zu dem Verurteilten sie bereits

früher nicht ohne Eifersucht bemerkt hat. Als nun der Tag der schicksal-
haften Wahl gekommen ist und der Angeklagte in der Arena die Prinzessin auf der Tribüne fragend anblickt, befindet er sich in einem echten
Interpretationsnotstand. Wenn sie auf eine Tür deutet, kann er nicht ohne
weiteres davon ausgehen, daß er gerettet ist. Natürlich glaubt er, daß sie
ihn nicht an den Tiger verfüttern möchte. Aber der Hofdame gönnt sie
ihn vielleicht noch weniger. Vor allem, wenn sie schon immer mit ihr rivalisiert hat. Für ihn ist also der Finger, mit dem die Prinzessin auf eine
der beiden Türen deutet, keine eindeutige Mitteilung. Er muß sie im
Lichte der Beziehung zu ihm und zur Rivalin interpretieren. Liebt sie ihn
uneigennützig, weist sie auf die richtige Tür. Überwiegt ihre Eifersucht
auf die Hofdame, wird sie auf die Tür mit dem Tiger zeigen. Die Geste
selbst nennen wir den Inhalt einer Kommunikation. Er liegt meistens offen zutage. Hinter ihm aber ist unsichtbar das, was wir den Beziehungsaspekt nennen. Jede Kommunikation verfügt über diese Doppelnatur von
offensichtlichem Inhalt und unterstellter verborgener Beziehungsdefini-
tion.

Paradox wird es nun, wenn die in der Mitteilung ausgedrückte Beziehung dem offensichtlichen Inhalt widerspricht. Wenn das eintritt, kramp-
fen sich uns die Zehen in den Schuhen zusammen, und unser ganzer
Körper spürt, daß hier etwas nicht stimmt. Machen wir die Probe aufs
Exempel:

Beachte mich gar nicht!

Du sollst mich freiwillig lieben!

Laß dich doch gefälligst nicht so von mir herumkommandieren!

Sei doch etwas männlich, du Waschlappen!

Nimm mich doch gegen meinen Willen!

Seid gefälligst locker und natürlich, sonst setzt es was!

Wir spüren hier ein Unbehagen darüber, daß der Inhalt der Mitteilung
durch die Form des Befehls unterminiert wird. Lockerheit oder Freiwil-
ligkeit lassen sich mit der Unterordnung, die in dem Befehl ausgedrückt
wird, nicht vereinbaren. Diese Verschränkung von Inhalts- und Beziehungsebene ist aber schwer zu durchschauen.

Hier wäre nun der Anlaß, die Beleuchtung flackern zu lassen und einen kleinen Trommelwirbel einzulegen. Denn unversehens sind wir auf das Geheimnis gestoßen, das den Ursprung des Mannes umgibt. Jene Quelle der Widersprüchlichkeit und der eigenartigen Gespanntheit, die aus dem Mann ein so ungemütliches und gehetztes Wesen macht. Und dieser Ursprung des Mannes ist ein Paradox. Das Paradox kann man jetzt in einen Widerspruch aus Inhalts- und Beziehungsebene übersetzen. Der Inhaltsaspekt heißt: Der Mann ist ein Wesen, das frei ist und keine Befehle entgegennimmt. Der Beziehungsaspekt heißt: »Sei ein Mann!« Das heißt: »Sei kühn, tapfer, frei, stark, mutig und überlegen, sei ein Fels in der Brandung, kurzum, sei ein Held!«

Um ein Mann zu sein, genügt es nicht, über ein männliches Geschlechtswerkzeug und einen Rasierapparat zu verfügen. Man muß ein Mann sein wollen. In allen Kulturen – so hat der Anthropologe David Gilmore in seinem Standardwerk »Manhood in the Making« festgestellt – gibt es die Vorstellung, daß richtige Männlichkeit mehr ist als ein Ensemble von anatomischen Merkmalen. Sie ist eine Norm, die man verfehlen kann. Aber diese Norm ist ein Paradox. Sie ist ein unaufhebbarer Widerspruch. Wenn ein Mann ein Wesen ist, das durch Furchtlosigkeit und Stolz auf seine Freiheit gekennzeichnet ist, ist er doch darin unfrei, ein Mann sein zu sollen. Hat er vor nichts Angst, so fürchtet er doch stets, kein Mann zu sein. Man kann dieses Paradox hin- und herwenden, und es nimmt immer eine andere Gestalt an und bleibt doch dasselbe. Der Mann hat vor nichts Angst als vor der Angst. Er ist in allem frei außer gegenüber der Unfreiheit. Er soll als natürlich ausgeben, was er künstlich wollen soll: seine Männlichkeit. Kurzum, der Ursprung des Mannes ist eine Beziehungsfalle. Ein sogenannter »double bind«. Ein Mann soll er selbst sein wollen. Und weil das so ist, fürchten Männer Beziehungsfallen wie der Teufel das Weihwasser. Sie sind gegen sie allergisch. Und das bedeutet, daß sie hochempfindlich gegenüber Formen widersprüchlicher und ambivalenter Kommunikation sind. Sie lieben statt dessen die Eindeutigkeit. Sie sind häufig Fanatiker der objektiven Bedeutung (Das habe ich doch gar nicht gesagt!) und Liebhaber der Definition. (Erklär erst mal, was du unter »merkwürdig« verstehst!) Für Beziehungsaspekte sind sie so gut wie blind. Frauen dagegen haben gerade eine Witterung für Beziehungsaspekte. Sie gewinnen aus ihrer Verschränkung mit der Inhaltsebene unendlich viel mehr Nuancen. Diese können Männer dann wiederum nicht verstehen.

Stellen wir uns vor, eine Frau hat ein neues Kleid gekauft und führt es ihrem Mann vor. Er bewundert es gebührend und fragt dann:

»Was hat es gekostet?«

Darauf sie:

»Du meinst, wir könnten es uns nicht leisten?«

Er: »Ich weiß nicht. Was hat es denn gekostet?«

Sie: »Gib zu, es gefällt dir nicht.«

Er: »Es gefällt mir sehr gut. Aber was hat es gekostet?«

Sie: »Ich könnte es auch umtauschen.«

Er: »Wieso? Magst du es nicht mehr?«

Sie: »Wenn du meinst, es steht mir nicht, tausche ich es sofort um.«

Er (mit jener verlangsamten Aussprache, die größere Deutlichkeit mit dem Ausdruck gebändigter Ungeduld verbindet): »Ich habe schon gesagt, daß es mir sehr gut gefällt. Ich möchte darüber hinaus gerne wissen, was es gekostet hat. Oder ist das ein Staatsgeheimnis?«

Sie: »Marion sagt, es sei ein Schnäppchen, aber natürlich findet sie alles schick, was ein bißchen nach der letzten Mode aussieht.«

Er: »Sag mal, verstehst du kein Deutsch? Was, zum Teufel, hat es gekostet? Wieviel hast du geblecht? Wie viele Mäuse hast du berappt? Wie viele Scheine von meinem sauer verdienten Geld hast du hingeblättert?«

Sie: »Sprich nicht so mit mir!«

Darauf beginnt sie leise zu weinen, und er verläßt entnervt den Raum.

Was ist hier geschehen? Wie entsteht aus diesem harmlosen Urgrund der Kommunikation diese Entfremdung? Nun, beide haben eine völlig verschiedene Auffassung von dem Begriff »Kosten«. Der Mann möchte einfach wissen, wieviel Geld seine Frau für das Kleid bezahlt hat. Es interessiert ihn der Preis an sich. Er setzt ihn vielleicht in Beziehung zu seinem Gehalt, zu seinem Sparkonto, zu anderen Preisen. Sie dagegen kann die Kosten erst einschätzen, wenn sie weiß, ob ihm das Kleid gefällt oder nicht. Für sie ergibt sich die Frage der Kosten erst aus der Bezugnahme auf ihre Beziehung. Gefällt es ihm, war es billig. Gefällt es ihm nicht, hat sie dafür zuviel bezahlt. Deshalb kann sie den Preis erst nennen, wenn sie weiß, was ihm das Kleid wert ist. Und das entscheidet sich für sie erst im Kontext ihrer Beziehung.

Noch vertrackter aber wird es, wenn im Konflikt die Beziehung selbst zum Inhalt einer Aussage gemacht wird. Dann kann es zu richtigen Unentscheidbarkeiten kommen. Wie etwa im folgenden Dialog.

Sie: »Es ist furchtbar mit dir. Der Abend war ganz schrecklich. Mit dir gehe ich nie wieder aus!«

Er: »Wieso? Was hast du denn? Es war doch ganz nett. Außer, daß du immer diesen Blödsinn redest.«

Sie: »Da hast du es. Das ist es, was ich meine. Du entwertest alles, was ich sage. Du widersprichst mir in jedem Punkt.«

Er: »Das ist nicht wahr! Ich widerspreche dir nie!«

Sie: »Und was tust du jetzt?«

Er: »Ja nur, weil du so einen Blödsinn redest.«

Was hat diesen merkwürdigen Zirkel verursacht? Hier haben wir eine Kommunikation, die selbstbezüglich wird. Eine Kommunikation über Kommunikation. Und das Vertrackte dabei ist, daß der Versuch, ein Problem der Kommunikation zu thematisieren, das Problem reproduziert. Das führt zu einem Teufelskreis der Beziehungsgespräche, der Paare zur Verzweiflung treiben kann. Sie fühlen sich dann wie verhext. Sie leben in einem Zauberkreis, den sie nicht durchbrechen können.

Nehmen wir an, der Mann ist etwas unsicher, und deshalb spielt er sich in Gesellschaft gerne auf. Sie aber haßt das. Und wenn er loslegt, verzieht sie, für die Umstehenden sichtbar, verächtlich das Gesicht. Sie seufzt leise: »Geht das schon wieder los?« Und blickt demonstrativ in eine Zeitschrift, wobei sie müde murmelt: »Ich kenn' das schon.« Er aber denkt: »Muß sie mir immer den Spaß verderben?« Und legt noch ein paar Oktanzahlen zu. Dabei wird er so gespreizt und pompös, daß sie zischt: »Hör auf, dich zum Narren zu machen!« Jetzt würde er normalerweise einen weiteren Gang einlegen. Damit würde er ihre Erwartung bestätigen, daß er ein bombastisches Arschloch ist. Und sie zu weiteren Spitzen provozieren.

Diese Konfrontation wird zur Routine werden, und entlang einer Linie des Gleichgewichts werden sich die beiden eingraben und einen Krieg anfangen, der wahrscheinlich länger dauert als der Erste Weltkrieg.

Am Ende würden sie sich ähnlich fühlen wie die Veteranen dieser Mutter
der modernen Massenschlächterei: erschöpft, desillusioniert, angeödet,
stumpf, verkrüppelt und reduziert auf die schale Dimension ihrer eigenen
Gegnerschaft. Beide sind mit ihrem Gegner zusammengeschrumpft. Das
ist ein schreckliches Schicksal. Man begegnet ihm oft und wünscht es niemandem.

Aus diesem Teufelskreis gibt es nur einen Ausweg. Daß man sich von
aller Empörung freimacht und jeden Gedanken an eigenes Recht und eigene Ansprüche verabschiedet. Und dann muß man sich so verhalten, daß
man den Partner überrascht. Das Entscheidende ist, daß man die Erwartung des Gegners nie erfüllt. Dazu muß man den erwähnten Sprung aus
dem vertrauten Gelände der Plausibilität hinaus in den Zaubergarten des
Unplausiblen wagen. Denn das Paradox hat die Eigenschaft, das Vernünf-
tige gegen sich selbst zu kehren und ins Gegenteil zu verwandeln. Also
muß man ihm das – aus der eigenen Perspektive – Unvernünftige anbieten.

Bleiben wir bei unserem Beispiel. Die Frau des Angebers weiß schon,
wie er auf ihre Kritik reagieren wird. Er spielt sich noch stärker auf. Er
will beweisen, daß er sich von ihr nicht kleinmachen läßt. Von niemandem! Von ihr schon gar nicht! All das bestätigt aber ihre Kritik. Und auch
das antizipiert sie mit der müden Geste derjenigen, deren Arm vom
Schwingen der Peitsche lahm geworden ist. Mit seiner Reaktion bestätigt
er das negative Urteil, das sie von ihm sowieso schon hat. Und er hat es so
oft bestätigt, daß die Erinnerungen daran so tief eingefahren sind wie Wa-
genspuren in weichem Boden.

Was aber passiert, wenn er sie überrascht? Wenn er zum Beispiel statt
weiter aufzudrehen, selbstironisch auf ihre Seite wechselt? Wenn er sich
in plötzlicher Selbsterkenntnis zerknirscht zu seinen Sünden bekennt,
sich für seine eigene Gespreiztheit tadelt, sich in einer Pseudo-Beichte
für diese Schwäche verflucht? Und wenn er, wo sie ihn kritisiert, sie in
der Schärfe der Kritik um das Doppelte übertrifft? Wenn er sich, statt
sich zu spreizen, selber kleinmacht und sich zurücknimmt? Dann geschieht etwas, das sie nicht mehr für möglich gehalten hätte. Dann erscheint da, wo sie nur noch einen Untoten gesehen hat, wieder ein le-

bendiger Mensch. Ein Mensch, der mehr ist als die Bestätigung ihres negativen Urteils. Einer, der über die Freiheit verfügt, so oder anders zu handeln. Der nicht unter Zwängen steht und immer gleich reagiert. Was vorher ein reiner Mechanismus war, ist wieder lebendig geworden. Ihr Mann ist dann in ihren Augen wie neu geboren. Sie ist überwältigt von so viel Frische. Sie betrachtet ihn staunend und ungläubig wie ein Wunder. Er hat ihr Vorurteil Lügen gestraft. Er ist mehr, als sie sich hat träumen lassen. Und sie hat das Gefühl, sie habe ihm Unrecht getan. Eine Erwartung zu widerlegen, nimmt ihr den Grund für diese Erwartung. Aber das heißt, Anklagen mit Liebenswürdigkeit zu quittieren und Angriffe mit Freundlichkeit. Und das auch dann, wenn man die Angriffe für ungerecht hält. Denn nur hier – allein über diesen Pfad – führt der Weg hinaus ins Freie… zurück in ein anderes Leben, das man wieder ein Leben nennen kann. Und dort sollte man eine Gefahr vermeiden, die jeden ehemaligen Gefängnisinsassen bedroht: sich mit jemandem einzulassen, der einen wieder ins Gefängnis zurückbringt. Vor solchen Typen warnt das letzte Bild der Porträtgalerie.

Zwölfter Abstecher in die Porträtgalerie der Männertypen: Gruppenbild der Versager – Jammerlappen, Radfahrer, Neidhammel und Unglücksrabe

Auf diesem Gruppenbild sehen wir ein buntes Volk verschiedener Typen von Verlierern, die es aus dem einen oder anderen Grunde nicht geschafft haben, den Männlichkeitsstempel zu bekommen und in eine Horde aufgenommen zu werden. Unter ihnen gibt es immer solche, die ihr Schicksal akzeptieren und auf dieser Basis eine neue, alternative Identität aufbauen. Da sie dies ohne die Rückendeckung sozial akzeptierter Rollenmuster bewerkstelligen müssen, dürften daraus ich-starke Personen hervorgehen, die Frauen einiges zu bieten haben: vor allem Verständnis. Häufig wird das die Ausgangsbasis für die Entwicklung eines Helden. Aber gerade weil hier jeder seinen eigenen Weg findet, gibt es keine Typen. Dabei entstehen

nur Individuen. Wer es aber nicht schafft, sein Versagen erfolgreich zu verarbeiten, wird einer der folgenden Typen.

Der Jammerlappen ...
... oder Durchschnittsversager bleibt als Feld-, Wald- und Wiesen-Loser
negativ auf sein Versagen bezogen. Er kann es nicht vergessen und muß es
wie einen schmerzenden Zahn immer wieder berühren. Er trägt das Gefühl mit sich herum, daß ihm sein Versagen am Gesicht abzulesen ist. Und
so wird er eine soziale Plage. Wenn alle Beteiligten sich einem gemeinsamen Thema widmen, wird er Sätze sagen wie: »Ich weiß, ich sollte da
nicht mitreden. Ihr haltet mich ja alle für inkompetent.« Damit weckt er
in jeder Gruppe den Wunsch, ihn hinauszuschmeißen. Auf diese Weise
wird einer der häufigsten Gründe bloßgelegt, aus denen jemand zum Versager wird. Es ist das schwache Selbstwertgefühl, das zur sich selbsterfül-
lenden Prophezeiung führt. Eine Frau, die sich mit diesem Typ Loser zu-
sammentut, heiratet ein Faß ohne Boden. Sie wird hektoliterweise
Gegendarstellungen in ihn hineinschütten: gefühlvolle Beteuerungen, daß
er für sie kein Versager sei, Darlegungen, daß Erfolg weniger wichtig sei
als Zärtlichkeit, Bitten, daß er auf die Reden der oberflächlichen Menge
nichts geben solle, und verzweifelte Schwüre, daß sie ihn auch dann liebe,
wenn sein Lebenserfolg unter dem einer durchschnittlichen Stubenfliege
bliebe – es wird alles nichts nützen. Das Faß wird niemals voll, und das
Problem wird niemals verschwinden. Sie wird ihn niemals erlösen. Die
Wunde wird sich niemals schließen. Sie hat einen Bluter geheiratet. Ihr
Haus wird zu einem Lazarett. Sie betreut einen Schwerbeschädigten, der
aus den Kesselschlachten des Männerkriegs heimgekehrt ist. Schließlich,
nach zehntausend vergeblichen Versuchen, ihn aufzurichten, wird sie verzweifeln. Dann bleibt ihr nur noch die Alternative, entweder den Weg
Lady Chatterleys einzuschlagen oder an seiner Seite zu verdorren.

Der Radfahrer ...
... unterscheidet sich vom masochistischen Typ des Jammerlappens dadurch, daß er sein Versagen kompensiert. Für Frauen stellt er die womöglich noch größere Plage dar. Da er die Anerkennung der Männer nicht

gewinnen konnte, versucht er sich bei seiner Frau schadlos zu halten. Damit zwingt er sie dazu, im Drama der Anerkennung sämtliche Komplementärrollen zu übernehmen. Sie muß den Gegner spielen, den er besiegt, das Publikum, das ihn beklatscht, und das Preisrichterkomitee, das die Siegerehrung vornimmt. Diesem Typus gehören diejenigen an, die ihre Familie im selben Maße unterdrücken, in dem sie im Beruf versagen. Sie benutzen ihre Familien als Druckausgleichsbehälter. Und geben die Schläge, die sie draußen erhalten, an ihre Frauen und Kinder weiter. Sie lassen sie dafür büßen, daß sie selbst als Männer Versager sind. Psychologisch gesehen, gleichen sie Radfahrern: Sie buckeln nach oben und treten nach unten. Ihr Weg ist der des geringsten Widerstandes, mit anderen Worten: Sie sind egozentrische Feiglinge, die das Gefühl ihres Unwerts loswerden wollen, indem sie es nach unten weitergeben.

Solche Typen weigern sich, sich ihr Versagen einzugestehen. Deshalb stellen sie die Kriterien auch nicht in Frage, an denen gemessen sie zu Versagern wurden. So werden auch ausgesprochene Misfits zu monströsen Machos. Gerade weil sie die Männlichkeit überkompensieren, sind sie gegenüber Schwächeren laut, ruppig, latent gewalttätig und tyrannisch. Davon sind auch Frauen und Kinder nicht ausgenommen. So wie früher ein Gescheiterter in die Kolonien ging, wo er plötzlich gegenüber den Einheimischen den europäischen Herren spielen konnte, so spielt sich der Überkompensierer als Supermann gegenüber seiner Familie auf.

Dieser Typ ist weitverbreitet. Manchmal droht er geradezu eine Landplage zu werden. Ganze Heere von Familienangehörigen haben unter ihm zu leiden. Die starke Verbreitung hängt natürlich mit den vielen Möglichkeiten zusammen, in einer auf Wettbewerb aufgebauten Gesellschaft zu scheitern. Deshalb haben sich schon richtige Rollenmuster für Versager herausgebildet, auf die die Erfolglosen zurückgreifen können. Das entlastet sie. Ein Beispiel ist der Null-Bock-Typ, der sich gar nicht erst auf den Wettbewerb einläßt. Ihm sind alle Trauben zu sauer. Und er gibt vor, gar nicht zu wollen, was er sowieso nicht kriegen kann. Er spielt den Blasierten, dem die Welt nichts zu bieten hat. Und so kann er auch auf die Anerkennung verzichten, nach der er sich heimlich sehnt.

Der Neidhammel ...

... ist ebenfalls weit verbreitet. Er weiß aus sicherer Quelle, daß sich die
Erfolgreichen ihren Erfolg mit unlauteren Mitteln erschlichen haben. Das
macht ihn zum Tugendbold, und er kauft sich Wickerts Buch »Der Ehrli-
che ist der Dumme«. Das bietet ihm eine Erklärung für seinen Mißerfolg.
Da er sich den Reichtum des Nachbarn nur damit erklären kann, daß dieser das Finanzamt betrügt, macht ihn sein Tugendbewußtsein zum De-
nunzianten.

Wenn der Typ des Ressentimentgeladenen in Massen auftritt, formt er
mit anderen Selbstgerechten einen Chor der Empörung. Weil er sein eigenes Versagen mit seiner Tugend erklärt, findet er im Vergleich mit den
Erfolgreichen immer neue Anlässe zur Empörung. So wird dann dieser
Typ des Versagers an seiner dauernden Empörung, an seiner Neigung zum
Denunziantentum und an seiner bornierten Selbstgerechtigkeit erkennbar. Früher rekrutierte sich aus dieser Kategorie das Heer der Antisemi-
ten.

Die große Zahl dieses Versagertyps verschafft ihnen eine Art sekundäre
Anerkennung durch die Resonanz, die sie bei anderen Versagern finden.
Sie sind jedenfalls nicht alleine. Sie haben den Trost, nicht mehr indivi-
duelle Versager zu sein, sondern Symptome eines sozialen Problems.

Der Unglücksrabe ...

... dagegen ist ein Einzelgänger, der den Mißerfolg zur Kunstform erhebt. Erlebt man ihn, hält man den Erfolg für überschätzt und kommt zu
dem Schluß, daß sich im Versagen erst das ganze Können des Menschen
zeigt. Seine höchste Form erreicht es in den hauptamtlich vollberuflichen
Unglücksraben. Sie sind das Gegenbild der Begnadeten und Erwählten,
der Glückskinder und der vom Schicksal Begünstigten. Wie sie verfügt
jeder begabte Versager über sein eigenes Geheimnis, das ihn zum Loser
bestimmt. Er hat eine Art Instinkt für den Fehlschlag, eine tiefverankerte
Sicherheit, immer das Falsche zu tun. An ihm haftet ein Fluch wie ein
verkehrter Segen. Das macht ihn zu einer poetischen Gestalt. Er ist gewissermaßen ein Genie des Unglücks. Seine Trittsicherheit auf dem Weg zum
Mißerfolg macht ihn zur legendären Figur.

Für Firmen oder Planungsgruppen oder Politiker kann er sehr wertvoll sein. Bei schwierigen Entscheidungen konsultiert man ihn und tut dann genau das Gegenteil. Damit liegt man immer richtig. Als eine Art heiliger Idiot scheint er beweisen zu wollen, daß er ein Virtuose des Mißerfolgs ist. Er wirkt manchmal, als ob er absichtlich danebengreift. Er zeigt dabei so etwas wie Brillanz.

Zum Beispiel gab es da den Forscher Thomas Nuttall. Er war Botaniker, und sein Spezialgebiet war die Flora Nordamerikas. Als Forschungsreisender fiel er bald dadurch auf, daß er sich auf seinen Expeditionen unweigerlich verirrte. Die meiste Zeit war er ohne alle Orientierung. Entweder mußte er durch Suchtrupps gerettet werden, oder er wurde völlig entkräftet von freundlichen Indianern wieder zur nächsten Siedlung zurückgebracht. Er war aber darin völlig berechenbar, daß jedesmal, wenn er aufbrach, man sicher sein konnte, daß er nicht ohne Hilfe zurückfand. Seine Kollegen zündeten große Feuer an, um ihm den Weg zurück zu erleichtern, aber auch das nützte nichts. Auf einer Expedition von 1812 ging er wieder verloren. Aber diesmal übertraf er sich selbst, weil er den Suchtrupp für räuberische Indianer hielt und vor ihm floh. Seine Retter verfolgten ihn mehrere Tage durch die Wildnis, aber es gelang ihm immer wieder zu entwischen. Und wäre er nicht im Kreis gelaufen und versehentlich wieder auf das Lager gestoßen, hätten sie ihn wahrscheinlich nie wiedergesehen.

Solche Figuren scheinen dem Gefängnis der Männlichkeit entkommen zu sein. Ihnen haftet etwas Überirdisches an. So wie die Götter in ihrem unerforschlichen Ratschluß ihre Lieblinge scheinbar aufgrund schierer Sympathie auswählen, sind auch die Unglücksraben Erwählte. Ihre absolute Treffsicherheit bei der Entscheidung erhebt sie über jede Schuld. Sie folgen einem höheren Gesetz. Diese Tatsache flößt uns eine gewisse Scheu ein. Wer sich in ihre Nähe begibt, wird diesem Gesetz unterworfen. Auch Frauen sollten um sie einen Bogen machen. Ihr Zauber wäre für sie zu schwach. Es sind heilige Männer, die in so umfassender Weise zu Opfern der Männlichkeit geworden sind, wie Frauen es nie könnten. Vor ihnen können wir uns nur verbeugen.

Die Komödie der Frauen:
Amphitryon oder: Alkmenes Dilemma

Szene 8: Alkmenes Dilemma

Fortsetzung des Brunch auf der Terrasse vor Amphitryons Haus. Jupiter hat sich wieder in sich selbst verwandelt und verkündet seine Entscheidung: daß er das Schicksal aller Frauen in die Hände Alkmenes legt. Alkmene aber hat das Schicksal von Klein-Herkules zu berücksichtigen, denn sie ist schwanger. Das ist dann ihr Dilemma.

MERKUR: Ach, da sind Sie!

SOSIAS und AMPHITRYON *(verbeugen sich)*: Wir grüßen dich, Herrscher des Olymp!

JUPITER: Setzt euch, setzt euch, warum plötzlich so formell? *(Sie setzen sich)* Ihr seht, zum Herrschen braucht man auch die Künste des Theaters. Die Hälfte der Regierungskunst besteht darin, den Eindruck von Autorität zu wecken, und selbst die können sich dem Eindruck nie ganz entziehen, die ihn durchschauen. *(Die Damen, vom Donner erschreckt, kommen zurück, ohne Jupiter gleich zu bemerken)*

LEDA: Beim Olymp, was ist passiert?

ALKMENE: Ihr habt euch doch hoffentlich nicht gestritten?

NEPHROSYNE: Seht, dort ist Jupiter! *(Zeigt auf ihn)*

THESSALA: Das ist ein Trick, wie im Theater: ein Deus ex machina! Um am Ende alles mit Gewalt durch göttliches Dekret zu lösen!

JUPITER: Diesmal hab' ich mir eine andere Lösung ausgedacht, Thessala, und nicht per Dekret! Setzt euch bitte, ich möchte eine Rede halten. *(Die Damen setzen sich)*

ALKMENE: Das lieben sie allemal: eine Rede halten, gleichgültig, ob Männer oder Götter!

LEDA: Das sag' ich auch immer: Wenn es einen Unterschied zwischen Männern und Frauen gibt, der nie beseitigt werden wird, dann der rhetorische: Frauen reden immer nur einzelne an und lieben das Wechselgespräch zwischen wenigen. Für Männer aber gibt es keine größere Lust, als ganze Versammlungen durch stundenlanges Reden zum Schweigen zu verdammen, und sich selbst die ganze Zeit alleine zu lauschen! Ich frag' mich, was sie daran finden.

JUPITER: Könnt' ich jetzt auch mal zu Worte kommen?

LEDA: Aber bitte! Aber vielleicht müssen wir das auch lernen, wenn wir uns wirklich emanzipieren wollen, was sowieso eine ziemliche Fatalität ist, sag' ich.

THESSALA: Pst – wir waren uns doch einig!

JUPITER: Also – mit eurer Erlaubnis möchte ich den Entschluß, den ich gefällt habe, kurz erläutern: Daß ich mich in meine eigene Gestalt zurückverwandelt habe, soll auch bekunden, ich bin nicht nur ein Gott der Männer, deren Interessen ich hier vertrete, im Gegenteil: wenn ich je für ein Geschlecht eine Vorliebe bekundet hätte, sind's die Frauen.

MERKUR: Hört, hört!

JUPITER: Auf die Gefahr hin, ungalant zu sein, muß ich betonen: Das liegt nicht nur an ihrer größeren Attraktivität. Vielmehr, ich hab' es oft betont, liegt's auch an der Interessengemeinschaft, die wir Götter mit den Frauen teilen: Wir sind beide gegen eine Welt, die sich entzaubert und allein von öder Kausalität beherrscht wird. Und eine Garantie, daß das nie endgültig passiert, liegt in der Liebe, ein Paradox aus Zufall und Notwendigkeit, die keine Gründe hat und immer überrascht, die frei ist und doch jeden hilflos macht. Vielleicht das letzte Rätsel, das die Naturphilosophen übriglassen, und wovon jener Sokrates mit seiner schlechten Ehe natürlich keine Ahnung hat. Doch ich schweife ab.

LEDA: Aber nein, das ist ja so interessant, was Sie sagen. Ich könnte stundenlang zuhören, es ist wie in der Rhetorikschule zu Athen, wo man übrigens genau dasselbe sagt.

JUPITER: Deshalb habe ich beschlossen, Alkmene soll über die Emanzipation selbst entscheiden. Mit dem Einverständnis aller leg' ich das Schicksal aller in Alkmenes Hände! Denn sie, Alkmene, trägt die Zukunft dieser Welt bei sich. Sie weiß es schon, und ich weiß es durch göttliche Allwissenheit und – wer weiß – durch eigene Betätigung: Alkmene, als Ergebnis dieser Nacht und ihrer Mißverständnisse wirst

du zu gegebener Zeit, ich glaub', es sind neun Monate, einen Sohn bekommen und ihn Herkules nennen. *(Kleine Pause)*

ALKMENE: Ich weiß! *(Die anderen Frauen jubeln und gratulieren)*

NEPHROSYNE: Ich gratuliere.

THESSALA *(Alkmene umarmend)*: Ich freue mich ja so sehr für Sie!

LEDA: Ach, Kindchen, ich bin ja so gerührt! Aber versprich mir, du machst
mich zur Patentante von Klein-Herkules! Ich fühle mich für die Entstehung irgendwie mitverantwortlich, weißt du?

JUPITER: Hört, was ich zu sagen habe: Die Frage, wer Amphitryon war,
wer Jupiter, war hier zeitweilig strittig. Doch sie wird nun durch die
Entscheidung mit geklärt: Ich mache deinen Sohn kraft meiner göttlichen Autorität zu einem Halbgott und unsterblich, wenn du meine
Vaterschaft anerkennst.

ALKMENE: Aber ja doch, ja!

THESSALA *(umarmt Alkmene wieder)*: O liebste Fürstin!

JUPITER: Halt! Entscheide dich noch nicht! Denn sonst setzt du die
Rechte der Frauen aufs Spiel. Wenn du nämlich entscheidest, daß Jupiter der Vater deines Sohnes ist, damit der dann ein Halbgott wird, dann
erkennst du das Prinzip an, daß Stand und Ausstattung der Kinder sich
nach dem Vater richten und sich mit seinem Status mit erhöhen. Das
ist das Prinzip der patriarchalischen Gesellschaft. Willst du jedoch umgekehrt auf den göttlichen Ursprung für dein Kind verzichten, dann
wird dein Herkules ein ganz normaler Bengel, vielleicht mehr als normal begabt, vielleicht aber auch ziemlich dämlich und leicht tückisch,
höchstwahrscheinlich aber so deprimierend durchschnittlich wie üblich. Du hast die Entscheidung selber in der Hand. Denn das verfüge
ich als Teil der Weltordnung: Die Rechte der Frauen sollen nicht uner-
reichbar sein, man soll sie tatsächlich realisieren können, doch wollt ihr
sie haben, müßt ihr auf die Vorteile der alten Position verzichten: Euren Status müßt ihr dann durch eigene Verdienste erwerben und nicht
mehr durch die Heirat. Wer Rechte will, der muß dafür bezahlen, und
wer ganz wie ein Mann sein will, der muß auf Kinder ganz verzichten
so wie Diana. Und selbst dann habt ihr Frauen noch den Vorteil, daß
ihr wählen könnt, während Männer nun mal keine Wahl haben und

wohl oder übel das bleiben müssen, was sie sind, nämlich Männer. Nun wähle du, Alkmene. Das Schicksal der Frauen liegt in deiner Hand. Doch nicht nur ihres, sondern auch das der Männer und auch meins und meines Rufs, vor allem aber das deines Sohnes: Soll er ein Halbgott werden und unsterblich, oder willst du um deiner Rechte willen für ihn darauf verzichten? Nun – wie wählst du?

ALKMENE *(ratlos zu den anderen)*: Ich weiß nicht – wie soll ich mich entscheiden?

NEPHROSYNE: Überschätz' das nicht mit dem Status der Götter! Als Mann hat er sowieso Privilegien, die denen der Götter ähneln.

LEDA: Vergiß den ganzen emanzipatorischen Quatsch! Es geht um das Schicksal deines Jungen! Stell dir vor, er wird ein Gott und unsterblich! Was glaubst du, wird er sagen, wenn er erfährt, daß du für ihn darauf verzichtet hast??

THESSALA: Die Wahl ist unfair. Warum sollten die Frauen nicht die Rechte der Männer mit den positiven Seiten weiblicher Existenz verknüpfen können?

JUPITER: Weil diese positiven Seiten nur ein Ergebnis der bisherigen Unterscheidung sind. Also, Alkmene, wie entscheidest du dich?

ALKMENE: Wenn ich mich für das eine entscheide, dann muß ich mich ja gegen das andre entscheiden? Das ist unfair!

JUPITER: So ist nun mal die Realität.

THESSALA: Hör nicht hin, Alkmene! Die Realität ist nur eine Erfindung der Männer!

LEDA: Jetzt ist der Punkt erreicht, wo sich die Argumente wiederholen und jede Diskussion eines natürlichen Todes sterben sollte. Daher gilt dieser Ratschlag für jede Frau in Alkmenes Situation: Was immer ihr tut, treibt die Diskussion nie so weit mit den Männern, daß ihr euch gegenseitig langweilt! Fangt keinen Streit an, von dem ihr nicht vorher wißt, wie ihr ihn beendet! Denkt immer daran, wenn euer Mann euch anödet, liegt es immer daran, daß er sich angeödet fühlt. Doch was öde ist, seid nicht ihr, sondern der Streit, wenn er sich wiederholt, denn der ist tödlich! Laßt niemals zu, daß die beiden Geschlechter sich gegenseitig anöden! Sie haben leider nur einander, und deshalb sind sie gezwungen, füreinander so abwechslungsreich zu sein wie möglich. Aus diesem Grunde fordere ich Jupiter auf: Gib Alkmene Bedenkzeit. Das macht die Sache spannend.

JUPITER: Die sollst du haben, Alkmene. Inzwischen verfüge ich: Entscheidest du dich dafür, daß dein Sohn ein Halbgott ist und Jupiter sein Vater, dann sollen die großen Dichter die Ereignisse dieser Nacht besingen und in Schauspielen fürs Volk verständlich auf dem Theater darstellen. Dichter von Völkern, die noch im Schoß der Zeiten ruh'n, wie Römer, Franzosen, Engländer und Deutsche, sie alle sollen einen Dichter finden, der ihnen ein Schauspiel vom göttlichen Ursprung deines Sohnes schreibt, und alle, die hier sitzen, sollen durch die dramatische Kunst unsterblich werden. Entscheidest du dich aber anders, dann soll die Nacht des Schweigens über dieser letzten Nacht ruhen und der Ursprung deines Sohnes dunkel bleiben, weil die Rechte der Frauen um so heller strahlen. So entscheidest du nicht nur das Los der Frauen und der Männer, das meines Rufs als Gott sowie das Schicksal deines Sohnes, sondern auch die Frage, ob einige der besten Dramen des Theaters je geschrieben werden. Wir aber wollen diese Szene mit einem Tanz beenden. *(Er macht ein Zeichen, und es ertönt himmlische Musik.)* In Anknüpfung an alte Zeiten möchte ich Leda auffordern, mit mir den Schwanentanz zu tanzen. *(Sie tanzen. Danach formieren sich weitere Tanzpaare aus Nephrosyne und Merkur, Thessala und Sosias und schließlich Alkmene und Amphitryon; während der Vorhang sinkt, wird die Musik lebhafter, und die Tanzpartner wechseln.)*

ENDE

Anhang

Literarisches Stichwort zum »Amphitryon«

Giraudoux hat mit seinem »Amphitryon 38« bekunden wollen, daß es vor ihm schon 37 Dramen dieses Titels gegeben hat. Dabei kann er aber die griechischen Bearbeitungen des Stoffes nicht mitgezählt haben, denn sie sind uns sämtlich verlorengegangen – und es waren Tragödien. Aischylos und Euripides haben Alkmene-Tragödien geschrieben und Sophokles eine Amphitryon-Tragödie. Das kann nur überraschen, wenn man an Plautus und Molière denkt. An sich aber war es selbstverständlich, daß Heldensagen und Geschichten von Göttern zum Stoffbereich der Tragödie gehörten, während die Komödie mit frei erfundenen Handlungen arbeitete und sich der Zeitkritik verschrieb. Und daß die Amphitryon-Geschichte einem tragikfähigen Stoff entstammt, wird klar, wenn man sich an ihren Zusammenhang erinnert: Amphitryon hat den Vater Alkmenes erschlagen und darf sie nur heiraten, wenn er in die Schlacht zieht, um die Brüder zu rächen. Auf diesem Wege gibt er dann aber Jupiter die Gelegenheit, ihn mit Alkmene in seiner, Amphitryons Gestalt, zu betrügen. Das heißt, Amphitryon kann Alkmene nur durch ein Mittel gewinnen, durch das er sie sofort wieder verliert. Ob das aber der Punkt war, um den sich die Tragödien drehten, ist unbekannt. Wir wissen nur etwas über Euripides' Tragödie »Alkmene«, weil 1872 ein Vasenbild aus dem Britischen Museum als Wiedergabe der entscheidenden Szenen der Alkmene von Euripides identifiziert wurde. (Vgl. Louis Séchan, Etudes sur la tragédie grècque dans ses rapports avec la céramique, Paris 1926, wo das Vasenbild reproduziert ist.) Danach war Amphitryon in die Schlacht gezogen, ohne die Hochzeitsnacht mit Alkmene zu vollziehen, und findet sie nach entsprechend langer Abwesenheit bei seiner Rückkehr kurz vor der Entbindung. Die Tragik liegt nun ganz bei ihr, denn weil Zeus sie in der Gestalt Amphitryons besucht hat, glaubt sie sich unschuldig, während er sie des Ehebruchs anklagt und Rache schwört. Als er sie töten will, flieht sie in den Tempel des Zeus, der sie als Deus ex machina rettet und die Geburt des Herakles verkündet. Dieser Handlungsvorwurf ist um zwei zentrale Ereignisse herum konstruiert: die Zeugung und die Geburt des Herakles. Die erste dramatische Bearbeitung, die wir kennen, ist Plautus' »Amphitruo«, und sie ist schon eine Komödie. Vielleicht lag auch ihm schon eine griechische Komödie vor. Im 5. Jahrhundert hatte ein Dramatiker der älteren attischen Komödie namens Platon (nicht identisch mit dem Philosophen) ein Stück mit dem Titel »Die lange Nacht« geschrieben: Dieser Titel weist auf die List Jupiters hin, seine Nacht mit Alkmene zu verlängern. Ursprünglich jedoch stammt die Vorstellung der langen Nacht aus den Kosmogonien des 5. Jahrhunderts vor Christi, wobei diese Zeitstrecke nicht der irdischen, sondern der göttlichen Zeit zugerechnet wurde. Das löste dann auch das dramatische Problem, die Geburt des Herakles so nah an die Zeugung heranzuziehen, daß sich das ganze Geschehen zu einem Handlungsbogen raffen ließ. Dabei hat im ursprünglichen Mythos Herakles einen Zwillingsbruder, der bereits nach sieben Monaten geboren wird, während er selbst erst nach zehn Monaten das Licht der Welt erblickt. Die lange Nacht ist also auch die intrauterine Zeit des Embryos zwischen Zeugung und Geburt. Indem sie beide Zeitpunkte miteinander verbindet, verbindet sie auch Komödie und Tragödie: Der Betrug bei der Zeugung ist ein Komödienmotiv, die Verwirrung und die schuldlose Schuld Alkmenes, die mit der Geburt offenbar wird, Amphitryons Erbitterung und Rache und die Geburt des Herakles gehören der heroisch-tragischen Dimension an. Entsprechend nennt Plautus sein Stück auch eine Tragik-Komödie, und es ist nicht ausgeschlossen, daß er sie aus einer Komödie und einer Tragödie zusammengesetzt hat. Wie dem auch sei, es ist die erste uns erhaltene dramatische Bearbeitung des Stoffes.

In der Renaissance wurde dann Plautus wiederentdeckt, und es folgten weitere Bearbeitungen von Perez de Oliva (1531), Camões (1549), Ludovico Dolce (1545) und von einem anonymen Zeitgenossen Shakespeares unter dem Titel »The Birth of Hercules« (1600-1610). Interessant ist eine Transformation ins Christliche von Johannes Burmeister unter dem Titel »Sacri Mater Virgo« (1628), in der Maria die Stelle Alkmenes einnimmt, Amphitryon die von Joseph und Jesus die von Herkules.

Die Wirkungsgeschichte der Neuzeit aber ging von einer anderen Bearbeitung aus, nämlich der von Molière. Auch die hatte einen Vorgänger, nämlich Rotrous »Les Sosies«, die Molière weidlich ausschlachtete. Aber in einem ist Molières Bearbeitung für weitere Anschlüsse entscheidend geworden: Er kappt den Bezug zur Geburt des Herakles und konzentriert die Handlung allein auf den Betrug. Damit wird der Stoff stärker als vorher zu einem reinen Komödiengeschehen, und daran knüpfen die weiteren Bearbeitungen an, nämlich die von John Dryden und vor allem die von Kleist, deren Originalität erst in den 20er Jahren dieses Jahrhunderts erkannt wurde. In der Version von Molière, Dryden und Kleist dürfte dann der Stoff auch in den Herkunftsländern dieser drei Autoren am bekanntesten geworden sein, und es ist vor diesem Hintergrund, daß meine Version gesehen werden sollte.

» ... eine Blitztour durch Geschichte
und Literatur, Kunst und Weltbilder ... «
Der Spiegel

Dietrich Schwanitz
Bildung
Alles, was man wissen muß
Ergänzt durch ein Nachwort
von Dietrich Schwanitz
544 Seiten · geb. m. SU
DM 49,80 · öS 364,– · sFr 46,–
ISBN 3-8218-0818-7

Dietrich Schwanitz präsentiert den gesamten Bildungsstoff: Mythologie
und Religion, die abendländische Geschichte von der Antike bis zur
Gegenwart, Literatur, Kunst, Musik, Philosophie und Wissenschaft.

Eine Zeittafel, informative Kurzfassung von »Büchern, die die Welt
verändert haben«, Tips zum Weiterlesen und ein ausführliches Namen-
register erhöhen den Gebrauchswert dieses Handbuchs.

»Es macht Spaß, Schwanitz zu lesen. Und man lernt eine Menge dabei.«
Ulrich Greiner, Die Zeit

 *Eichborn.*

Kaiserstraße 66
60329 Frankfurt
Telefon: 069 / 25 60 03-0
Fax: 069 / 25 60 03-30
www.eichborn.de
Wir schicken Ihnen gern ein Verlagsverzeichnis.